Le bal de Mayfair

ANNE BARTON

Le bal de Mayfair

traduit de l'américain
par Marie-José Lamorlette

Roman

ÉDITIONS FRANCE LOISIRS

Titre original : SCANDALOUS SUMMER NIGHTS

Publié avec l'aimable autorisation de
Grand Central Publishing, New York, USA.

Édition du Club France Loisirs,
avec l'autorisation des Éditions Harlequin.

Éditions France Loisirs,
123, boulevard de Grenelle, Paris.
www.franceloisirs.com

ISBN : 978-2-298-10651-0

Pour ma magnifique sœur, Janis
– le genre d'amie que toute fille devrait avoir.

1

Authentique : *1) Se réfère à une antiquité ou à un objet qui n'est pas une copie ni un faux. 2) Vrai, réel, comme dans : « Ses sentiments pour le séduisant avoué étaient authentiques – et, de façon contrariante, non retournés. »*

Londres, 1817

N'importe quelle jeune fille dotée d'un tant soit peu de bon sens aurait renoncé à James Averill depuis belle lurette.

Exception faite pour problème Olivia Sherbourne : son problème à elle ne venait pas d'un manque de bon sens, non – il venait d'un trop-plein d'obstination. Olivia se morfondait pour James depuis *dix longues années*. Peu importait qu'il ne lui offre que fort peu d'encouragement : sa patience provenait d'un amour véritable, profond et durable.

Et elle l'avait vu un jour torse nu (autant le dire tout de suite).

Un torse magnifique, soit dit en passant. Cette vision l'avait d'ailleurs soutenue la majeure partie de cette fameuse décennie.

Même à présent, tandis qu'elle l'observait de l'autre bout de la salle de bal brillamment illuminée de lady Easton, elle imaginait très bien ce qui se cachait sous sa jaquette à la belle coupe : une peau chaude, hâlée par le soleil, des muscles nerveux et un abdomen sculpté aussi beau que celui d'Apollon.

En vérité, elle pouvait imaginer toutes sortes de choses. Et elle ne s'en privait pas.

Pour le moment, alors qu'elle le regardait parler avec son frère Owen, duc de Huntford, elle ne pouvait s'empêcher de penser combien elle aimerait glisser les mains sous ses revers, les faire remonter sur son torse, déloger sa jaquette de ses épaules extraordinairement larges et enfiler les doigts dans ses courtes boucles cendrées.

D'ordinaire, Olivia était plus encline à l'action qu'aux rêvasseries. Elle disait librement ce qu'elle avait à l'esprit – *trop* librement, aurait dit son frère – et faisait ce qu'elle jugeait bon, tant pis si la haute société n'était pas d'accord. Elle savait ce qu'elle voulait : une éducation qui allait plus loin que la musique et le français, un semblant de contrôle sur son avenir et des amitiés sérieuses, même si elles n'étaient pas conventionnelles. Non, elle n'était pas du genre timide quand il s'agissait de réaliser ses désirs.

Sauf en ce qui concernait James.

Parce qu'il comptait plus que tout.

Elle aimait l'ami d'enfance de son frère de loin, et depuis si longtemps que certains pourraient la trouver… pathétique. Mais il avait donné des signes qu'il la remarquait, dernièrement – des coups d'œil distraits et des froncements de sourcils perplexes. Certes, comme marques d'intérêt, ce n'était pas des plus encourageants,

mais qui sait ? Ce soir serait peut-être *le* soir où il l'inviterait enfin à valser. Une jeune fille avait bien le droit de rêver…

Et elle était prête à attendre que les sentiments de James s'accordent aux siens. En vérité, elle se serait satisfaite de rester ici toute la soirée, à la lisière de la piste de danse, l'apercevant çà et là. Elle le distinguait sans mal parmi la foule. Son physique athlétique et son sourire engageant la faisaient flageoler sur ses jambes, un état qui lui arracha un doux soupir.

Quand quelqu'un s'éclaircit la gorge près d'elle, elle détacha enfin son regard de James pour le fixer sur le visage à la beauté classique de l'homme qui se tenait devant elle.

— Mes excuses, lord Dixon. Je rêvassais, j'en ai peur.

Ses joues s'échauffèrent.

— C'est moi qui devrais m'excuser de vous avoir surprise.

Le jeune marquis sourit d'un air rassurant.

— Et je dois avouer que je trouve votre aptitude à rêver au milieu de l'agitation d'un bal impressionnante. Pour ne pas dire charmante, ajouta-t-il, ses yeux bleus pétillant.

— Vous êtes très aimable.

Lord Dixon était précisément le genre de gentleman qu'Owen aimerait la voir épouser : respecté, titré, riche et convenable en toute circonstance. Olivia elle-même ne pouvait trouver qu'une seule chose à lui reprocher : il n'était pas James.

Le jeune marquis lissa d'une main le devant de son gilet et s'éclaircit de nouveau la voix.

— Lady Olivia, accepteriez-vous de…

— Ah, tu es là.

Rose, la sœur cadette d'Olivia, se précipita à son côté, hors d'haleine et étonnamment agitée.

— Bonsoir, lord Dixon.

Elle fit une demi-révérence.

— J'espère que je ne vous dérange pas.

— Pas du tout. Nous allions juste...

— je me demandais si je pourrais te dire un mot, Olivia. Elle jeta un regard d'excuse au marquis.

— En privé, insista Rose.

L'expression d'ordinaire sereine de sa sœur était troublée par des plis d'inquiétude sur son front. Un frisson passa sur l'échine d'Olivia. Rose ne songerait jamais à l'éloigner d'une façon impolie d'un gentleman à moins qu'il ne s'agisse d'une question vraiment urgente.

— Bien sûr.

Lord Dixon s'inclina avec grâce.

— Je ne voudrais pas vous retenir. Nous pourrons peut-être reprendre notre conversation plus tard, si cela vous convient.

— J'en serai ravie, dit Olivia. Merci de votre compréhension.

— Oui, merci, renchérit Rose tout en tirant sa sœur par le bras.

Elle l'entraîna jusqu'à un endroit discret entre deux palmiers en pot et se tordit les mains.

— Tu m'effraies, Rose. Que s'est-il passé ?

— Je viens juste d'apprendre une nouvelle. Et je voulais te la dire avant que tu ne l'apprennes par quelqu'un d'autre. Je crains que tu ne la trouves... pénible.

Les doigts d'Olivia s'engourdirent soudain.

— Quelqu'un est-il malade ? La mère d'Anabelle ? Le bébé ?

— Non, non. Elles vont bien. Ce n'est rien de tel.

— Alors quoi ?

Les yeux de Rose brillèrent de compassion.

— Cela concerne M. Averill.

— James ?

Les genoux d'Olivia en flageolèrent, et elle s'agrippa au bord d'un pot pour se soutenir.

— Est-ce qu'il est…

Juste ciel, elle pouvait à peine prononcer le mot.

— … fiancé ?

Sa voix se fêla.

Rose secoua la tête avec emphase.

— Non.

Olivia prit une inspiration et opina.

— Bon.

Si James n'était ni fiancé ni mort, la nouvelle ne pouvait pas être terrible à ce point. Si ?

— Il vient de faire une annonce. Apparemment, il se prépare à partir pour l'Égypte.

La salle de bal se mit à tournoyer autour d'Olivia.

— L'Égypte ?

— Oui, il va participer à des fouilles archéologiques – pendant deux ans.

Olivia battit des cils.

— Tu as dit… « deux ans » ?

— Je le crains.

Si longtemps ! Elle ravala la boule qu'elle avait dans la gorge, et demanda :

— Quand ? Je veux dire, quand part-il ?

— À la fin de l'été. Je suis tellement désolée, Olivia.

— Tout va bien, mentit cette dernière. Je savais qu'il était féru d'antiquités, évidemment. C'est juste que je n'avais jamais imaginé…

Un avenir sans James.

— Aimerais-tu quitter le bal ?]e pourrais dire à Owen que tu as une migraine, et nous rentrerions à la maison.

— Non. Ce n'est pas la peine de gâcher ta soirée.

— Il m'est égal de…

— Je sais.

Olivia lissa quelques boucles derrière ses oreilles, comme si se ressaisir n'était pas plus difficile que cela.

— La fin de l'été. C'est dans quoi… huit semaines ?

— Oui, je le crains, répondit Rose.

— Alors c'est tout le temps dont je dispose, murmura Olivia.

— Pour quoi faire ?

— Pour le rendre amoureux de moi.

Bien sûr, encore faudrait-il qu'il daigne la remarquer… Et la traiter autrement qu'un meuble qu'on évite pour ne pas se cogner un orteil.

Rose plissa le front d'un air compatissant.

— Je ne suis pas certaine qu'il soit possible de forcer quelqu'un à tomber amoureux, hasarda-t-elle.

Comme toujours, elle était la voix de la logique et de la raison. Mais il y avait aussi, certainement, un temps pour la passion. Olivia décida que c'était maintenant.

— Tu as raison, bien sûr – mais je *dois* essayer.

— Comment ?

— J'aimerais bien le savoir !

Elle avait déjà tenté des robes affriolantes, des chevilles tordues et d'émouvants passages de poésie. En vain.

— Aucune de mes tactiques les plus subtiles n'a réussi à capter son attention jusqu'ici.

— Tu dois te rappeler, dit Rose avec sympathie, que M. Averill est un ami proche d'Owen. Notre frère peut être terriblement intimidant.

Olivia chérit sa sœur de suggérer que leur frère pouvait être la cause du manque d'intérêt apparent de James, mais elle était mieux fixée.

— James n'a pas peur d'Owen – ni de personne.

Bien que l'homme de son cœur ait l'air d'un parfait gentleman, il était peut-être le meilleur boxeur de tout Londres.

— C'est vrai. Mais M. Averill est un gentleman honorable et, en tant que tel, il respecterait les souhaits d'Owen te concernant. Un match de boxe est une chose. Les sœurs en sont une autre, bien différente.

— C'est un aspect de ma vie que je refuse de me laisser dicter par Owen. Et, étant donné la nouvelle de ce soir, je pense que je dois recourir à des mesures radicales.

Rose pâlit.

— Ta nature impulsive est l'une des choses que j'aime le plus chez toi, commença-t-elle.

— Mais… ?

— Tu dois réfléchir avec soin à ce que tu diras à M. Averill ce soir. Tes actions pourraient avoir des conséquences sérieuses et durables – pour vous deux.

— Je sais.

Olivia déglutit avec peine, refroidie par les paroles de sa sœur.

— Tu me souhaites bonne chance ?

Rose l'étreignit.

— Bien sûr. Simplement… sois prudente. Je ne voudrais pas te voir blessée.

Olivia esquissa un faible sourire.

— Moi non plus.

Mais elle savait qu'un cœur brisé n'était pas à exclure, loin de là.

Son amour non retourné devait sembler ridicule à sa famille et à ses amis. De fait, il ne se passait pas un jour sans qu'Olivia ne remette en question son propre bon sens. Mais il ne s'agissait pas d'une toquade passagère. Quelque chose la reliait à James, elle le comprenait, d'une manière intuitive. Elle était charmée par la façon dont ses lèvres bougeaient lorsqu'il était plongé dans ses pensées – comme s'il se parlait à lui-même pour résoudre un problème épineux. Elle adorait la manière dont ses yeux brillaient quand il mentionnait les derniers ajouts au British Museum. Elle aimait même sa tendance à se laisser distraire par une plante rare alors qu'elle s'efforçait de mettre en avant d'élégantes nouvelles chaussures.

Néanmoins, elle ne s'abaisserait jamais à attirer James dans le piège du mariage. Elle ne voulait pas avoir à l'entortiller pour le pousser à la prendre pour femme.

Ce qu'elle voulait – ce dont elle rêvait chaque nuit depuis dix ans – c'était sa totale adoration. Elle voulait se réveiller à son côté et avoir des conversations agréables durant le petit déjeuner. Elle voulait chevaucher avec lui tout l'après-midi, puis trouver un endroit à l'ombre pour manger du poulet froid, du pain croustillant et des fraises. Elle voulait qu'il cueille des fleurs des champs, en glisse une derrière son oreille et la regarde comme s'il ne pouvait croire à sa chance de l'avoir trouvée.

Bien sûr, dans la réalité, c'était *elle* qui l'avait trouvé. Mais elle l'aimait trop pour chicaner sur ce genre de détail.

Et c'était pourquoi la pensée d'avouer ses sentiments à James la terrifiait.

Après ce soir-là, elle ne pourrait plus se berner avec des platitudes comme « il n'a simplement pas conscience que tu le tiens en si grande estime », ou « il doit croire que ses attentions ne seraient pas bien accueillies ».

Elle devrait affronter la possibilité très réelle et effrayante qu'il ne lui retourne pas son. affection.

Un frisson lui parcourut les membres, mais elle le chassa. Dix ans passés à rêver et deux Saisons et demie à attendre ne pouvaient pas avoir servi à rien !

Leur romance de conte de fées allait commencer ce soir.

Olivia refusait tout simplement de croire qu'il pourrait en être autrement.

On pouvait pardonner à James Averill d'arriver légèrement ivre au bal des Easton.

Il fallait bien fêter l'événement, bonté divine !

Dans deux mois, il serait sur un bateau en partance pour le pays des merveilles archéologiques.

Il lui avait fallu des années de préparations minutieuses, mais il avait finalement réalisé son rêve. Il avait économisé suffisamment pour que sa mère et son frère soient à l'aise durant son absence, et il avait pris un associé pour s'occuper de ses clients.

Dans à peine huit semaines, il laisserait derrière lui son bureau, avec ses piles de contrats abrutissants et d'ouvrages juridiques soporifiques, pour l'aventure d'une vie.

Ce qui appelait un autre verre.

Il balaya du regard la salle de bal déjà pleine de monde. Huntford et Foxburn dépassaient d'une tête la plupart des autres invités et étaient faciles à repérer dans la foule.

James sourit et salua poliment d'un signe de tête un vicomte et plusieurs dames d'un certain âge tout en sinuant vers ses amis. Grâce à sa jaquette bien coupée et à ses bonnes manières, il se fondait plutôt bien dans ce monde privilégié. Comme certaines espèces de lézards du désert, il était capable de s'adapter au paysage. Toutefois, dans des moments comme celui-ci, il avait vivement conscience que les salles de bal n'étaient pas du tout son environnement naturel.

Car, en réalité, il était avoué. Quelqu'un qui travaillait pour gagner sa vie. Huntford et Foxburn ne retenaient pas cette tare contre lui, mais, après tout, ils savaient tous les deux qu'il était capable de les envoyer de Londres jusqu'à Édimbourg d'un seul coup de pied dans le derrière.

— Bonsoir, messieurs.

James devait reconnaître que le mariage réussissait à la fois au duc et au comte. Huntford gardait un air maussade, mais James suspectait que c'était surtout pour la forme. Foxburn, lui, souriait à présent avec une fréquence étonnante.

— Averill, répondit Huntford en lui tapant sur l'épaule.

Foxburn fit signe à un serveur qui passait, et James en déduisit que son verre était en route.

Le duc pencha sa haute stature vers lui et baissa la voix.

— Il y a une question dont je dois discuter avec vous.

— Concernant une affaire ?

James espéra que ce n'était rien de trop complexe. Son esprit n'était pas franchement aiguisé, ces temps-ci.

Huntford fronça les sourcils.

— En quelque sorte. Pouvons-nous nous voir à votre bureau demain ?

James prit un air étonné.

— Bien sûr.

— Très bien. Nous réglerons cela demain, donc.

Le duc se pinça la racine du nez et secoua la tête – comme pour se libérer l'esprit de pensées dérangeantes.

Foxburn frappa le parquet de sa canne avec nonchalance.

— Je crois savoir que des félicitations sont de rigueur, Averill.

— Oui. La plupart de mes affaires sont en ordre. Je pars pour mon expédition à la fin de l'été.

— L'Égypte.

Le comte parut considérer la chose en buvant une bonne gorgée de sa boisson.

— Vous renoncez à tout ceci – il désigna de sa canne la salle de bal étincelante – pour monter sur des chameaux ?

— Et dépiauter des momies, ajouta Huntford.

— Et dormir sous une tente.

Foxburn s'amusait vraiment, maintenant.

— Prenez garde à ne pas avoir du sable dans votre caleçon, ajouta-t-il.

Les trois hommes étouffèrent un rire à cette idée.

— L'inconfort en vaudra la peine, dit James avec assurance, si je déterre un objet ancien, un indice sur les civilisations qui nous ont précédés.

— Et qu'est-ce que cela pourrait bien être ? demanda Huntford, sceptique. Un bout de poterie cassée ? Une vieille pierre pointue que vous prendrez pour la pointe d'un javelot ?

— Eh bien, oui.

Certes, James espérait faire une trouvaille qui comporterait des motifs anciens, ou une inscription – une pièce unique que l'on n'aurait jamais vue auparavant –, mais l'expliquer à ces deux-là revenait à parler pour rien.

— Si je trouve une poterie ancienne ou de vieilles pierres, je considérerai le voyage comme un succès.

Le duc et le comte le regardèrent comme s'il était bon pour l'asile de Bedlam.

James était sur le point de souhaiter que le diable les emporte quand le serveur revint avec son verre. Il but une longue goulée et constata que son humeur s'améliora aussitôt.

Tandis que les mesures d'une valse résonnaient à travers la salle, Huntford et Foxburn se dévissèrent le cou pour chercher leurs épouses des yeux. La duchesse et la comtesse étaient sœurs, et même si elles ne se ressemblaient pas chacune était très belle à sa façon.

— Vous feriez mieux de vous presser de rejoindre vos femmes, leur conseilla James. Il y a là une demi-douzaine de vauriens qui espèrent leur réclamer une danse.

Huntford gronda.

— Anabelle et Daphne sont plus que capables de repousser des avances malvenues, n'est-ce pas, Foxburn ?

Le comte souffla.

— Je me sens navré pour ces pauvres bougres.

James n'avait aucune raison de douter de ses amis – mais il remarqua qu'ils labouraient quasiment la foule pour se rapprocher de leurs charmantes moitiés.

Il sourit en lui-même et chercha des yeux un endroit discret où finir son verre, dans le voisinage de deux ou trois belles jeunes dames à inviter à danser plus tard.

La soirée promettait d'être plaisante.

Jusqu'à ce qu'Olivia Sherbourne l'en détourne.

L'en « détourner » était en vérité un mot trop faible : il était plus juste de dire qu'Olivia le traqua jusque dans son coin.

Surgir de nulle part était une habitude alarmante, chez elle. Une minute, il était détendu et évaluait le choix de ses futures cavalières ; la suivante, il était pied à pied avec une force de la nature aux cheveux châtains et aux yeux de biche. Un ouragan dans une jolie robe bleue.

— Vous voilà ! déclara-t-elle. Vous devez me suivre.

Pas de salutation, pas de politesse. Un simple : « Vous devez me suivre. » Le devait-il vraiment ? Car il était plutôt satisfait de rester là avec son verre.

Mais Olivia se dirigeait déjà à grands pas vers les portes-fenêtres du fond de la pièce, présumant qu'il la suivrait tel un chiot bien dressé. Elle n'était pas la sœur de Huntford pour rien, sapristi ! Il ne pouvait pas faire autrement que de lui obéir.

Bon sang.

Elle disparut un instant derrière un trio de matrones avant de se faufiler dehors. James était bien déterminé à la ramener dans la salle de bal le plus rapidement possible.

Il sortit sur la terrasse, qui longeait toute la largeur de la maison et était éclairée par la lumière douce de quelques lanternes, ainsi que par la lune qui brillait dans un ciel sans nuages.

— Par ici, lança-t-elle en chuchotant assez fort.

Elle se tenait dans un coin, ses gants blancs lui faisant signe tel un phare sur un rivage rocailleux.

Son instinct avertit James qu'il ne devrait pas faire ce qu'elle demandait. Il le lui criait presque, en vérité, et ses pieds restèrent rivés aux dalles de pierre.

Mais Olivia parut percevoir son hésitation et elle revint droit vers lui.

— Nous n'avons pas beaucoup de temps, expliqua-t-elle en le tirant sans cérémonie par le bras.

Au moins, elle n'avait pas renversé sa boisson.

— Où allons-nous ?

C'était une question sensée, pensa-t-il, et il eut le fol espoir que la réponse ne serait pas Gretna Green, le village où se mariaient les amants qui s'enfuyaient ensemble.

— Ici.

Elle s'arrêta devant un banc en pierre.

— Pourquoi ?

Elle s'assit et le fit asseoir à côté d'elle. Son expression était impossible à déchiffrer, mais sa poitrine se soulevait et s'abaissait comme si elle était effrayée ou hors d'haleine. Ses dents blanches mordillaient sa lèvre inférieure. Maintenant qu'il était là, devant elle, elle semblait à court de mots.

Ce qui n'arrivait jamais à Olivia.

— Avez-vous des ennuis quelconques ?

— Non, répondit-elle vivement. Enfin, pas que je sache.

Il eut un grand sourire.

— Comme c'est agréable à entendre. Même petite, vous sembliez toujours chercher les ennuis. Rappelez-vous la fois où vous avez réussi à escalader la stalle des poulains et n'avez pas pu…

— Ne faites pas ça, coupa-t-elle.

— Pas quoi ?

Il avait essayé de la mettre à l'aise afin qu'elle puisse dire ce qu'elle avait à dire. Elle ne lui en semblait pas vraiment reconnaissante.

— Ne me traitez pas comme la petite sœur d'Owen.

Fichtre. James vida son verre d'un coup et le posa sur le banc.

— Si vous ne voulez pas être traitée comme une enfant, dit-il lentement, cessez d'agir comme telle. Commencez par me dire pourquoi vous m'avez amené ici.

Olivia s'humecta les lèvres, ce qui ne lui fut pas d'un grand secours. Elle avait la bouche aussi sèche qu'un chiffon à poussière.

— J'avais besoin de vous parler en privé.

Une lueur de défi s'alluma dans les yeux vert mousse de James.

— J'écoute.

Le pouls d'Olivia battait à une allure folle. Cet échange ne se passait pas du tout comme elle l'avait espéré. James était censé avoir discerné le tremblement de sa voix et pris ses mains dans les siennes, pour caresser de ses pouces le dos de ses gants. En cet instant, il aurait dû la regarder avec sollicitude – et une bonne dose d'appréciation pour le décolleté révélateur de sa robe.

Mais ses bras forts étaient croisés et ses lèvres, d'ordinaire pleines, pincées en une ligne fine. Il avait l'air de quelqu'un qui a demandé du thé une heure plus tôt et attend toujours. Moins assoiffé... qu'exaspéré.

Prise de panique, elle envisagea d'inventer une excuse pour sa conduite. Elle pourrait toujours dire qu'elle souhaitait acheter un cadeau pour le bébé d'Owen et Anabelle et songeait à un chiot. James avait sûrement une opinion là-dessus...

— Olivia ?

L'impatience donnait un certain tranchant à la voix de James, mais elle perçut aussi une trace de compassion qui la propulsa en avant.

Il ne s'agissait pas de tremper délicatement le bout d'un orteil dans l'eau. La seule façon de s'y prendre était de s'y jeter tout entière – même si elle n'avait pas pied.

Olivia déglutit avec difficulté et le regarda droit dans ses beaux yeux.

— Je vous aime.

James cligna des paupières. Une unique fois. Puis il arbora l'expression désorientée de quelqu'un qui a été réveillé en pleine nuit – et ne l'apprécie pas.

— Que voulez-vous dire ?

Olivia prit une grande inspiration.

— C'est arrivé l'été 1807, quand vous êtes venu voir mon frère à Huntford Manor. Owen préférait passer les étés avec ses amis, mais père insistait pour qu'il reste au moins une semaine avec nous, et il vous amenait toujours. J'avais onze ans cet été-là et un jour j'ai voulu pêcher avec Owen et vous, mais il a dit que je ne pouvais pas parce que je ferais peur aux poissons et l'ennuierais. J'ai refusé de partir...

— Évidemment, marmonna James.

— Alors vous vous rappelez ce jour-là ?

— Non. Je vous en prie, continuez.

Il prit le verre à côté de lui et regarda le fond d'un air affligé.

— Owen a menacé de me jeter dans la rivière si je ne rentrais pas à la maison.

— Laissez-moi deviner la suite.

James se passa une main dans les cheveux, les laissant délicieusement décoiffés.

— Je me suis fait votre champion – j'ai mis le nez de votre frère en sang pour que vous puissiez en faire à votre tête.

— Non. Encore mieux. Vous m'avez donné l'occasion de faire mes preuves. Vous avez dit que si j'étais capable d'accrocher un ver vivant à mon hameçon – sans glapir – on devrait m'autoriser à rester et à pêcher. Sinon, je devrais m'en aller.

— Et comment vous en êtes-vous sortie ?

— J'ai réussi. Enfin, Owen a tenté de dire que cela ne comptait pas parce que j'avais vomi...

James se crispa.

— Vous n'avez pas fait ça !

— Un peu, si. Mais vous avez dit que vomir n'avait pas été interdit par l'accord et qu'on pouvait me laisser rester.

— Je vois.

Il regarda par-dessus son épaule, en direction de la terrasse.

— J'en conclus donc que vous vouliez exprimer votre gratitude, ce que vous avez fait. Parfait. Retournons-nous dans la salle de bal ?

Avec une hardiesse choquante, même pour elle, Olivia posa une main sur sa jambe. Plus précisément, sur sa cuisse très dure et très musclée.

— Je ne vous ai pas tout dit.

Le regard de James alla à sa main et resta fixé dessus tandis qu'il déclarait :

— Je ne suis pas certain que nous ayons le temps pour toute l'histoire, Olivia. Nous sommes dehors depuis un quart d'heure, et vous n'en êtes qu'à vos onze ans.

Elle pencha la tête de côté de telle sorte qu'il soit forcé de la regarder dans les yeux.

— J'ai attendu *dix ans* pour vous dire ce que j'éprouve. S'il vous plaît, laissez-moi finir.

James posa sa paume sur le dos de la main d'Olivia – celle qui était sur sa jambe – et une chaleur délicieuse remonta dans le bras de celle-ci pour gagner tout son corps, la laissant le souffle court, avec des picotements partout.

— Si quelqu'un nous trouve seuls ici, dit-il tout bas, votre réputation sera ruinée. Et votre frère me passera sur-le-champ par le fer. Si vous pensez que vous n'avez pas terminé, nous pouvons arranger un autre…

— Ce ne sera pas long.

Elle le sentit se rétracter, ce qui doubla sa résolution.

— Je ne suis pas tombée amoureuse de vous ce jour-là, mais mes sentiments ont germé. Chaque été j'en apprenais davantage sur vous, et vous me faisiez toujours me sentir importante – comme si j'étais plus que l'agaçante petite sœur d'Owen. Je vivais pour les moments où je vous reverrais.

— Vous étiez jeune, dit James. C'était un béguin d'adolescente.

Des larmes de colère montèrent aux yeux d'Olivia.

— Alors pourquoi vous ai-je attendu ? Pourquoi suis-je dévastée à l'idée que vous partiez pour l'Égypte ? Pourquoi est-ce que je rêve de vous chaque nuit ?

James se leva et se passa les mains sur le visage.

— Vous ne savez pas ce que vous dites.

Olivia bondit du banc et se dressa devant lui, pied à pied.

— Regardez-moi, James. Je ne suis pas une petite fille.

Elle se mit les mains sur les hanches, pour mieux insister.

— Il ne s'agit pas d'un béguin d'écolière – ça ne l'est plus depuis longtemps.

— Avez-vous bu ?

Elle poussa un soupir. C'était bien lui de poser cette question !

— J'ai peut-être chipé quelques gorgées du cognac d'Owen plus tôt dans la journée. Mais il y a des heures de cela.

— Vous êtes incorrigible. Le saviez-vous ?

Elle suivit d'un doigt la longue boucle qui avait été artistiquement arrangée pour tomber sur son épaule droite.

— Je peux voir que je vous ai choqué pour la deuxième fois ce soir, et j'en suis contente.

Il serra les mâchoires – ah, si elle avait pu toucher la légère barbe qui ombrait son menton…

— J'ai presque envie de retourner d'un bon pas dans cette salle de bal – *il pointa un doigt derrière elle* – et d'informer votre frère qu'il doit vous trouver un chaperon et vous l'attacher pour le reste de la Saison.

L'étoffe de sa jaquette se tendait sur ses larges épaules chaque fois qu'il agitait le bras.

Olivia se rapprocha peu à peu de lui, si bien qu'un souffle à peine séparait maintenant sa poitrine de son torse. Ce torse qu'elle avait vu dans sa splendide nudité. Il sentait le cuir, l'encre, et une odeur purement masculine.

— Vous ne ferez pas cela, dit-elle.

Il eut un sourire féroce.

— Oh ! que si.

Le cœur d'Olivia tambourinait dans sa poitrine. Elle savait ce qu'elle devait faire.

Avant de perdre courage, elle lui jeta les bras autour du cou et se haussa sur la pointe des pieds.

Et elle l'embrassa.

2

James inspira vivement quand le corps d'Olivia heurta le sien. Elle noua les mains derrière sa tête et pressa ses lèvres sur les siennes.

Il la saisit par les coudes et se libéra de son étreinte.

— Que faites-vous, par tous les diables ?

Elle fit un pas en arrière et lui pressa une main sur la bouche, l'autre sur son ventre.

— C'est de la folie, maugréa-t-il – plus pour lui-même que pour elle.

Il avait le sang qui bouillait – et pas de désir. Comment Olivia osait-elle gâcher leur amitié ? Les choses ne seraient plus jamais les mêmes entre eux. Plus de plaisanteries joueuses, plus de gentilles taquineries. Elle avait tout détruit. Y compris son amitié d'une vie avec son frère.

Et, s'il y avait une chose dont il n'avait pas besoin en ce moment, c'était bien d'un scandale. Ou d'un mélodrame de quelque sorte que ce soit. Rien qui interférerait dans ses projets de voyage et d'explorations.

— Je vais prétendre que vous n'avez pas fait cela, dit-il avec soin. Pour moi, ce n'est jamais arrivé.

La poitrine d'Olivia se soulevait au-dessus de son décolleté, qui était bien trop révélateur maintenant qu'il y prêtait attention. Il était choqué que Huntford la laisse sortir de chez elle dans une robe aussi provocante. Elle inspirait et soufflait par le nez comme si elle allait pleurer. Et elle n'avait toujours pas prononcé un mot depuis qu'il l'avait repoussée.

Il compta mentalement jusqu'à dix et laissa sa colère s'échapper de lui. Pour une raison qu'il ignorait, Olivia s'était fait de fausses idées. La chose à faire pour un gentleman serait de l'informer gentiment mais fermement que, tout en étant flatté, il n'était en aucun cas à même de lui retourner ses sentiments.

Et, par-dessus tout, il devait vite la ramener à son frère.

Il relâcha son souffle, lentement, la prit par la main et l'attira jusqu'au banc.

— Asseyons-nous.

Pour une fois, elle fit ce qu'il demandait. Elle paraissait légèrement plus posée, mais sa lèvre inférieure tremblait et son menton était piqueté comme une fraise. À côté d'elle, il ne sentait pas plus gros qu'un escargot.

— Je suis désolé de la manière dont j'ai réagi. Vous m'avez pris de court.

— Je comprends.

Elle contemplait ses mains sur ses genoux.

James détestait la voir aussi abattue. Où était le cran qu'il avait toujours admiré chez elle ?

— Je… euh… suis très flatté que vous…

— Que j'ai effrontément sauté sur vous ?

Un tout petit sourire réticent se dessina sur ses lèvres.

James rit tout bas, et sa poitrine lui parut un peu moins oppressée.

— Pour ce qui est de sauts effrontés, celui-ci était impressionnant.

Elle gloussa.

— Merci. Si vous étiez moins robuste, nous aurions pu atterrir tous les deux jambes en l'air dans les haies.

Ah, elle était bonne joueuse, mais sa blessure se voyait encore à la crispation de sa bouche.

Il passa un bras autour de ses épaules.

— Je suis vraiment désolé. La plupart des hommes accueilleraient avec plaisir l'intérêt d'une jeune et jolie dame, mais je…

— Vous me trouvez jolie ?

Avait-il dit cela ?

Elle se redressa, comme si sa réponse était très importante.

— Bien sûr, que vous l'êtes.

C'était vrai.

— Et vous méritez d'être courtisée convenablement par un gentleman tout aussi convenable.

Olivia rit, d'un rire de gorge, vigoureux.

— Hélas, il me reste encore à être courtisée convenablement tout court, avoua-t-elle. Peut-être parce que j'ai été aveugle à tout le monde hormis vous.

James appuya son menton sur le sommet de la tête d'Olivia et inhala un doux parfum de fleurs des champs.

— Je ne mérite pas ce genre de dévotion, et je ne peux certainement pas la rendre. Je pars pour l'Égypte à la fin de l'été, vous le savez. Je serai absent pendant environ deux ans.

Elle renversa la tête en arrière et le regarda.

— C'est précisément la raison pour laquelle je devais vous dire maintenant ce que j'éprouve. Vous n'imaginez pas combien vous me manquerez. Je ne peux même pas me représenter ce que ce sera de rester si longtemps sans vous voir.

Une onde de chaleur s'épanouit dans la poitrine de James. Il était agréable de savoir qu'il manquerait à quelqu'un – et pas seulement parce qu'il était un excellent avoué, ou un bon partenaire à la boxe, ou parce qu'il payait les factures. Il supposait qu'il manquerait peut-être un peu à sa mère et à son frère, bien sûr, mais il avait économisé pendant des années pour assurer qu'ils aient tout ce qu'il leur faudrait en son absence. Maintenant qu'il y pensait, ils ne semblaient pas si malheureux que cela de le voir partir.

— Vous savez, je crois que vous me manquerez aussi.

Il ne s'en était pas avisé jusqu'à cet instant.

— Cela vous ennuierait-il si je vous écrivais de temps en temps ? demanda Olivia. Je promets de ne pas vous inonder de lettres, et vous n'auriez pas à me répondre si vous êtes trop occupé par vos trouvailles et autres aventures. Je veux juste m'assurer que… que…

Des larmes lui montèrent aux yeux.

— Que quoi ?

— Que vous ne m'oublierez pas.

Avant de savoir ce qu'il faisait, il avait pris son menton dans sa main et passait son pouce sur sa lèvre inférieure. La bouche d'Olivia s'entrouvrit légèrement ; il en fut captivé.

Chose curieuse, il n'avait jamais remarqué l'arc parfait de ses lèvres, ni la charmante courbe de son nez. Il n'avait jamais apprécié la façon dont ses yeux brillaient d'émotion lorsqu'elle le regardait – comme si elle essayait de lui montrer tout ce qu'elle ressentait à l'intérieur.

Et maintenant ils en étaient là. Assis au clair de lune et l'un contre l'autre ou presque. Seuls.

Une unique boucle châtaine se balançait de façon séduisante sur son épaule nue, voletant doucement dans la brise du soir. Olivia se pencha plus près, lui offrant une vue superbe de ses seins hauts et ronds pressés l'un contre l'autre, et du sillon entre eux.

Le sang engorgea le sexe de James, ce qui le laissa agréablement étourdi.

— Embrassez-moi, murmura-t-elle contre son pouce. Juste une fois.

Il ne le devait pas. Il le savait. Mais elle fondait littéralement contre lui, sa poitrine douce et vêtue de soie frôlant son bras.

— Je vous en prie, chuchota-t-elle, tandis que ses paupières lourdes se fermaient.

Un bref baiser ne pouvait faire de mal, raisonna James. Un seul, pour dire adieu.

Il glissa une main derrière sa tête, l'attira à lui et l'entendit soupirer.

Le temps d'un battement de cœur, leurs nez se touchèrent et leurs souffles se mêlèrent – c'était chaud, défendu, irrésistible. Et il posa sa bouche sur la sienne.

Il comptait que ce soit le plus léger et le plus court des baisers, et ce fut bien ainsi qu'il commença. Il effleura ses lèvres des siennes, très délicatement. Mais elle avait un goût si suave qu'il l'embrassa de nouveau.

Olivia s'embrasa sur-le-champ, appuyant une main sur le gilet de James et augmentant la pression de sa bouche.

Malgré le contrôle que celui-ci ait prétendu exercer sur lui-même, il lui glissa entre les mains telle une corde lisse. Le baiser passa de tiède à brûlant en l'espace de trois secondes.

Il enfonça les doigts dans la chevelure soyeuse d'Olivia et écarta ses lèvres de sa langue. Elle étouffa une exclamation, mais ensuite elle accueillit chaque assaut et le rendit avec une passion qui fit tambouriner le cœur de James et durcit son sexe comme de la pierre. Sapristi.

Ses doigts le démangeaient de caresser sa peau au-dessus de sa robe, de taquiner ses tétons jusqu'à ce qu'ils se changent en petits boutons durs sous la soie bleue de son corselet. Il imagina combien elle serait magnifique s'il défaisait les lacets dans son dos et libérait ses seins de son corset, les dénudant à l'air du soir.

Mais le coassement d'un crapaud l'arracha brusquement à cet instant de déraison provoqué par le désir. Ce cri lui rappela la fois où il avait mis Olivia au défi de tenir une grenouille pendant qu'il comptait jusqu'à vingt.

Bien sûr, elle l'avait fait.

Il s'écarta abruptement et se leva.

— J'ai fait ce que vous avez demandé…

Il s'efforça de ne pas paraître affecté, de se montrer détaché – mais réussit seulement à avoir l'air imbu de lui-même.

— Maintenant, nous devons tous les deux retourner au bal. Préférez-vous rentrer la première, ou avez-vous besoin d'un moment pour vous ressaisir ?

Olivia était toujours assise sur le banc. Avec un regard médusé, elle touchait ses lèvres gonflées d'un doigt ganté. Quelques autres mèches de ses cheveux s'étaient échappées de son chignon. James s'apprêtait à répéter sa question, quand elle battit des cils comme si elle s'éveillait d'une transe.

— Je vais rentrer la première.

La culpabilité rongea les entrailles de James comme des rats mâchonnant un sac de toile.

— Si votre frère demandait où vous étiez...

Elle se leva d'un mouvement fluide, secoua ses jupes et lissa ses cheveux sur ses tempes.

— Je peux m'occuper d'Owen.

— Je sais. Mais nous n'aurions pas dû... Je n'aurais pas dû...

Un éclat langoureux et satisfait illumina le visage d'Olivia.

— Je suis contente que nous l'ayons fait. Et voulez-vous savoir autre chose ? Je ne peux attendre que nous recommencions.

Avant qu'il puisse émettre une protestation – ils n'allaient certainement pas recommencer ! – elle passa devant lui d'un pas vif et lui décocha un sourire déluré par-dessus son épaule nue.

Tandis que James la regardait glisser à travers les ombres pour regagner la maison, la terreur s'abattit sur lui. Il eut la même sensation horrible que lorsqu'on met le pied à l'aveuglette dans quatre pouces de boue.

Mais il y avait une chose dont il était certain – rien au monde ne l'empêcherait de participer à son expédition. Rien. Et, surtout, personne.

Olivia dormit extrêmement tard le lendemain – jusqu'à 2 heures et quart. S'embrasser était apparemment très fatigant.

Elle ne sonna pas sa soubrette, mais enfila une robe du matin à rayures vertes, noua ses cheveux sur sa nuque et se précipita vers la porte voisine, celle de la chambre de Rose. Elle n'avait pas eu l'occasion la veille de parler à sa sœur du baiser.

Près d'éclater d'excitation, elle frappa.

— Entre.

Rose était assise dans un fauteuil près de la fenêtre, les pieds ramenés sous elle et un livre sur les genoux.

— Tu es enfin réveillée, dit-elle avec un chaud sourire.

Olivia bondit sur le lit et s'affala sur le dos. Contemplant le plafond, elle lâcha :

— Quelle superbe matinée… enfin… après-midi.

— Tu as l'air de jubiler. Les choses se sont bien passées avec M. Averill ?

Olivia fit face à Rose et la gratifia d'un large sourire.

— Je pense que tu devrais commencer à l'appeler « James ». Il va être ton beau-frère, après tout.

Bien sûr, elle ne faisait que plaisanter. Peut-être. Mais pas vraiment.

Les yeux de Rose s'élargirent.

— L'entretien a vraiment dû se dérouler à merveille.

— Ce fut un excellent début. Presque meilleur que ce que j'espérais. Il m'a embrassée, Rose. Pas un baiser chaste ou fraternel, mais un baiser plein de passion.

Comment pouvait-elle ne serait-ce que commencer à expliquer un tel baiser à sa sœur ? Un baiser à vous faire flageoler les genoux…

— Qu'as-tu fait ?

— Je l'ai embrassé à mon tour ! Je l'aurais embrassé toute la nuit s'il n'avait pas insisté pour protéger ma réputation.

— Je pense que cela a été très sage de sa part, dit Rose, diplomate.

Olivia soupira.

— Galant, aussi.

— Ses plans ont-ils changé, alors ?

Oh ! d'accord – l'Égypte.

— Nous n'avons guère eu le temps de discuter de son voyage, mais l'important est que maintenant il sait ce que j'éprouve pour lui. Et je pourrais dire à la façon dont il m'a embrassée qu'il doit éprouver quelque chose pour moi, lui aussi.

— De l'amour ?

Olivia se redressa et passa les jambes sur le bord du lit.

— Je ne pense pas – pas encore. Mais nous avons le temps. Hier soir, c'était seulement la première étape de mon plan. Pour le moins, j'ai réussi à le convaincre que je ne suis plus une petite fille avec des tresses.

Au fond d'elle-même, cependant, Olivia espérait avoir réussi davantage en ce qui concernait James. Maintenant qu'elle avait goûté à la passion, elle y aspirait encore plus.

— Je suis ravie de te voir si heureuse.

Rose vint s'asseoir à côté de sa sœur et lui passa un bras mince sur les épaules.

— Tu mérites tout ce que ton cœur désire.

Son cœur désirait James, c'était indiscutable. Son cœur – et d'autres parties d'elle-même, aussi.

À ce moment-là, leur soubrette, Hildy, fit irruption dans la chambre avec une pile de draps propres.

— Bon après-midi, mesdemoiselles. Dois-je revenir plus tard ?

— Non, je vous en prie, restez, répondit Rose. Il est temps qu'Olivia et moi descendions déjeuner.

— Excellente idée, approuva Olivia. Peut-être pourrions-nous convaincre Anabelle et Owen de se joindre à nous.

— Madame la duchesse est dans le salon, et monsieur le duc est dans son cabinet de travail avec M. Averill.

Le cœur d'Olivia jaillit presque de sa poitrine, et elle pressa le bras de Rose. Fort.

— M. Averill est ici ?

Hildy posa les draps propres sur un sofa, fronça les sourcils devant les coussins aplatis du fauteuil de Rose et se mit à les regonfler.

— En effet, milady. Il est arrivé juste comme je me dirigeais vers l'escalier. M. Dennison a dit qu'il allait l'accompagner jusqu'au cabinet de travail de monsieur le duc.

Olivia bondit du lit et se jeta presque sur la soubrette.

— Comment était-il ?

Hildy la regarda avec un mélange d'inquiétude et de confusion.

— Comme toujours, miss – solennel, plein de sa propre importance et assez revêche.

— Pas Dennison. *M. Averill.*

— Oh.

Les joues de la soubrette rosirent.

— Je suppose qu'il avait l'air bien. En forme. Et plutôt sérieux.

— Merci, Hildy, dit Rose. Voudriez-vous nous accorder deux minutes, à Olivia et à moi, s'il vous plaît ?

— Certainement.

Hildy fit une rapide courbette et s'en alla, refermant la porte derrière elle. Olivia se tourna vers Rose, toujours assise sur le lit. Elle ne parvint pas à forcer sa bouche à prononcer la question qu'elle voulait poser, alors elle la posa avec ses yeux. Elles avaient toujours su communiquer de cette façon. *Est-ce que la visite de James à Owen pourrait vouloir dire ce que je pense qu'elle veut dire ?*

Rose prit une grande inspiration.

— Pour quelle autre raison serait-il ici ? dit-elle. Il a un entretien privé avec notre frère le lendemain du soir où il t'a embrassée sur la terrasse de lord Easton.

— Cela ne semble pas réel.

Les jambes d'Olivia se mirent à trembler ; elle tâtonna derrière elle et se laissa choir avec précaution sur le sofa.

Le visage angélique de Rose se fendit d'un grand sourire.

— En ce moment même, M. Averill est en bas... en train de demander ta main. Juste ciel ! Qu'allons-nous faire ?

Olivia essuya ses paumes moites sur sa robe du matin qui, maintenant qu'elle y pensait, était beaucoup trop simple pour accepter une demande en mariage.

— Commençons par rappeler Hildy. Ensuite, je pense que nous devrions retourner toutes les trois dans ma chambre afin que je puisse mettre une robe plus jolie et me faire coiffer.

Rose glapit – ce qui ne lui ressemblait pas du tout – et bondit pour étreindre sa sœur.

— Je suis si contente pour toi !

Olivia chassa d'un battement de cils les larmes qui commençaient à troubler sa vision. Si la demande de

James était à moitié aussi merveilleuse qu'elle l'avait rêvée, ce jour-là allait être le plus heureux de sa vie.

— Averill.

Huntford désigna à James le fauteuil devant son bureau et s'adossa à son siège, s'étirant comme s'il avait été courbé sur un registre pendant des heures.

— J'allais me rendre plus tard à votre bureau.

James y était resté presque toute la matinée. À se flageller pour sa conduite de la nuit précédente – un sujet qu'il n'avait pas l'intention d'aborder avec Huntford. Mais il savait que ce dernier voulait discuter d'une affaire.

— J'ai pensé vous éviter le trajet. Je suis en route pour la région des Lacs.

Peut-être que, s'il mettait trois cent miles entre Olivia et lui, il se sentirait moins coupable.

— Bonté divine. Pour combien de temps ?

James haussa les épaules.

— Plusieurs semaines.

Ou aussi longtemps qu'il faudrait à Olivia pour se rendre compte qu'il n'y avait pas d'avenir possible entre eux. Par bonheur, il y avait de fortes chances qu'une beauté comme elle ait un prétendant avant la fin de la semaine.

Huntford plissa les paupières.

— Cela ne vous ressemble pas, de quitter la ville de but en blanc. Vous ne sortez même pas prendre une chope sans planifier un itinéraire.

— Il n'y a plus grand-chose qui me retienne à Londres. Et j'ai en vue quelques sites que je souhaite explorer.

Huntford se fendit d'un large sourire.

— Ah. J'aurais dû deviner. Les choses ne seront plus les mêmes par ici, sans vous.

Il désigna le buffet.

— Un verre ?

— Non merci, répondit vivement James.

La culpabilité lui nouait la gorge comme une écharpe trop serrée. Plus tôt il pourrait clore cet entretien et quitter la maison d'Olivia – et Londres – mieux ce serait.

— Quelle était la question dont vous vouliez me parler ?

— C'est un sujet sensible… et compliqué.

Huntford soupira et joignit le bout de ses doigts.

— Il concerne ma sœur.

Sapristi. C'était sûrement trop espérer que le duc se réfère à Rose. Et si quelqu'un les avait vus ensemble, Olivia et lui, et en avait informé Huntford ? Il ne semblait pas en colère, mais cela ne voulait rien dire : il était connu pour être difficile à déchiffrer.

Sans savoir comment, James parvint à articuler :

— Laquelle ?

— Olivia.

Huntford regarda James par-dessus ses doigts d'un air sévère – pendant ce qui parut durer une éternité. Puis il ouvrit un tiroir sur sa droite, se pencha et en tira un billet plié et scellé qu'il posa sur le bureau devant lui.

James relâcha légèrement son souffle. Aussi absurde que ce soit, il se sentit soulagé que Huntford ait sorti une feuille de parchemin et non… un pistolet. Toutefois, il n'était pas encore sorti d'affaire. Il inclina la tête vers le pli cacheté.

— Qu'est-ce que c'est ?

Huntford regarda le billet avec dégoût.

— C'est arrivé par un messager hier – de l'avoué de mon père, Neville Whitby.

James battit des paupières. Le duc précédent était mort depuis au moins cinq ans, et, bien que son ami et lui n'en aient jamais discuté, il supposait que les rumeurs étaient vraies. Le père de Huntford, le cœur brisé par la trahison de son épouse, s'était tué d'une balle dans la tête. Précisément dans le cabinet de travail où ils étaient assis maintenant.

— Je connais Whitby. Continuez, dit-il.

— Apparemment, mon père a mis une clause inhabituelle dans son testament. Cette lettre devait être remise à Olivia lors de son vingt et unième anniversaire.

James secoua la tête, sûr d'avoir mal entendu.

— Olivia a vingt et un ans ?

— Presque vingt-deux. Whitby a reconnu que la lettre lui était sortie de l'esprit.

— Votre père a-t-il laissé d'autres instructions ?

Huntford souffla.

— Aucune. Seulement que personne, hormis son avoué, ne devait être informé de la lettre jusqu'à ce qu'Olivia ait l'âge requis. Et à ce moment-là elle devait lui être remise.

James soupesa les possibilités pendant un bon moment. Les cernes sous les yeux de Huntford trahissaient ses craintes. Le billet pouvait remuer tout le chagrin qu'Olivia avait enduré quand sa mère l'avait abandonnée et que son père s'était suicidé.

— Y a-t-il une lettre pour Rose aussi ? demanda-t-il.

— J'ai demandé à Whitby si je devais m'attendre à une autre quand Rose aurait vingt et un ans. Il m'a juré que celle-ci était la seule.

— Olivia n'en sait rien ?

— Non.

Huntford riva les yeux sur ceux de James.

— Whitby et moi – et maintenant vous – sommes les seuls à savoir que la lettre existe. Vous êtes la seule personne à qui je me fie assez pour en parler.

Huntford se leva, alla d'un pas raide jusqu'à la fenêtre et regarda fixement dehors.

— Après tout ce temps. Mes sœurs semblaient avoir enfin accepté la mort soudaine et violente de mon père. Rose va beaucoup mieux – même si elle est toujours plus réservée qu'avant – et Olivia a montré beaucoup plus de maturité dernièrement.

James résista à l'envie de se tortiller. Elle avait grandi, c'était un fait.

— Je comptais la voir fiancée d'ici la fin de la Saison, reprit Huntford. Mais maintenant... avec cet imprévu.

James toussa, heureux que Huntford ne le regarde pas et, donc, ne puisse pas voir la sueur qui avait perlé sur son front.

— Peut-être que le contenu de la lettre est anodin, suggéra-t-il. Votre père a pu constituer un fonds pour Olivia.

— Je ne peux imaginer qu'il l'aurait fait pour Olivia et pas pour Rose. Il les adorait toutes les deux.

— Il s'agit peut-être d'un peu d'histoire familiale qu'il voulait transmettre à sa fille aînée, suggéra encore James.

— C'est peu probable, déclara Huntford en se tournant pour le regarder en face. Mon père n'avait plus toute sa tête durant les jours précédant sa mort, et je présume qu'il a rédigé cette lettre à ce moment-là. Je suis sûr que vous avez entendu les rumeurs sur les circonstances de son décès. Tout est vrai. Quand ma mère s'est enfuie sur le Continent avec l'un de ses amants, mon père n'a pu le supporter. Il s'est tué d'un coup de feu.

Huntford grimaça.

— Je n'en ai jamais parlé à personne hormis mes sœurs et Belle – jusqu'à maintenant.

Les mots « Je suis désolé » étaient sur les lèvres de James, mais d'une certaine façon il ne pensait pas que son ami souhaitât une marque de sympathie. Ce que le duc voulait, c'était une solution au problème ce jour présent, et le moins que James pût faire était de l'aider à faire le tri parmi ses options.

— Si votre père a écrit cette lettre dans les jours précédant sa mort, comme vous le suspectez, ce pourrait être une sorte d'explication.

— C'est ce que je crains. Cela pourrait ranimer toute la douleur de cette période. Et à quoi cela servirait-il, à part transmettre la profondeur de sa détresse ?

— Il pourrait aussi s'agir d'excuses.

— J'y ai pensé. Mais nous lui avons déjà pardonné. C'est à moi que cela a pris le plus de temps, j'ai honte de le dire, mais nous nous sommes tous accommodés de sa fin.

James se frotta le menton et réfléchit à tout ce que son ami venait de lui confier.

— Comme vous l'avez probablement déjà déduit, vous avez quatre façons d'agir possibles, dit-il.

Huntford haussa un sourcil.

— La première ?

— Exécutez la clause du testament de votre père et donnez la lettre à Olivia. En tant que votre avoué, c'est ce que je vous recommanderais.

Huntford se renfrogna.

— Option suivante.

— Vous pourriez lire la lettre et décider ensuite de la donner ou non à Olivia.

— Laissez-moi deviner. Vous seriez contre.

James dédia à son ami un sourire d'excuse.

— Oui. Pour des raisons légales, bien sûr, mais surtout parce que Olivia vous en voudrait probablement.

Huntford hocha la tête.

— Troisième option ?

— Détruisez la lettre. Prétendez qu'elle n'a jamais existé, et Olivia n'aura jamais besoin d'être au courant.

Huntford se mit à faire les cent pas devant la fenêtre.

— C'est tentant. Nos vies se déroulent si bien en ce moment – pourquoi risquer de détruire cet équilibre ?

James soupira.

— En tant que votre ami, je comprends certainement pourquoi vous voudriez épargner à votre sœur toute souffrance inutile, mais…

— Mais quoi ? insista Huntford.

— Olivia est une femme adulte. Il est peut-être temps que vous la traitiez comme telle.

James était certain qu'il paierait ce commentaire la prochaine fois qu'ils boxeraient ensemble.

— En outre, risqua-t-il, si vous détruisez ce document, ce sera irréversible.

Huntford regarda la lettre d'un air mauvais, comme s'il ne pouvait attendre de la brûler.

— C'est le but.

— Oui. Mais, quand les semaines, les mois et les années passeront, il se peut que vous regrettiez votre décision. Vous pourriez vous repentir de n'avoir jamais su ce que votre père avait à dire.

— Bon sang, Averill ! Je souhaiterais parfois que vous ayez moins d'intégrité.

Seigneur, si seulement son ami savait...

Impatient de changer de sujet, James déclara :

— Il y a une autre option à laquelle je pense. Dans les situations difficiles, c'est souvent la plus prudente.

— Quoi ?

— Ne faites rien. Attendez. Donnez-vous le temps de réfléchir. Dans un contexte général, quelques semaines ou quelques mois ont peu de chance de faire une différence, mais un délai pourrait vous apporter de la clarté.

— Attendre, répéta Huntford pour lui-même. Voilà qui me convient davantage.

James se détendit un peu, Huntford semblait avoir la réponse dont il avait besoin – au moins pour l'instant –, ce qui signifiait que lui pouvait partir. Il était si impatient de s'en aller que, si cela n'avait pas été très impoli, il aurait donné une tape dans le dos de son ami et se serait rué vers la porte d'entrée. Il se leva lentement.

— Eh bien, si vous n'avez besoin de rien d'autre de ma part...

— Si.

James garda une expression neutre, mais intérieurement il lâcha une bordée de jurons. En temps normal il ferait n'importe quoi pour Huntford, mais cette situation-là était différente – elle impliquait *Olivia*.

— Comment puis-je vous aider ? parvint-il à articuler.

Huntford rejoignit son bureau d'un pas martial, prit la lettre et la tendit à James.

Ce dernier garda les bras sur ses côtés.

— Je ne comprends pas.

— Prenez-la, dit Huntford. Jusqu'à ce que je décide que faire.

Oh ! non. Non. non, non.

— Pourquoi ne l'enfermez-vous pas dans un tiroir ?

— Parce que j'aurais la clé. Je ne me fie pas à moi-même. Si je sais où elle est, je serai tenté de la lire. Ou de la brûler. Ni l'un ni l'autre ne serait juste vis-à-vis d'Olivia. Prenez-la – *il agita la lettre pour insister* – et gardez-la en sûreté.

James tendit les mains, paumes en l'air.

— Il s'agit d'une question familiale. Je ne devrais pas y être mêlé.

Huntford jeta la lettre sur le bureau et s'affala dans son fauteuil, vaincu.

— Mes excuses. Je ne vous prendrai pas plus de temps. Merci d'être passé et pour vos conseils avisés. Je vais…

— C'est bon.

James était sûr qu'il allait le regretter.

Son ami lui jeta un regard plein d'espoir.

— Je vais garder la lettre… un certain temps.

Il la prit et la glissa dans la poche intérieure de sa redingote.

— Toutefois, je devrai vous la rendre avant mon départ pour l'Égypte.

Huntford ferma un instant les yeux, comme s'il était profondément soulagé.

— Merci.

— Je vous en prie. Saluez de ma part Anabelle et… euh… vos sœurs.

Bientôt, James cahoterait sur la route dans sa voiture, regardant Londres disparaître par la vitre arrière. Son cocher, Ian, affirmait qu'il pouvait couvrir la distance en trois jours. James avait déjà mis dans la berline les vêtements et les outils dont il aurait besoin pour passer quelques semaines d'exploration dans le Westmorland, et ne pouvait attendre de partir.

Huntford se leva, vint jusqu'à lui et lui donna une tape dans le dos.

— Je vais vous raccompagner.

Ils se rendirent dans le vestibule. Dennison tendait son chapeau à James quand la porte du salon s'ouvrit brusquement, et une tache floue de soie rose et de rubans qui voletaient en jaillit.

— James ! Quelle charmante surprise.

Bon. Cela devait arriver…, supposa-t-il.

— C'est un plaisir de vous voir, lady Olivia.

3

Antique : *1) Se rapportant à une époque éloignée et aux premières civilisations connues. 2) Une antiquité : quelque chose de très vieux, comme dans : « Une jeune fille encore à marier à l'âge mûr de vingt-deux ans était largement considérée comme une antiquité. »*

À la vue de James, la gorge d'Olivia se serra et le souffle lui manqua – comme d'habitude. Chaque fois qu'elle le voyait, il était plus attirant. Une idée fantaisiste, soit, et pourtant la preuve se tenait là devant elle. Les culottes en daim de James mettaient en valeur ses hanches minces et ses cuisses musclées. Et son postérieur était parfait : ferme, bien formé… et lui donnant une folle envie de le palper.

Se rappelant que son frère se trouvait aussi dans le vestibule, elle releva les yeux à regret de cette partie de l'anatomie de James.

Par chance, il était beau de partout. Ses cheveux cendrés bouclaient légèrement au bout et semblaient l'implorer de passer les doigts dedans. Ses lèvres pleines, légèrement écartées, invitaient aux baisers.

Bientôt, se dit-elle, il serait à elle – pour l'embrasser, le tenir dans ses bras et l'aimer.

Sauf que… quelque chose semblait ne pas aller.

Rose et elle s'étaient attendues à ce que James vienne la trouver dans le salon après son entretien avec Owen. Elle s'était exercée à prendre plusieurs poses – regardant par la fenêtre, consultant un livre d'un air studieux, étudiant des partitions au piano – de façon qu'elle paraisse légèrement mais agréablement surprise de voir James quand il arriverait.

Seulement il n'était pas venu.

Au contraire, il avait son chapeau à la main et paraissait sur le point de… partir.

Olivia lança un coup d'œil à Owen. Dieu savait qu'il pouvait être intimidant ! S'il avait dissuadé James d'une manière ou d'une autre, regimbé à l'idée qu'il demande sa main…

Eh bien, il lui faudrait au moins un an pour lui pardonner.

Quoi qu'il en soit, elle ne pouvait laisser James s'en aller sans avoir eu une chance de lui parler.

Avant qu'il ne puisse faire un autre pas vers la porte, elle dit :

— Pourrais-je vous persuader de prendre le thé avec Rose et moi, messieurs ? Nous allions justement demander qu'il soit servi.

James ouvrit la bouche pour répondre, mais Owen le devança.

— Merci, mais Averill est pressé. Je crains d'avoir déjà trop monopolisé son temps.

— Vraiment ? Pour quelle raison ? demanda Olivia avec hardiesse – même à ses propres yeux.

— Une question d'affaires, répondit Owen. Et tout est réglé, n'est-ce pas, Averill ?

— Oui. Pour le moment.

Le regard d'Olivia passa de James à son frère et vice versa. Comment osaient-ils se référer à elle comme à une question d'affaires ? Et pourquoi James ne se battait-il pas pour elle ? Pour *eux* ?

Rose posa doucement la main sur son bras.

— Nous devrions laisser partir M. Averill.

Elle ajouta à l'intention de James :

— J'espère que nous vous reverrons bientôt. Peut-être pourriez-vous venir dîner avec nous demain soir ?

— Je crains que non.

Et, bien que James répondît à l'invitation de Rose, ce fut à Olivia qu'il jeta un regard d'excuse.

— Je quitte Londres pour un certain temps.

Alors elle sut.

Sa visite n'avait rien à voir avec elle. Il n'y aurait pas de demande en mariage. De fait, il avait été sur le point de quitter la ville – sans même lui dire au revoir.

La mortification la submergea, et ses joues s'embrasèrent.

— Où allez-vous ? demanda-t-elle d'une voix faible.

— Dans la région des Lacs, répondit-il vaguement.

Apparemment inconscient du malheur de sa sœur, Owen fit signe à Dennison d'ouvrir la porte.

— C'était un plaisir de vous voir, lady Rose, lady Olivia.

James leur adressa à chacune une courbette formelle, et un instant plus tard… il était parti.

Owen se dirigea vers l'escalier.

— Je vais passer l'après-midi avec Anabelle et le bébé. Je vous verrai toutes les deux au dîner ?

— Bien sûr, répondit Rose.

Quand Owen fut hors de portée de voix, elle passa un bras sur les épaules d'Olivia.

— Je suis tellement désolée, Liv. Allons nous asseoir et prenons le thé.

— Je veux juste aller dans ma chambre, dit Olivia, stupéfaite de ne pas s'être déjà effondrée en une boule de soie rose éplorée. C'était stupide de ma part de penser…

— Non, déclara Rose avec emphase. Ça ne l'était pas.

— Quoi qu'il en soit, j'ai besoin d'un peu de temps pour réfléchir.

— Je vais aller avec toi et t'aider à ôter ta robe.

Olivia secoua la tête et tenta d'esquisser un sourire rassurant.

— Je peux me débrouiller.

Rose soupira.

— Très bien, mais je dois te dire une chose. Tu sais que j'aime beaucoup M. Averill ; toutefois, s'il n'a pas encore compris quel trésor tu es, alors peut-être ne te mérite-t-il pas.

Malgré la lutte désespérée d'Olivia pour rester apparemment posée, une larme rebelle roula sur sa joue.

— Peut-être a-t-il juste besoin de plus de temps pour se rendre compte du trésor que je suis.

Un sourire plein de fierté éclaira le visage de Rose.

— C'est l'idée.

Olivia étreignit sa sœur et se réfugia dans l'intimité de sa chambre, où elle n'avait pas à prétendre d'être forte ou d'avoir du caractère, et où elle pouvait pleurer un long moment si elle voulait.

Et c'est exactement ce qu'elle fit.

Plusieurs heures après, au moment du dîner, Olivia prétexta qu'elle avait une migraine. Anabelle fit monter un plateau, mais il resta sur sa table de chevet, intact. Même l'arôme du rosbif au jus ne put la tenter.

Son appétit l'avait fuie. Comme James.

Juste ciel, ses pensées mélodramatiques étaient pathétiques – même à ses propres yeux.

Elle avait été sotte de s'attendre à une demande en mariage, peu importait le moment où James était venu voir Owen ! Et elle ne faisait que renforcer sa conduite idiote maintenant, en pleurant sur lui alors qu'il n'avait visiblement pas perdu une minute de sommeil à penser à elle. À la place, il avait décidé d'aller dans la région des Lacs pour quelques semaines, à chercher des fossiles ou à étudier des pierres, ou elle ne savait quoi d'autre.

La pénible vérité était qu'il n'avait jamais donné le moindre signe qu'il tenait à elle.

À l'exception, peut-être, de ce qu'elle appelait maintenant « Le Baiser ».

Elle se le repassa encore et encore dans sa tête, s'arrêtant une fois quand Rose vint voir si elle allait bien, puis quand Hildy vint reprendre le plateau. Elle ne parvint pas à s'endormir avant les petites heures de la nuit, et même alors James envahit ses rêves, la rendant merveilleusement heureuse un instant et la laissant complètement déprimée le suivant.

Lorsqu'elle s'éveilla tard dans la matinée, elle se sentit un peu mieux, mais elle ne put se résoudre encore à descendre pour le petit déjeuner et à affronter sa sœur, son frère et sa belle-sœur bien intentionnés. Par bonheur, Hildy arriva avec un chariot à thé, une assiette de scones et des petits pains.

— Je vous sers, milady ?

La soubrette eut un sourire plein d'espoir.

— Non, merci. Je me servirai dans un moment.

Hildy la regarda d'un air dubitatif. Après avoir pleuré une bonne partie de la nuit et négligé de natter ses cheveux avant de plonger dans un sommeil agité, elle devait être horrible à voir, se dit-elle.

Avec un sourire crispé et un hochement de coiffe, la domestique laissa Olivia en paix.

Finalement, elle se tira du lit et enfila une robe de chambre. Elle parvint même à avaler quelques gorgées de thé assise devant la fenêtre qui donnait sur leur jardin de fleurs, le regard fixe.

Le thé refroidit, et elle perdit la notion du temps. Elle étudiait une toile d'araignée de l'autre côté de la vitre quand un coup frappé à la porte requit son attention. Elle baissa les yeux et s'aperçut qu'elle tenait toujours sa tasse et sa soucoupe. Des taches brunes maculaient sa robe de chambre, elle avait renversé son thé, apparemment… Sans compter les miettes de scone sur ses genoux.

Seigneur, elle était dans un état…

— Entrez.

Anabelle et Rose entrèrent ; à les voir, on aurait cru que quelqu'un était mort.

Derrière ses lunettes, Belle plissa ses yeux gris.

— Comment vous sentez-vous ?

— Je suis certaine que je survivrai, lui répondit Olivia.

Elle essaya de sourire, mais ne put en trouver l'énergie.

— Nous étions inquiètes pour vous, continua Belle en se perchant sur un pouf face à Olivia. Est-ce que quelque chose vous a bouleversée ?

Olivia jeta un coup d'œil à Rose, qui secoua la tête. Elle n'avait pas pensé que sa sœur aurait parlé à Belle du Baiser, mais elle était soulagée d'en avoir la confirmation.

Elles étaient toutes trois très proches depuis que Belle, une talentueuse couturière, avait été engagée pour confectionner de nouvelles garde-robes pour les deux sœurs. Quand Belle avait épousé leur frère, Olivia et Rose l'avaient aimée encore plus. Elles avaient peu de secrets les unes pour les autres, mais avoir embrassé James était compliqué, parce qu'il était le meilleur ami d'Owen et qu'Owen était le mari de Belle.

Non seulement toute cette histoire donnait le tournis à Olivia, mais elle lui rappelait aussi tristement que, tandis que Belle vivait une romance de conte de fées, elle n'était apparemment pas destinée à en faire autant.

Belle la regardait d'un air d'attente.

— Vous pouvez me parler.

— Je sais. Merci de votre sollicitude. C'est juste que je ne suis pas dans mon assiette. J'irai mieux dans quelques jours.

— Quelques jours ?

Belle jeta à Rose un regard alarmé avant de ramener son attention sur Olivia.

— Cela ne vous ressemble pas. Si je peux faire quoi que ce soit pour vous aider, je vous en prie, dites-le-moi. Vous devez vous rappeler que, alors que tout semblait perdu, c'est en grande partie grâce à vous que nous avons pu nous retrouver, Owen et moi. Je vous suis éternellement redevable.

Olivia n'était pas prête à confier toute l'étendue de sa peine de cœur ou de son humiliation. Mais son béguin pour James n'était pas ce qu'on aurait pu appeler un secret.

— Je suppose que je suis triste parce que James part pour l'Égypte à la fin de l'été. J'espérais le faire changer d'avis dans les deux prochains mois, mais comme il est à l'autre bout de l'Angleterre, maintenant…

Elle paraissait amère, mais n'en avait cure.

— Je n'en aurai pas l'occasion.

— Oh.

Anabelle s'assit à côté d'elle sur la bergère et la prit dans ses bras.

— Je suis tellement désolée, ma chérie, je sais combien vous teniez à lui.

Rose prit la place de Belle sur le pouf.

— Il n'est pas étonnant que tu sois affligée, dit-elle. Même toute petite, tu l'aimais beaucoup, déjà.

Olivia savait que Belle et Rose essayaient de lui montrer de la sympathie, mais elles ne pouvaient pas comprendre. Elles employaient des mots comme « tenir à lui » et « l'aimer beaucoup », alors que ce qu'elle éprouvait pour James était mille fois plus fort. Et n'était pas à mettre au passé.

Elle l'aimait avant. Elle l'aimait maintenant.

— Merci à toutes les deux pour votre soutien, parvint-elle à dire, je suis navrée si ma maussaderie vous a inquiétées. Je suis sûre que je redeviendrai moi-même, tôt ou tard.

Mais, à l'intérieur, elle se sentait vide, brisée.

— Bien sûr, nous comprenons ! s'exclama Belle. Vous devez prendre tout le temps qu'il vous faut.

— Nous t'excuserons au bal demain soir, dit Rose, et à la soirée de lady Bramble le lendemain.

— Dites à tout le monde que je suis tombée malade. Ou que j'ai d'horribles boutons. Je suis sûre que je ferai l'objet de maintes spéculations, mais je m'en moque.

— J'ai une idée ! s'écria Belle.

Elle lissa une mèche emmêlée d'Olivia derrière son oreille.

— Vous pourriez quitter Londres un certain temps. Rendre visite à l'une de vos grand-tantes, je sais que tante Eustace serait ravie d'avoir votre compagnie.

— C'est vrai, confirma Rose. Elle finit toujours ses lettres par une invitation à venir la voir. Rien ne la rendrait plus heureuse.

— Je suis une horrible compagne pour le moment, dit Olivia.

Pourtant, l'idée de quitter Londres pour les champs verts et les vieux ponts de pierre de l'Oxfordshire la tenta.

Elle pourrait manger des dizaines de scones et se laisser devenir grassouillette à loisir.

— Laissez-moi y réfléchir.

— Y a-t-il quelque chose que nous pouvons vous fournir dès maintenant ? demanda Belle. Une autre théière ou un nouveau livre ?

— Non. Mais merci pour tout.

— Owen est inquiet pour vous, admit Belle. Si vous ne vous montrez pas bientôt, il va insister pour appeler le médecin. Pensez-vous pouvoir descendre dîner ?

— J'essaierai.

Belle et Rose l'embrassèrent sur le front avant de la laisser ruminer ses options. Peut-être que rendre visite à tante Eustace était une bonne idée, après tout. Elle pourrait aussi bien commencer à s'habituer au célibat.

Quelle meilleure façon de le faire que de tenir compagnie à une délicieuse veuve de soixante-dix ans connue pour ses turbans bleu vif ? Pour le moins, cette visite lui permettrait de fuir Londres et de donner à ses blessures le temps de guérir.

À moins que… Olivia bondit de son fauteuil et se mit à marcher de long en large devant la fenêtre. La pensée de voyager avait fait germer la minuscule graine d'une idée dans son esprit et jaillir l'espoir dans son cœur – seulement elle songeait à une autre destination.

Elle n'était tout simplement pas prête à renoncer à James.

Au lieu de s'appesantir sur la blessure et le rejet qu'il lui avait infligés, elle se représenta son sourire désinvolte et ses larges épaules. Au lieu de se rappeler ses adieux hâtifs, elle se complut dans le souvenir de ses baisers appuyés et de ses tendres caresses.

Mais l'union passionnée de leurs langues et la fièvre avec laquelle ils s'étaient accrochés l'un à l'autre – même si elles étaient indéniablement merveilleuses – n'avaient pas constitué la partie la plus magique de cette nuit-là.

Cette partie, cela avait été quand James avait mis fin à regret à leur baiser… et l'avait regardée comme s'il la voyait pour la première fois. Ses yeux sombres avaient brillé comme si ce qu'il contemplait lui plaisait beaucoup.

Il n'en avait peut-être pas encore pris conscience, mais son regard appréciateur et étonné lui avait dit ce qu'il n'avait pas mis en mots – qu'il s'intéressait bel et bien à elle. Et pas seulement comme à une amie.

Olivia s'aspergea le visage d'eau fraîche et passa une brosse dans ses cheveux emmêlés, James ne voulait pas d'une demoiselle qui minaudait et se lamentait. Il avait envie d'aventure et d'excitation.

Par chance, l'aventure et l'excitation se trouvaient être les spécialités d'Olivia.

Elle en avait fini de se cacher dans une chambre obscure et de pleurer jusqu'à ce que ses yeux ne soient que des fentes rougies et gonflées. Et, pour l'amour du ciel, elle en avait fini avec les scones ! Elle alla d'un pas martial jusqu'au chariot du thé, prit le dernier qui restait et le jeta par la fenêtre, aux oiseaux.

Elle sourit, sentant revenir un peu son ancien tempérament.

Le temps que Rose passe la voir, Olivia avait déjà sonné Hildy et s'était habillée pour le dîner. Sa soubrette réussit à dompter ses boucles en un simple chignon avec quelques mèches libres. Sa sœur s'exclama sur sa bonne forme – avec un peu trop d'effusions, de l'avis d'Olivia. Mais elle supposa que, si l'on ignorait son teint cireux et ses paupières gonflées, on ne pouvait pas deviner quelle épave elle avait été les deux derniers jours.

— J'ai demandé à la cuisinière de mettre ton plat préféré au menu – du jambon braisé, dit Rose. Elle a insisté pour faire ces pâtisseries que tu aimes, aussi.

Flûte. Elle commencerait à éviter les mets sucrés le lendemain…

— Comme c'est attentionné. Merci.

Rose tendit la main pour l'aider à se lever.

— Allons-nous rejoindre Owen et Anabelle dans le salon ?

— Oui.

Olivia eut un sourire éclatant.

— Puis-je te demander une faveur avant qu'on y aille ?

— Bien sûr.

— J'ai réfléchi à votre suggestion, à Belle et à toi – à propos d'aller chez tante Eustace – et je pense qu'un répit par rapport à la vie en ville est exactement ce qu'il me faut. Je souhaite même partir le plus tôt possible.

— Nous pouvons partir demain matin, si tu veux.

Olivia secoua la tête.

— Tu es un chou, et une meilleure sœur que ce que je mérite. Mais j'ai envie d'y aller seule – bien que je doive au moins emmener Hildy, je suppose.

Rose plissa les paupières d'un air soupçonneux.

— Dis-tu cela juste parce que tu ne veux pas me faire manquer le reste de la Saison ? Si oui, je peux t'assurer…

— Ce n'est pas cela du tout. Mais je suis d'une humeur massacrante, et la dernière chose que je désire est de te l'infliger pendant deux semaines d'affilée. En outre, honnêtement, je préférerais être seule avec mes pensées.

Olivia avait d'autres raisons, bien sûr, mais moins Rose en savait, mieux c'était.

Sa sœur parut un peu désappointée, mais hocha la tête.

— Quelle était la faveur que tu voulais me demander ?

— Aide-moi à convaincre Owen de me laisser partir.

Olivia se mordilla la lèvre. Son frère pouvait être très têtu – c'était un trait de famille.

— Il a laissé entendre – pas très subtilement – qu'il est grand temps que je trouve un époux. Il ne va pas approuver que j'aille me cacher à la campagne alors que la Saison bat son plein.

— Alors nous devons le convaincre que c'est nécessaire à ton bonheur, dit Rose.

Le cœur d'Olivia se mit à battre plus vite.

— Ça l'est.

— Je suis sûre que l'on peut compter sur Anabelle pour nous aider, aussi, ajouta Rose. Après tout, aller chez notre tante était son idée.

— Je vais écrire à tante Eustace après dîner et l'avertir que je devrais arriver d'ici la fin de la semaine.

— Je le ferai pour toi, si tu veux, proposa Rose.

Olivia pouvait à peine croire à sa propre audace. Mais si elle avait appris une chose du départ de sa mère et du suicide de son père, c'était que l'on ne savait jamais combien de temps on avait à passer avec les gens que l'on aimait. Elle ne pouvait pas laisser partir James pour l'Égypte sans établir de façon formelle qu'il existait quelque chose entre eux. Surtout après ce baiser.

Et, si elle avait une liste impressionnante d'aventures à son actif, celle-ci ferait pâlir toutes les autres en comparaison. La culpabilité, l'espoir et l'exaltation flambèrent en égales proportions dans sa poitrine.

Plusieurs comtés la séparaient de James ce soir-là – mais ils ne les sépareraient pas pour longtemps.

4

James était assis dans la salle commune humide, sombre et pourtant joyeuse de la seule auberge d'Haven Bridge. Il bavardait avec son cocher et quelques villageois qui se souvenaient de lui lorsqu'il avait fait sa dernière visite à son oncle Humphrey. À quand cela remontait-il ? Quatre ans ? Peut-être cinq. Trop longtemps. Oncle Humphrey était ce qu'il avait de plus proche d'un père, l'homme à qui il devait son amour des antiquités et qui avait subvenu de son mieux à ses besoins et à ceux de Ralph. Revenir à Haven Bridge était comme rentrer à la maison.

Quand James était arrivé dans le petit village pittoresque trois jours plus tôt, le crépuscule allait tomber. Il avait lancé quelques pièces à Ian et lui avait dit de s'occuper des chevaux, de commander à dîner et de boire quelques chopes pour patienter. Pendant ce temps, il avait parcouru au pas de course une route pavée et un chemin de terre très raide qui montait en serpentant jusqu'au sommet d'un monticule herbeux. Il avait été surpris d'avoir retrouvé l'endroit – son endroit préféré lorsqu'il était enfant – aussi facilement après toutes ces années, et il était arrivé en haut juste à temps pour assister à un flamboyant coucher de soleil orange au-delà de montagnes bleutées. De charmants murets de pierre ondulaient le long de champs verdoyants émaillés de moutons en train de brouter.

Il avait inspiré à pleins poumons l'air frais de la campagne et, tandis qu'il regardait le soleil s'enfoncer à l'horizon, il avait su que le voyage de trois jours jusqu'à Haven Bridge en valait la peine.

Bien sûr, ensuite, il avait failli se tuer en descendant le versant pour rentrer à l'auberge à la nuit noire – mais cela avait fourni la matière d'une bonne histoire lorsqu'il avait été assis plus tard dans la salle commune.

Le lendemain, James était allé voir son oncle Humphrey, en espérant qu'il soit encore alerte et en bonne santé, car il était déjà âgé. Même s'il était plus menu et voûté que dans ses souvenirs, le vieil oncle avait encore toute sa tête. Il essaya bien de persuader son neveu de séjourner dans son cottage, mais James ne voulait pas s'imposer et il était resté à l'auberge. Il se représentait un été plein de matinées à explorer la campagne, d'après-midi à bavarder avec son oncle et de soirées à boire à la taverne.

La vie était bonne – si bonne qu'il pouvait presque oublier la lettre cachetée qu'il transportait toujours dans la poche de poitrine de sa redingote. Ce qu'il ne pouvait chasser de son esprit, en revanche, c'était la blessure et la déception qu'il avait lues sur le visage d'Olivia le jour où il avait quitté Londres.

Il n'avait pensé qu'à elle et à son intérêt quand il était parti – du moins, c'était ce qu'il se répétait. À présent, elle était libre de profiter des attentions d'autres jeunes gens, de danser et de badiner autant qu'elle le voulait.

Il avala une bonne gorgée de bière, la trouvant plus amère que d'habitude.

— Alors, où êtes-vous allé aujourd'hui, Averill ?

Gordon, un mineur à la barbe poivre et sel, prit place sur le banc en face de James et abattit sa chope à moitié pleine sur la table de bois.

— Une ferme à l'est d'ici, près de la rivière. Il y a des ruines tout autour, et il semble que des murs pourraient être enfouis dessous. Que savez-vous de cet endroit ?

Le vieil homme gloussa.

— Pas grand-chose. Les gens y trouvent des babioles – des fragments de métal et des pierres polies. Ils viennent d'où, à votre avis ?

James haussa les épaules.

— Difficile à dire. Ça pourrait être un vieux fort ou une église.

Gordon caressa sa barbe.

— Ces terres sont à Sully. Ce vieux bougre ne saurait pas distinguer…

Le mineur s'arrêta au beau milieu de sa phrase, et la salle commune – qui un instant plus tôt résonnait de grognements et de jurons d'hommes – devint immobile et silencieuse.

Puis Gordon lâcha un long sifflement sourd.

James tourna la tête et découvrit ce qui retenait l'attention générale. Deux jeunes femmes – une dame de qualité et sa soubrette, à ce qu'il semblait – traversèrent la salle d'un pas glissant et s'installèrent à une table dans le coin. Elles portaient toutes deux une cape et un bonnet qui cachaient leurs traits, mais il n'y avait aucun doute à avoir : elles n'étaient pas d'Haven Bridge, et cela seul faisait d'elles des objets de curiosité.

La silhouette svelte mais très féminine de la jeune dame attirait tous les regards – celui de James compris.

— Qu'est-ce qu'elles font ici, d'après vous ? demanda Gordon.

— Eh bien, c'est une auberge, répondit James, plus sèchement qu'il ne l'aurait voulu. Je suppose que ce sont des voyageuses qui ont besoin d'un endroit où passer la nuit.

Le mineur cligna de l'œil.

— Je savais que vous étiez plus qu'un joli garçon.

Il gardait ses yeux un peu trop rouges fixés sur les deux femmes.

— Ce n'est pas malin de leur part de s'être assises près de Crutcher – c'est un ogre même quand il n'a pas trop bu. Regardez, il est déjà en train de les embêter.

James pivota sur le banc et vit comment le bonhomme heurtait le bout de leur table, la cognant contre le mur.

— Monsieur, je dois vous demander de retourner à votre place, immédiatement, dit la jeune dame d'un ton hautain.

Mais, sous son ton bravache, James détecta une trace de peur.

En espérant arranger la situation, il se dirigea à pas lents vers l'ivrogne, qui riait bruyamment comme si la requête de la jeune femme était une plaisanterie paillarde.

— Venez, Crutcher, dit James. Joignez-vous à Gordon et à moi. Je vous paierai un verre.

L'homme plissa les paupières en le regardant pour le jauger. Ses adversaires sous-estimaient James, en général – et payaient cher leur erreur d'un œil au beurre noir ou d'une lèvre fendue.

— Je n'ai pas soif.

James prit une pose décontractée, taquinant le sol de la pointe de sa botte, mais il parla avec fermeté.

— Alors venez bavarder avec nous.

— Pourquoi diable voudrais-je parler avec vous alors que je pourrais parler à ces jolies dames ?

Crutcher posa les mains à plat sur la table des deux femmes et se pencha en avant, sa tête graisseuse à quelques pouces des leurs. James ne voulait même pas imaginer combien son haleine devait être fétide.

L'homme ouvrit la bouche pour parler, mais, avant qu'il ne puisse prononcer un mot plus offensant, James empoigna l'arrière de son col, l'écarta de la table et le traîna vers la porte de l'auberge. L'ivrogne agita les bras et renversa quelques chaises en donnant des coups de pied au passage, mais au moins rien ne fut cassé. Pour le moment.

Une fois dehors, James propulsa Crutcher avec force devant lui. Le grossier personnage atterrit durement sur les genoux, dans la terre battue. Le soleil avait disparu derrière les collines, et le jour pâlissait à vue d'œil. Gordon et une demi-douzaine de clients sortirent de l'auberge, avides d'assister à une rixe.

— Espèce de sale… ! gronda Crutcher en se remettant sur ses pieds avec lourdeur et en faisant jouer ses doigts.

— Pourquoi ne rentrez-vous pas chez vous ? suggéra James. Cuvez tout ça avec un bon somme, et si vous voulez toujours vous battre avec moi demain je serai heureux de vous obliger.

Et il le pensait. Qu'y avait-il de sportif à boxer avec un homme trop ivre pour pisser droit ?

Mais Crutcher – avec ses six pieds de viande bien charnue – se jetait déjà sur James, visant ses genoux. James se déplaça sur le côté et la grosse brute chancela en le manquant.

— Saleté de lâche. Tiens-toi droit et affronte-moi comme un homme.

Il n'y avait rien à faire pour éviter la rixe. James ôta sa redingote et, quand Crutcher expédia son poing vers sa tête, il était prêt. Il se courba, et le bras du bonhomme traversa l'air. Toujours accroupi, James lui planta durement son poing droit dans l'estomac, juste au-dessous des côtes.

Crutcher se plia en deux, cherchant à reprendre son souffle.

James recula pour lui donner un peu d'espace. Il fallait espérer que ce serait la fin. Il leva les yeux, et dans la lumière qui faiblissait il put juste distinguer le grand sourire de Gordon – avec une ou deux dents qui manquaient. Derrière lui et les autres clients se tenaient les deux femmes qui étaient la cause de tout ce remue-ménage.

L'une d'elles se rua en avant, trébuchant presque sur l'ourlet de sa cape.

— James ! s'écria-t-elle d'une voix inquiète. Allez-vous bien ?

Seigneur Dieu.

Cela ne se pouvait pas.

Mais sous le bord de son bonnet apparaissaient deux yeux bruns familiers.

— Olivia ?

— Oui, c'est moi, dit-elle en ôtant son bonnet.

Ses joues rosirent.

— N'est-ce pas une coïncidence amusante ?

James resta figé un bon moment avant de retrouver sa langue.

— Ce n'est pas vraiment amusant, non. Et je suspecte qu'il ne s'agit pas d'une coïn…

— Attention ! cria Olivia en pointant un doigt pardessus son épaule.

Gordon l'attrapa par la taille et la tira en arrière.

Les cheveux de James se dressèrent sur sa nuque – un peu trop tard.

Il pirouetta sur ses talons juste à temps pour voir Crutcher fondre sur lui et le renverser. Ses pieds quittèrent le sol, et il voltigea comme s'il avait été arraché de son cheval. Son dos heurta le premier la terre dure. Une fraction de seconde plus tard, son crâne suivit avec un horrible bruit sourd. Avant qu'il ne puisse reprendre son souffle, Crutcher atterrit sur lui et coinça un coude en travers de sa gorge.

De l'air. James en avait besoin – il souhaitait désespérément prendre une grande inspiration. Le monde devenait déjà noir sur les bords ; sombrer dans l'étourdissement le tentait, et il céda presque.

— Arrêtez, espèce de grande brute !

Les remontrances d'Olivia n'eurent aucun effet sur l'homme, mais elles aiguisèrent la conscience de James. Il écarta le coude de Crutcher de sa gorge et, prenant appui sur ses jambes, il balança son corps plusieurs fois jusqu'à ce qu'il ait assez d'élan pour faire rouler l'ivrogne loin de lui.

Quelqu'un le prit sous les bras et le remit sur ses pieds. Le monde vacilla et la douleur lui vrilla la tête.

Mais il n'avait pas perdu un seul combat en deux décennies, et ce n'était pas maintenant qu'il allait commencer !

— Soyez prudent, James.

Le tremblement dans la voix d'Olivia trahissait sa peur, mais il entendit aussi sa confiance. Il sut qu'il ne devait pas la décevoir.

Crutcher décrivit un cercle, le testant en lançant de temps en temps un coup de poing. James les détourna tous – au moins, ses réflexes fonctionnaient à un niveau élémentaire. Il prit son temps, laissant l'homme devenir plus sûr de lui, plus imprudent. Puis, juste comme cet idiot lançait son bras en arrière pour l'assommer, James lui planta un bon coup dans la figure d'un crochet du droit rapide comme l'éclair. Son poing gauche suivit avec un uppercut dans la mâchoire.

La tête de Crutcher bascula en arrière, et il s'affala de tout son poids. Complètement K.-O.

Pendant une demi-minute, personne ne bougea.

Puis tout le monde s'agita – sauf Crutcher.

L'un de ses admirateurs essaya de le remuer d'un coup de talon. Quand cela ne marcha pas, il sacrifia à regret la bière qui restait dans son verre, la versant sur le visage de l'homme qui enflait déjà.

La plupart des spectateurs se rassemblèrent autour de James.

— Bien joué ! clamèrent-ils à tour de rôle en lui tapant dans le dos.

Mais il était encore étourdi, et sa tête lui semblait trop grosse pour son cou.

— Où est Olivia ? demanda-t-il.

— Qui ?

— Elle est là-bas, dit Gordon en indiquant un endroit à quelques mètres derrière lui. Elle ramasse votre veste.

La foule composée d'hommes se fendit avec respect quand Olivia se précipita vers James.

— J'étais terrifiée pour vous, dit-elle d'une voix altérée. Êtes-vous blessé ?

James aurait voulu hausser un sourcil, mais sa tête lui faisait trop mal.

— Pas mortellement.

Elle eut un rire nerveux.

— Oh ! tant mieux. Je crois que ceci est à vous.

Alors qu'elle lui tendait sa redingote, un billet plié voleta jusqu'au sol.

La lettre d'Olivia. Bon sang.

Elle se baissa pour la ramasser, mais, quand ses doigts furent à un pouce de la feuille, James plongea pour s'en emparer avant elle. La missive en sécurité dans son poing – même si elle était un peu froissée –, il se remit debout et épousseta la terre de ses culottes.

Doux Jésus, il s'en était fallu de peu.

Pendant ce temps, Olivia était debout à côté de lui, tenant toujours sa redingote, et le considérait avec curiosité.

— C'était une façon assez théâtrale de ramasser un bout de papier, observa-t-elle. Qu'est-ce que c'est ? Une lettre du prince régent ?

— Peut-être. Et je ne pense pas que vous soyez bien placée pour faire un sermon sur les actions théâtrales.

— Vous marquez un point.

Elle se mordilla la lèvre inférieure, et quelque chose en lui fondit un peu.

Il lui prit sa redingote, l'enfila d'un geste brusque et rangea la lettre dans la poche intérieure. Il fallait qu'il soit plus prudent avec ce fichu billet.

— Que faites-vous ici ? demanda-t-il d'un ton sévère.

Elle ouvrit la bouche pour répondre, mais il l'interrompit.

— Aucune importance. Je ne tiens pas à avoir cette conversation maintenant.

Il parcourut du regard le cercle de clients qui s'était formé autour d'eux. Crutcher avait entrepris de rentrer chez lui en boitant, avec l'aide de son ami, mais il y avait encore trop d'yeux et d'oreilles curieux.

— Prenez votre soubrette avec vous. Nous parlerons quand nous serons à l'intérieur.

Tandis qu'ils marchaient, il demanda :

— Qui d'autre vous accompagne ?

Les joues d'Olivia devinrent rose vif.

— Seulement notre cocher, Terrence. Il s'occupe des chevaux.

Juste ciel ! pensa James, atterré. Il guida Olivia vers la table qu'elle avait occupée auparavant ; sa soubrette les suivait de près. Dès qu'ils s'assirent tous les trois, la femme de l'aubergiste posa deux bonnes assiettes de hachis aux pommes de terre devant les dames.

— Je reviens avec du pain et de la bière, leur dit-elle. Est-ce que je vous apporte du ragoût ou une chope, monsieur Averill ?

— Je vais prendre un cognac, plutôt.

Elle hocha la tête et s'éloigna d'un pas vif.

Ni Olivia ni sa soubrette n'avaient levé leur cuillère.

— Je vous en prie, mangez, dit James.

Il avait plusieurs questions à poser à Olivia, mais il ne voulait pas le faire devant sa femme de chambre.

— Nous parlerons plus tard.

Tout en buvant son cognac, il s'interrogea. Huntford ne pouvait absolument pas avoir approuvé le voyage d'Olivia dans la région des Lacs. Comment diable avait-elle réussi à parcourir trois cents miles depuis Londres sans que son frère le sache ?

James se posait une foule de questions.

Et la plus urgente était de savoir ce qu'il devait faire d'Olivia Sherbourne, bonté divine !

5

Pierres : *1) « Vieilles pierres », fouilles : un site archéologique où des recherches sont en cours. 2) Une pierre dans son jardin : une remarque coupante, souvent sarcastique. Comme dans : « Même si elle le méritait sans aucun doute, la pierre qu'il lança dans son jardin la blessa au vif. »*

Une heure plus tôt à peine, Olivia était si affamée qu'elle avait suivi tête baissée le fumet du hachis à la viande jusque dans la salle commune au lieu de le commander dans sa chambre. Mais maintenant, tandis que James la fusillait de son regard vert mousse réprobateur, et néanmoins si beau, elle parvint seulement à avaler avec difficulté quelques cuillerées de son dîner.

Il la fixait beaucoup et parlait peu. Peut-être était-il encore étourdi après l'attaque du dénommé Crutcher, mais Olivia avait la nette impression qu'il voulait plutôt la tancer vertement – et s'efforçait vaillamment de se contenir jusqu'à ce que le moment et l'endroit appropriés se présentent.

Elle se consacra donc à la tâche de retarder la semonce aussi longtemps que possible.

Sans nul doute, sa conduite téméraire aurait des conséquences. Mais pour l'instant, alors qu'elle buvait sa bière à petites gorgées et jetait des coups d'œil à James sous ses cils baissés, elle savait que les risques en avaient valu la peine.

Elle se trouvait à trois cents miles de Londres. Seule avec James – si l'on exceptait Hildy et la douzaine de villageois et de voyageurs présents dans la salle commune qui les regardaient avec curiosité.

— Est-ce tout ce que vous allez manger ?

James fronçait les sourcils, mais la préoccupation que cachait son expression renfrognée réchauffa le cœur d'Olivia.

— Oui.

Elle lui décocha son plus charmant sourire.

— Appréciez-vous Haven Bridge ?

Il souffla.

— Nous avons à parler.

— Très bien.

Elle écarta son assiette et croisa sagement les mains sur la table.

— Pas ici, dit James.

— Il fait trop sombre pour se promener dehors, fit-elle remarquer. À quel endroit pensiez-vous exactement ?

Il grinça des dents.

— Je suppose que vous avez une chambre en haut ?

— Bien sûr.

D'une voix plus basse, il demanda :

— Quelle porte ?

Olivia rougit. Qu'un gentleman demande où se trouvait sa chambre était choquant – même pour elle.

— La deuxième à gauche.

— Montez avec Hildy. Je vous suivrai dans une heure environ. Quand je frapperai, répondez sans tarder – afin que personne ne me voie dans le couloir devant votre chambre.

Olivia eut envie de faire la roue. Elle allait avoir un rendez-vous avec *James* ! Ce soir-là.

— Je comprends.

Elle s'efforça de prendre un ton détaché, comme si elle faisait tout le temps ce genre de chose.

— Venez, Hildy.

Tandis qu'elle se glissait hors du banc, James se leva. Elle inclina la tête et retira la main qu'il avait saisie, déterminée à sortir avec grâce de la salle commune malgré ses genoux qui flageolaient.

Dès qu'Hildy et elle furent dans leur chambre, la soubrette se tordit les mains.

— Il n'est pas convenable que M. Averill vienne frapper chez vous au beau milieu de la nuit.

— Il n'est que 10 heures, voyons.

Mais bien sûr elle comprenait ce qu'Hildy voulait dire, et elle lui adressa un sourire d'excuse. Pauvre Hildy. Elle l'avait soumise à une inconvenance après l'autre depuis qu'elles avaient quitté Londres trois jours plus tôt.

— Je pense que vous devriez dire à M. Averill que vous préféreriez le voir demain. Vous pourriez aller marcher – et je vous accompagnerais.

— Je le suggérerai à James lorsqu'il arrivera, mais il semblait assez catégorique sur la nécessité de parler ce soir même.

— Le duc ne serait pas content, avertit Hildy.

Ce n'était rien de le dire ! Si Owen apprenait ce qu'Olivia avait fait, il la forcerait probablement à passer le reste de sa vie dans un couvent. Et elle frémit rien qu'en pensant à ce qu'il ferait à James.

Raison pour laquelle Owen ne devait tout simplement pas apprendre son aventure on ne peut plus audacieuse.

— Puisque nous avons un peu de temps avant que James n'arrive, aidez-moi à me changer.

Olivia regarda avec dégoût sa robe de voyage toute poussiéreuse. Que portait-on pour un rendez-vous galant en soirée ?

Comme si elle avait posé la question à voix haute, Hildy suggéra :

— Votre robe de mousseline blanche ?

Sa soubrette espérait sans doute que le blanc rappellerait à toutes les parties en cause qu'elle était une innocente jeune fille. Bien qu'elle soit encline à objecter pour cette raison précise, Olivia devait convenir que c'était la robe la plus simple qu'elle avait emportée et la plus appropriée.

— Très bien.

Hildy n'avait pas eu le temps de déballer ses affaires et se mit aussitôt à fouiller dans sa valise. Olivia s'affaira aussi, se lavant et s'arrangeant les cheveux. Une heure plus tard, elle était prête – assise sur une chaise et feignant de lire un livre.

Lorsqu'on frappa à la porte, Hildy fit claquer sa langue et Olivia bondit sur ses pieds.

— Qui est-ce ? demanda-t-elle.

— James.

Une légère pause.

— Qui d'autre cela pourrait-il être ?

Le timbre riche et profond de sa voix emballa le cœur d'Olivia. Elle ouvrit la porte et s'imprégna de la vue de ses larges épaules, de sa taille bien marquée, de ses longues jambes minces.

— Voulez-vous entrer ? chuchota-t-elle.

Il s'appuya d'un bras au montant de la porte et se pencha pour regarder dans la chambre. En voyant Hildy, il secoua la tête.

— Non.

Il referma une main sur le poignet d'Olivia et jeta un coup d'œil dans le couloir, derrière lui, avant de la tirer en avant.

— Venez avec moi.

La bouche d'Olivia s'assécha d'un seul coup, mais elle se tourna pour adresser à sa soubrette horrifiée un sourire rassurant.

— Essayez de dormir. Je reviendrai bientôt.

Avant qu'elle n'ait le temps de réagir, James l'avait entraînée dans le couloir. Ils foulèrent sur la pointe des pieds le tapis qui couvrait le vieux plancher et se glissèrent dans une chambre deux portes plus loin, sur la droite.

La chambre de James. Son sac de cuir usé était posé par terre à côté d'une table de toilette, et son chapeau suspendu à un crochet. Le parfum léger de son savon à barbe chatouilla le nez d'Olivia.

Il lui lâcha le poignet, posa une grande main au creux de ses reins et la poussa à l'intérieur. Puis il ferma la porte et tourna la clé. Il désigna le lit.

— Asseyez-vous.

Pour une question de fierté, elle ignora son ordre et s'assit sur la chaise de bois au pied du lit. James se mit à marcher de long en large devant elle, même si les dimensions de la pièce lui permettaient au mieux de faire deux pas dans un sens et deux dans l'autre. Cela sembla encore plus le contrarier.

Olivia attendit avec patience, les mains sur les genoux et les chevilles croisées comme il convenait.

Finalement, James s'arrêta et se passa une main dans les cheveux comme s'il voulait en arracher une poignée.

— Que diable faites-vous à Haven Bridge ?

Durant le long trajet depuis Londres, Olivia avait débattu sur la meilleure façon de répondre à cette question et n'était parvenue à aucune conclusion claire – jusqu'à maintenant.

Elle devait lui dire la vérité.

— Je n'ai pas pu supporter la manière dont vous êtes parti sans dire au revoir. C'était comme si vous me fuyiez. Fuyiez ce que nous sommes l'un pour l'autre.

— Olivia.

Sa voix était exaspérée.

— Il n'y a pas de « nous ».

Ouille. Cela faisait mal.

— Bien sûr que si !

Avant qu'il ne puisse la contredire, elle ajouta :

— Et c'était même assez fort pour vous faire quitter la ville.

James ferma les yeux pendant un moment. Comme s'il priait pour rester patient.

— Je suppose que j'ai mérité cette pique. Je m'y suis mal pris le soir du bal des Easton.

— Vous avez tout aussi mal agi le lendemain, quand vous êtes venu voir Owen.

— C'est possible. Néanmoins, Olivia, que vouliez-vous que je fasse ? Je n'aurais pas dû vous embrasser, mais je l'ai fait. Je ne peux pas l'effacer, même si de tout cœur je le souhaite.

Ouille, un nouveau coup.

— Je pars pour l'Égypte dans deux mois, poursuivit-il. Il ne peut pas y avoir d'avenir pour nous. Vous devez vous en rendre compte.

Elle haussa les épaules.

— J'ai une autre vision des choses.

— Laissez-moi poser une question plus simple. Votre frère sait-il que vous êtes ici ?

— Eh bien... je dirais que non.

James jura à mi-voix.

— Où pense-t-il donc que vous êtes ?

— Chez ma tante Eustace, dans l'Oxfordshire.

Olivia prit une grande inspiration.

— Rose lui a écrit une lettre l'informant de ma visite, mais je l'ai interceptée avant que Dennison ne puisse l'envoyer. Je ne voulais pas que cette chère tante Eustace s'inquiète en ne me voyant pas arriver.

— Comme c'est attentionné de votre part.

Son sarcasme piqua Olivia au vif.

— Et comment avez-vous persuadé votre cocher et Hildy de vous suivre dans votre machination ?

Olivia fixa ses mains. Elle aurait préféré que ses explications ne paraissent pas aussi honteuses à ses propres oreilles. Sur le coup elle s'était dit que la fin justifiait les moyens, mais cela ne l'empêchait pas de se sentir très mal.

— Quand nous nous sommes arrêtés dans une auberge le premier soir, j'ai mentionné en passant quelle envie j'avais de voir le charmant cottage de tante Eustace dans la région des Lacs. Terrence a commencé par protester et dire que ses instructions étaient de me conduire dans l'Oxfordshire, mais je lui ai assuré qu'Owen était au courant du changement de plans et que tante Eustace attendait mon arrivée à Haven Bridge dans deux ou trois jours.

— Ainsi, vous leur avez menti.

Fallait-il vraiment qu'il le lui fasse admettre ?

— Oui.

James reprit ses allées et venues.

— Comment saviez-vous que je serais ici ?

— Je n'en étais pas certaine, mais, quand vous avez dit que vous alliez dans la région des Lacs, j'ai supposé que vous en profiteriez pour rendre visite à votre oncle Humphrey. Vous l'avez mentionné une fois, lors d'un dîner. J'ai compris à la façon dont vous avez décrit son cabinet de travail encombré et son esprit acéré que vous l'aimiez beaucoup – ainsi qu'Haven Bridge.

James secoua la tête.

— Je ne me souviens pas de cette conversation.

— C'était il y a un certain temps, dit Olivia.

— Et vous vous l'êtes rappelée ?

Il plissa le front, et elle résista à l'envie de lisser ses rides du bout du doigt.

Elle se l'était rappelée parce qu'elle accordait du prix à chaque instant qu'elle passait avec lui – en particulier les moments où il confiait des bribes d'informations sur lui-même.

— J'ai pensé que j'aimerais visiter Haven Bridge moi-même, un jour.

James se laissa choir au bout du lit de telle sorte que ses yeux, qui brillaient de colère, soient au niveau de ceux d'Olivia.

— Venir ici sans que votre frère le sache était on ne peut plus téméraire. Vous vous êtes mise en péril. Si vous aviez été abordée en route par un bandit de grand chemin, vous auriez pu vous retrouver en rade dans un endroit sauvage – ou pire.

— On ne peut pas franchement dire que cette campagne paisible grouille de voleurs. Et une attaque aurait aussi bien pu se produire sur le trajet menant chez ma tante Eustace, raisonna Olivia.

Elle n'avait jamais vraiment considéré tout ce qui pouvait aller de travers dans son plan – elle était trop concentrée sur son but : trouver James.

— Vous ne comprenez pas, dit celui-ci d'un ton posé. Si quelque chose vous était arrivé, personne ne l'aurait su. Votre tante ne vous attendait pas, votre frère vous croyait chez elle, et Dieu sait que je ne vous attendais pas non plus.

— Je ne vois pas l'intérêt de s'attarder sur tout ce qui aurait pu mal se passer. Il ne s'est rien produit !

— Avez-vous oublié qu'un garçon de ferme ivre vous a fait de grossières avances ? Cela aurait pu mal se finir.

Elle osa un petit sourire.

— Mais ce n'a pas été le cas, grâce à vous.

James ne s'adoucit pas le moins du monde ; il avait plutôt l'air de vouloir casser quelque chose.

— Dès demain matin, j'enverrai un mot à votre frère pour lui dire où vous êtes. Je suspecte qu'il viendra vous chercher lui-même, ce qui signifie qu'il aura trois jours de voyage pour soupeser diverses façons de punir votre escapade insensée.

Olivia se tortilla sur sa chaise.

— Nous ne devrions peut-être pas agir avec tant de hâte – il y a d'autres options.

James rit, d'un rire sourd et mordant.

— Comme quoi ?

— Demain, je pourrais écrire à tante Eustace, l'avertir que j'arrive, et partir pour l'Oxfordshire le lendemain. Owen n'a pas besoin de savoir que j'ai fait un détour par Haven Bridge.

— Je ne mentirai pas à votre frère.

— Oh très bien. Si vous voulez lui raconter toute la sordide histoire, je ne peux pas vous en empêcher.

Olivia poussa un soupir théâtral.

— Mais ne soyez pas surpris lorsqu'il me mettra sur le prochain bateau pour l'Amérique.

James plissa les paupières.

— Cela vous irait bien.

Maintenant, c'était Olivia qui faisait les cent pas.

— Et qu'en est-il de vous ? Ne portez-vous aucune responsabilité ? Je ne songerais jamais à vous impliquer publiquement, comprenez-moi bien, mais l'on pourrait soutenir que vous m'avez encouragée.

— Je vous ai *encouragée* ?

— Quand vous m'avez embrassée.

— Oui, coupa-t-il d'un ton sec. Comment ai-je pu l'oublier ?

Ouille. Blessée par trois fois.

— Dites ce que vous voulez, James. Mais je sais avec certitude que ce baiser a signifié quelque chose pour vous. Je l'ai senti dans la façon dont vous me teniez – comme si vous me vouliez rien qu'à vous.

Elle aurait pu ajouter qu'il l'avait regardée comme si elle était la dernière guimauve sur le plateau à dessert – mais elle ne voyait pas l'utilité d'insister.

Il se mit debout d'un bond et la saisit par les épaules.

— Écoutez-moi. Ce baiser a été une erreur. Je ne nierai pas que je me suis laissé emporter, mais je ne m'attendais pas à ce que vous soyez si…

Il haussa les épaules d'un air impuissant.

— Si quoi ?

Il fallait qu'elle le sache.

— Si… passionnée, avoua-t-il avec réticence. Ou si habile à embrasser.

Les joues d'Olivia s'échauffèrent. Le compliment – aussi réticent qu'il ait été – rachetait amplement les piques qu'il lui avait lancées plus tôt.

— Merci. J'ai trouvé que vous embrassiez très bien aussi.

James plissa les paupières.

— Comparé à qui ?

— Peu importe. Continuez.

Le visage de James se rembrunit un instant avant qu'il ne poursuive.

— Vous devez vous rendre compte que nous ne sommes pas du tout assortis. Vous êtes la sœur d'un duc. Je suis un simple avoué qui part pour l'Égypte à la fin de l'été. Je ne veux pas d'une épouse et n'en ai pas besoin. Plus vite vous l'accepterez, mieux ce sera pour nous deux.

Là-dessus, il lui lâcha les bras, alla à grands pas à l'autre bout de la pièce et regarda fixement par la petite fenêtre qui donnait sur la cour de l'auberge.

— Je vous attendrai.

La voix d'Olivia tremblait.

— Jusqu'à ce que vous rentriez d'Égypte.

— Il ne s'agit pas de l'Égypte, dit fraîchement James. Vous êtes la jeune sœur de mon meilleur ami. Je n'ai jamais eu plus conscience de ce fait que ce soir.

— Pourquoi cela sonne-t-il comme une critique ?

— En venant ici, vous avez trompé votre famille et pris des risques inconsidérés. C'était une chose stupide, égoïste et incroyablement immature à faire.

Jusque-là, Olivia s'était accrochée à l'idée qu'elle vivait une aventure hardie et romantique. Mais les paroles de James avaient un accent de vérité. Elle détestait l'idée d'inquiéter sa famille, et n'aurait jamais eu recours à ce plan si ce n'avait pas été sa dernière chance de bonheur. Et d'amour.

— Vous avez peut-être raison…

— Non. J'ai raison *tout court*. Depuis le moment où vous avez su battre des cils – ce qui, je le gagerais, devait être aux alentours de trois ans – vous avez reçu tout ce que votre cœur désirait. Des poneys, de belles robes et même des bijoux. Ce qui explique pourquoi il vous est si difficile d'accepter ce que je dis. Et cela explique aussi pourquoi nous ne nous conviendrions jamais. Je ne pourrais jamais vous rendre heureuse, et vous… eh bien, vous ne pourriez jamais me comprendre.

Sa déclaration brutale résonna dans le silence qui suivit.

Les larmes montèrent aux yeux d'Olivia et son nez la picota, mais pleurer ne ferait que confirmer la piètre opinion qu'il avait d'elle.

— Je ne pense pas que vous m'accordiez assez de crédit, parvint-elle à articuler.

Oui, elle avait la chance d'avoir un frère et une sœur aimants. Oui, elle était née pour une vie de richesse et de privilèges.

Mais elle savait ce que c'était que de souffrir. Elle connaissait l'horreur et le chagrin de trouver son père avec une balle dans la tête. Elle connaissait la douleur d'avoir été abandonnée par sa mère. Des gens qu'elle prenait pour ses amis s'étaient mis à l'éviter au moment où elle avait été le plus vulnérable.

Mais pas James. Il avait été l'ami rare qui était resté auprès d'Owen – et d'eux tous.

Oui, Olivia comprenait bien plus de choses qu'il ne le pensait.

Et maintenant, pour la première fois depuis... oh, toujours, il fallait qu'elle mette de la distance entre James et elle.

— Vous m'avez donné beaucoup à réfléchir, dit-elle d'une voix étranglée. Je pense que je devrais retourner dans ma chambre.

Il haussa légèrement les sourcils.

— Où vous resterez toute la nuit ?

— Oui.

Elle n'avait ni l'énergie ni l'envie de s'enfuir de nouveau. Quelles que soient les conséquences de ses actions, elle les affronterait.

Il se tâta l'arrière de la tête et grimaça.

— Dormir est une bonne idée. J'espère que j'aurai les idées plus claires demain matin.

— Vous avez encore mal ?

Sans réfléchir, elle alla au côté de James, posa une main sur son épaule et tâta son crâne de l'autre. Ses cheveux étaient épais et bouclaient légèrement autour de ses doigts tandis qu'ils effleuraient son cuir chevelu. Elle sentit une bosse grosse comme un œuf.

— Aïe !

— Vous allez avoir une migraine, demain.

— J'en ai déjà une.

Un peu de la meurtrissure et de la colère d'Olivia fondit. Mais pas totalement.

— Essayez de dormir.

Alors qu'elle se tournait pour partir, en trois enjambées il la rattrapa à la porte.

— Laissez-moi vérifier le couloir, dit-il.

Après avoir regardé dans les deux sens, il lui fit signe de le suivre et la conduisit jusqu'à sa chambre.

Elle tira la clé de sa poche et se força à ne pas regarder James tandis qu'elle la tournait dans la serrure.

— Merci de m'avoir défendue dans la salle commune, tout à l'heure. J'espère que votre tête ira bientôt mieux.

— Ne vous inquiétez pas. Elle est dure.

Son ton joueur attira le regard d'Olivia vers le sien et le sourire dévastateur qu'il lui décocha lui donna envie de s'appuyer contre lui et de l'embrasser sur la bouche.

— Bonne nuit, murmura-t-elle.

— Fermez la porte à clé, ordonna-t-il. Je vous verrai demain matin et déciderai quoi faire alors.

Olivia hocha la tête, entra dans sa chambre et referma à clé. Hildy avait laissé brûler une petite lampe près du lit, dont les draps étaient rabattus. Elle s'était pelotonnée sur une couchette de fortune par terre et dormait d'un sommeil profond.

La culpabilité rongea le ventre d'Olivia. La pauvre Hildy avait reçu la tâche de préserver sa réputation – un devoir décourageant et peu enviable pour le moins. Elle croyait encore qu'ils se rendraient au cottage de tante Eustace à Haven Bridge le lendemain. Olivia n'était guère impatiente d'annoncer que sa tante ne résidait pas dans ce joli village, finalement.

James avait raison. Elle était égoïste et immature – ou, du moins, elle s'était conduite ainsi ce jour-là. Les mots mordants de James l'avaient blessée, mais la déception qu'elle avait vue dans ses yeux… voilà ce qui la hanterait le reste de ses jours.

Avec le moins de bruit possible, elle ôta sa robe de mousseline et enfila une chemise de nuit par-dessus sa tête. Puis elle alla sur la pointe des pieds jusqu'à la couchette de sa soubrette et lui toucha doucement l'épaule.

Hildy se dressa sur un coude et se frotta les yeux.

— Est-ce que tout va bien, milady ? Avez-vous besoin de quelque chose ?

— Je voulais juste vous prévenir que je suis rentrée, chuchota Olivia. Merci d'avoir essayé de protéger ma réputation.

Hildy cligna des paupières, l'air endormi.

— Je vous en prie.

— Vous savez, le lit est bien assez large pour nous deux. Grimpez et mettez-vous sous les couvertures – vous aurez une meilleure nuit de sommeil.

— Cela ne me fait rien de dormir par terre, milady.

— Je sais. Mais ce n'est pas aussi confortable qu'un matelas. Allez, sautez dedans. Je vais éteindre la lampe.

Hildy tout ensommeillée obéit, et une minute après avoir posé la tête sur l'oreiller elle dormait de nouveau.

Olivia n'eut pas cette chance. Les paroles de James résonnèrent dans sa tête pendant des heures. La mauvaise opinion qu'il avait d'elle la blessait comme une centaine de petites coupures. Mais ce qui rendait la douleur pire encore, c'était le fait indéniable qu'en dépit de tout ce qu'il lui avait dit elle l'aimait toujours.

Et elle ne savait absolument pas que faire à ce sujet.

6

La prédiction d'Olivia s'était réalisée. James se réveilla le lendemain avec une migraine.

De fait, sa tête cessa de le lancer lorsqu'il se mit à s'activer dans la pièce chichement meublée – s'habillant, se rasant et faisant les cent pas. Un peu plus tôt, il avait griffonné un billet pour Huntford, l'informant de l'endroit où se trouvait Olivia.

Une minute après, il le froissa dans son poing.

Il savait qu'il devrait avertir son ami, mais il n'avait pas encore pris son petit déjeuner et croyait fermement qu'on ne devait jamais prendre de décisions importantes le ventre vide.

Alors il mit quelques outils dans sa sacoche en cuir, la jeta sur son épaule et quitta sa chambre pour aller se sustenter.

Il s'arrêta dans le couloir devant la porte d'Olivia et écouta. Des voix féminines murmuraient, mais il ne put distinguer ce qu'elles disaient.

Alors qu'il se tenait là, frustré, il lui vint à l'esprit qu'Olivia devait avoir faim, elle aussi. Sans plus réfléchir, il frappa à sa porte.

Les murmures se turent, il y eut un glissement de pieds et la porte s'entrebâilla. Dans l'espace entre le cadre et le battant, les yeux bruns et sensuels d'Olivia le regardèrent en battant des cils.

— Bonjour.

Mais son ton démentait sa salutation ; elle l'accueillait avec l'enthousiasme que l'on pouvait montrer à une escorte pour la guillotine. Ses beaux sourcils se nouèrent, soucieux.

— Comment vous sentez-vous ?

Les blessures de James résultant de la rixe de la veille étaient mineures, mais des bribes de sa conversation avec Olivia dans sa chambre se répétaient dans sa tête, et s'avéraient plus gênantes. Il avait été trop dur avec elle et, en vérité, il n'était pas en position de faire des sermons sur l'égoïsme et l'immaturité.

— Bien, mais affamé. Aimeriez-vous aller vous promener ?

— Très bien, répondit-elle avec une résignation peu flatteuse. Je prends mon bonnet et vous retrouve dehors.

Quelques minutes plus tard, ils cheminaient dans la rue principale du village. James accueillit avec plaisir l'air frais du matin sur son visage, mais Olivia resserra son châle autour de ses épaules. Il aurait voulu qu'elle remarque la brume qui était montée du lac et la teinte violette des collines dans le lointain. Ainsi que le vert intense des pâturages parsemés de moutons blancs. La beauté de cet endroit ne manquait jamais de le remettre sur pied ; elle pouvait sûrement faire qu'Olivia se sente mieux, aussi. Mais elle paraissait malheureuse et abattue.

Il détestait en être en partie responsable.

Peut-être pourrait-il réparer certains des dégâts ce matin, et même revenir à la camaraderie bon enfant qu'ils partageaient avant le baiser sur la terrasse de lady Easton. Il devait essayer.

Sans préambule, Olivia déclara :

— J'ai dit la vérité à Hildy, ce matin – que tante Eustace ne vit nulle part près d'Haven Bridge. Elle en a été chamboulée, ce qui se comprend.

— C'était courageux de votre part de le lui dire.

Olivia lui jeta un regard sceptique.

— C'était seulement une question de temps avant qu'elle ne découvre ma tromperie. Et je lui ai laissé la corvée de le dire à notre cocher – ce qui n'était pas très courageux de ma part. Terrence va être furieux.

James n'aimait pas la voir aussi abattue. Il n'avait jamais mesuré combien il en était venu à dépendre de sa nature enjouée et de son sourire contagieux.

— Nous définirons plus tard la meilleure façon d'agir, dit-il. Pour l'instant, essayez de mettre vos soucis de côté.

Il huma l'air, riche d'odeurs de levure, de beurre et de cannelle.

— Sentez-vous cela ?

Elle leva son petit nez mutin et esquissa un faible sourire.

— Mmm. Qu'est-ce que c'est ?

— Le petit déjeuner, dit-il simplement.

Il indiqua la boulangerie et lui offrit son bras. Lorsqu'elle glissa sa main au creux de son coude, il fut frappé par l'impression de justesse que lui donnait le fait de marcher avec elle. Il était beaucoup trop sensible à la douce pression de ses doigts, et, lorsqu'elle trébucha un peu, la courbe de sa poitrine frôla son bras. Bien que ce contact soit accidentel et complètement innocent, il le troubla dans des endroits qui n'avaient pas à être troublés, bonté divine.

Ils entrèrent dans le magasin, et le visage maculé de farine du boulanger se fendit d'un grand sourire.

— Monsieur Averill, je vois que vous m'avez amené une jolie nouvelle cliente !

— En effet, dit James. Lady Olivia Sherbourne, je vous présente M. Fraser, qui fabrique les meilleurs petits pains briochés de toute l'Angleterre.

— Tout paraît meilleur ici, dans la région des Lacs, dit le boulanger, modeste. Vous le découvrirez bientôt par vous-même.

James acheta plusieurs sortes de petits pains, certain que quelque chose dans le sac tenterait bien Olivia. Ils saluèrent M. Fraser d'un signe de main et marchèrent un peu plus loin dans la rue jusqu'à un étal de fruits et légumes. Olivia choisit deux pêches mûres que James paya et mit dans sa sacoche avec le reste de leur festin.

— Je suppose que nous devons rentrer à l'auberge, dit Olivia.

— Oui, mais pas tout de suite.

James l'entraîna vers le chemin caillouteux qu'il avait arpenté chaque matin depuis son arrivée à Haven Bridge. Il n'avait jamais emmené personne dans son endroit préféré sur la colline, mais il avait envie d'y conduire Olivia. Il ne pouvait expliquer pourquoi, exactement. Hormis que, d'une certaine manière, il savait que voir le paysage spectaculaire à travers ses yeux le lui ferait apprécier encore plus.

Elle le regarda en haussant un sourcil.

— Je pensais que vous seriez pressé de me renvoyer à Londres.

— Vous n'êtes pas juste envers moi, dit-il.

— Non ?

Bien sûr que non, il ne voulait pas la renvoyer.

— C'est pour votre propre bien.

Elle soupira.

— C'est précisément ce que les hommes disent quand ils veulent qu'une femme en fasse à leur guise.

Il fronça les sourcils et s'arrêta pour lui faire face.

— Nous avons déjà établi que vous ne pouvez pas rester ici. Mais y passer la matinée ne peut faire de mal, et il y a un endroit que j'aimerais vous montrer – si vous n'êtes pas opposée à grimper une côte assez raide.

Olivia était totalement incapable de refuser un tel défi, ce qu'ils savaient tous deux.

Elle releva l'ourlet de sa robe de quelques pouces pour révéler une jolie pantoufle bleu pâle.

— Ces chaussures ne sont pas les plus appropriées pour une marche vigoureuse, mais il n'importe guère que je les salisse ou les use – j'aurai peu d'usage pour des pantoufles élégantes au couvent.

Il surprit l'ombre de son sourire, et le plaisir anticipé de leur excursion en fut multiplié par dix.

— Parfait.

Sans réfléchir, il abaissa la main et entremêla ses doigts aux siens, la tirant sur le sentier jusqu'à son point de vue. Elle pressa légèrement sa paume, comme pour lui faire savoir que durant les quelques heures à venir elle était sa partenaire, prête à participer à tout ce qu'il voudrait faire.

Une perspective excitante – et dangereuse.

Le chemin rocailleux sinua autour de bouquets d'arbres et d'une grange en ruine avant de se changer en un sentier étroit, en terre. Ils étaient trop essoufflés pour bavarder, mais l'expression ravie d'Olivia était éloquente. Il avait eu raison de l'amener ici. Peut-être pourrait-il réparer quelques-uns des dégâts qu'il avait causés la veille au soir, et pourraient-ils rester amis.

Toute pensée d'amitié disparut, cependant, lorsqu'ils furent à peu près à mi-hauteur de la colline. L'exercice et le soleil matinal leur avaient donné chaud, et Olivia ôta son châle, révélant un carré de peau crémeuse au-dessus de son décolleté. James s'efforça de ne pas le fixer, mais à chaque pas qu'elle faisait ses seins tressautaient légèrement, ce qui le conduisit naturellement à les imaginer nus et s'agitant au-dessus de lui alors qu'elle renversait la tête en arrière en pleine extase, comme si elle et lui étaient…

Sapristi. Qu'est-ce qui n'allait pas chez lui ?

Olivia avait des sentiments pour lui, mais cela ne lui donnait pas le droit de fantasmer à son sujet – du moins, pas de cette manière.

Seulement elle avait une façon bien à elle de s'immiscer dans ses pensées aux moments les plus étranges. Comme lorsqu'il examinait une ancienne statue de la fertilité, entendait une gigue entraînante ou était sur le point de s'endormir dans son lit. Et, depuis le soir où il l'avait embrassée, il avait eu plus de mal encore à écarter de son esprit ces visions affriolantes. Ses yeux bruns aux paupières lourdes l'invitaient à l'embrasser, à la tenir contre lui… et davantage.

Il leva les yeux. Elle se tenait à quelques mètres en avant.

— Vous ralentissez, le taquina-t-elle, à bout de souffle. Vous ne pouvez pas suivre ?

Il franchit l'espace qui les séparait en cinq grandes enjambées ; elle glapit en feignant la peur et se hâta vers le sommet.

Son bonnet se balançait dans son dos, et plusieurs mèches de cheveux châtains s'échappaient de son chignon. Ces boucles séduisantes attirèrent le regard de James sur sa nuque et la ligne élégante de son cou.

Bon sang. Il ne pouvait plus nier qu'il la désirait ; en vérité, « désirer » semblait un mot bien trop faible – comme si l'on disait qu'un homme en train de se noyer « désirait » de l'air. Mais l'on pouvait avoir un désir sans le faire suivre d'actes, et James était très discipliné. Il s'agissait simplement là d'une affaire dans laquelle son esprit devait contrôler son corps. Il avait toujours éprouvé du dédain pour les hommes qui ne pouvaient pas réprimer leurs instincts les plus élémentaires – c'était leur faiblesse qui les faisait boire à l'excès, s'adonner à l'opium ou gaspiller leur fortune en maîtresses.

James ne tomberait pas dans le piège des charmes féminins d'Olivia.

Même s'il les appréciait.

Ils atteignirent la crête de la colline, et il savoura la vue d'Olivia qui quittait le sentier pour marcher dans un champ vert parsemé de fleurs sauvages aux tons vifs. Elle s'affala en plein milieu avec bonheur, ses jupes se gonflant autour d'elle.

James suivit, jetant son sac par terre avant de se laisser choir dans l'herbe douce à côté d'elle. Il soupira d'aise à la vue splendide – la pente verdoyante de la colline devant eux, les prairies vallonnées dans le lointain et les murets de pierre qui zigzaguaient à travers.

— C'est ce que je voulais que vous voyiez, dit-il simplement. C'est mon endroit préféré au monde.

Elle se tourna vers lui, les joues plus roses que d'habitude – il ne pouvait dire si leur couleur avivée était due à la chaleur ou à une forte émotion. Mais l'effet lui plaisait.

Ses lèvres s'entrouvrirent comme si elle allait parler, et ses yeux brillèrent comme si elle allait pleurer. Elle ne fit ni l'un ni l'autre. À la place, elle le dévisagea, lui donnant l'impression étrange qu'elle pouvait déchiffrer chacune de ses pensées. Et, si elle le pouvait, Dieu lui vienne en aide !

— Qu'en, pensez-vous ? demanda-t-il.

Elle s'allongea sur le dos et cligna des paupières en regardant le ciel éclatant.

— Superbe.

James déglutit avec peine. Les cheveux d'Olivia étaient presque complètement défaits, étalés autour de sa tête comme ceux d'une femme qui venait d'être profondément satisfaite. Ses seins pâles tendaient l'étoffe de sa robe, sortant presque du décolleté. D'un coup sec, il pouvait abaisser son corselet, exposer ses tétons, courber la tête et passer la langue sur l'un d'eux jusqu'à ce qu'il se crispe en un petit bouton dur. D'un geste preste, il pouvait remonter ses jupes, et presser une main contre sa féminité jusqu'à ce qu'elle se tortille et gémisse de plaisir.

Olivia soupira, apparemment inconsciente du caractère lascif des rêvasseries de James. Elle tapota le sol à côté d'elle en l'invitant à l'imiter.

— Faites donc comme moi.

Oui, totalement inconsciente.

Néanmoins, il s'allongea sur la terre molle à côté d'elle. Leurs corps ne se touchaient pas, mais les quelques centimètres qui séparaient son bras du sien crépitaient de chaleur.

— J'imagine que c'était ce que les dieux et les déesses ressentaient au sommet du mont Olympe, dit-elle. Cela vous étourdit un peu, non ?

Si James se sentait étourdi, cela n'avait rien à voir avec Zeus et tout à voir avec le doux parfum citronné d'Olivia qui lui emplissait la tête. Mais il se contenta de dire :

— Mmm.

Pendant quelques minutes, aucun d'eux ne parla. James tourna la tête pour jeter un coup d'œil au profil d'Olivia. Elle avait les yeux fermés, comme si elle savourait la chaleur du soleil sur son visage. Il saisit l'occasion pour admirer le léger semis de taches de rousseur à la racine de son nez et l'épaisse frange de ses cils qui frôlait sa joue. Sa lèvre inférieure le tentait de sa courbe pleine ; il avait envie de la prendre entre ses dents et de la sucer doucement – pour la goûter comme il l'avait fait ce soir-là au bal des Easton. Son sexe se raidit contre le devant de ses culottes, et il se mit sur le côté, espérant que l'herbe haute cacherait son désir.

Olivia ouvrit les yeux et roula elle aussi sur le côté, s'appuyant sur un coude.

— Comment avez-vous trouvé cet endroit ?

Il haussa les épaules et s'efforça de ne pas fixer la rondeur de ses seins, pressés l'un contre l'autre de façon séduisante.

— Je l'ai découvert par hasard.

— Merci de le partager avec moi.

Il aurait aimé partager beaucoup plus avec elle. Allongé parmi les fleurs avec Olivia, il lui semblait qu'ils étaient à des miles de toute autre personne. Comme il serait facile d'oublier qu'elle était la jeune sœur de Huntford... Et qu'il partait pour l'Égypte dans deux mois.

Et qu'elle méritait mieux que lui.

— Je suis content qu'il vous plaise, dit-il sincèrement. Notre petit déjeuner m'était presque sorti de la tête. Je vous ai promis les meilleurs petits pains chauds d'Angleterre, et je n'oublie jamais une promesse. Venez, je vais vous escorter jusqu'à la table.

— La table ?

Elle s'assit, les yeux pétillants.

James se leva, lui prit la main et l'aida à se mettre debout. Ramassant son sac, il dit :

— Par ici.

Il la conduisit jusqu'au grand rocher plat qui surplombait le versant. Elle grimpa aisément dessus et s'assit, les pieds pendant par-dessus le rebord.

— La vue que l'on a de votre salle à manger est à couper le souffle.

Elle appuya ses paumes sur la pierre rugueuse.

— Mmm, elle est délicieusement chaude. Cela me donne presque envie de faire une sieste.

— Pas encore, dit James.

Il tira un mouchoir propre de sa poche et disposa dessus les petits pains et les pêches, qu'il coupa avec un couteau. Il avait pensé à apporter une théière – mais pas de tasses – et le thé était tiède.

— Un pique-nique ! s'exclama Olivia.

— Primitif, dit-il, mais je suppose que c'en est un. Vous devez tout goûter.

Olivia ôta ses gants avant d'entamer la première bouchée. Elle ferma les yeux en savourant les pains au lait, comme si elle était en extase. Lorsqu'elle mordit dans la pêche mûre, une goutte de jus roula sur son menton, et James réprima l'envie de se pencher pour la lécher. Elle rit et l'essuya d'un revers de main, rougissant joliment.

Quand ils eurent mangé tout ce qu'ils pouvaient, ils restèrent assis dans un silence paisible, laissant la brise chaude agiter leurs cheveux et leurs habits.

Finalement, Olivia se tourna vers lui. Les petits plis malicieux au coin de ses yeux avaient disparu.

— À propos de ce que vous avez dit hier soir…, commença-t-elle. Vous aviez raison à mon sujet.

Diable.

— Je n'aurais pas dû parler d'une manière aussi catégorique ni aussi dure, Olivia. J'étais bouleversé que vous vous soyez mise en danger.

Elle secoua la tête, et quelques boucles brunes voletèrent dans la brise.

— L'une des choses que j'ai toujours admirées chez vous, c'est que vous dites la vérité, et que vous ne gardez rien pour vous. Je pense que vous êtes incapable de duperie.

James songea à la lettre du père d'Olivia, qu'il avait laissée dans sa chambre à l'auberge, et il déglutit avec peine.

— Je n'avais pas le droit de dire…

— Cela n'a pas d'importance. Vous m'avez fait me rendre compte que j'ai réalisé très peu de choses de valeur dans ma vie. Il est temps que je change ma façon d'être.

Bonté divine ! Et si elle songeait *vraiment* à entrer au couvent ?

— Comment pouvez-vous dire cela ? Vous avez été une sœur dévouée pour Rose. Après le drame, vous étiez la seule personne à qui elle se fiait, la seule qui était capable de l'atteindre. Et dois-je vous rappeler que, sans votre assistance, votre frère et Anabelle auraient pu ne jamais régler leurs différends ?

— Ils étaient destinés à être ensemble – que j'intervienne ou pas.

— Ce qui est sûr, c'est que votre famille et vos amis ont souvent bénéficié de vos gestes généreux.

— Ils m'en demandent de moins en moins, toutefois. Je me disais que je devrais peut-être étendre mes bonnes actions au-delà du cercle de ma famille et de mes amis – à ceux qui sont moins favorisés.

— Que comptez-vous faire ?

James fronça les sourcils. Olivia avait eu une bonne éducation ; il n'aimait pas l'idée qu'elle visite des prisonniers à Newgate ou assiste des malades dans des hôpitaux crasseux.

— Je ne sais pas encore, mais j'ai quelques idées. Il est temps que je fasse davantage l'expérience du monde et partage ma chance avec d'autres.

Il se sentit le pire des hypocrites.

— J'espère que vous ne faites pas ceci à cause des stupidités que j'ai proférées hier soir, dit-il. Le coup que j'ai reçu à la tête m'a probablement privé de mon bon sens.

Les lèvres d'Olivia s'incurvèrent en un léger sourire.

— Non, vous aviez raison. Et, même si je ne peux nier que je souhaitais voir mon aventure se terminer autrement, peut-être que ce résultat est pour le mieux.

— Ne faites rien de manière impulsive. Quels que soient vos plans, discutez-en avec votre frère. Je détesterais qu'il vous arrive quoi que ce soit de déplaisant.

— Merci.

Des larmes montèrent aux yeux d'Olivia, mais elle les chassa d'un battement de cils.

— Quant à la situation critique dans laquelle je me trouve maintenant, j'ai décidé de ce que je dois faire.

James haussa un sourcil, il avait supposé que le sort d'Olivia reposait entre ses mains. Il aurait dû savoir qu'elle aurait d'autres idées.

— Et qu'est-ce que c'est ?

— Je partirai chez tante Eustace cet après-midi. Plus tôt je me mettrai en route, mieux ce sera.

— Mais elle ne vous attend pas !

— Je lui ai écrit une lettre ce matin et j'ai demandé à Hildy de la poster.

— Et votre frère ? demanda James. Allez-vous lui dire où vous avez été ?

Olivia regarda fixement la vallée.

— Je n'aimerais mieux pas. C'est lâche de ma part, je sais, mais Owen a tendance à réagir d'une manière exagérée dans des affaires comme celle-ci. Bien sûr, je ne peux pas vous empêcher de le lui dire, et je comprendrai si vous estimez que vous le devez.

James scruta son visage pour voir si elle jouait à la jeune fille docile et résignée ; il n'y vit que de la sincérité. Il n'avait jamais été particulièrement bon pour interpréter les explications tacites, et il savait sans le moindre doute qu'il préférait déchiffrer un texte ancien plutôt que les émotions d'une femme. Toutefois, il ne pensait pas qu'Olivia essayait de le manipuler. Elle paraissait trop abattue.

— J'aimerais bien vous épargner le courroux de votre frère, mais je ne peux pas lui cacher la vérité. Si nos positions étaient inversées, je compterais qu'il me mette au courant.

Elle hocha la tête.

— Vous êtes ami avec Owen depuis longtemps. Votre loyauté va d'abord à lui – pas à moi.

— Oui, confirma James, avec plus de conviction qu'il n'en éprouvait.

Il pensa de nouveau à la lettre de son père que Huntford lui avait confiée. Il n'aimait pas avoir des secrets pour elle, pas plus qu'il n'aimait en avoir pour son ami. Et il semblait planté au beau milieu de leur relation frère-sœur.

— Merci pour ce charmant petit déjeuner, dit Olivia.

Elle se leva et se brossa les mains.

— Même si je pourrais facilement passer la journée ici, je dois rentrer à l'auberge et me préparer pour le voyage chez ma tante. Ce n'est pas la peine que vous m'escortiez jusqu'en bas ; je suis capable de suivre le chemin.

— Non, dit-il vivement.

Pas parce qu'il doutait de sa capacité à rentrer seule. Surtout parce qu'il n'était pas prêt à lui dire au revoir tout de suite.

— Je vais vous raccompagner.

Elle haussa les épaules comme si cela lui était égal. Tandis qu'elle arrangeait ses cheveux et remettait son bonnet, James pensa qu'il était bien dommage qu'elle ne puisse rester telle qu'elle avait été un moment – rieuse, magnifique et ne se souciant pas de sa tenue. Mais peut-être cela valait-il mieux.

Alors qu'ils descendaient le sentier, des nuages passèrent devant le soleil. La brise se renforça et quelques grosses gouttes de pluie s'écrasèrent sur leurs habits et leur peau. Quand Olivia s'arrêta pour se couvrir de son châle, James s'efforça de cacher sa déception.

Comme la pluie se faisait plus forte, le chemin devint glissant. James aperçut ses pantoufles délicates et fronça les sourcils.

— Tenez-vous à mon bras.

— Cela ira.

Il sembla un moment que tout irait bien pour elle, en effet, mais alors qu'ils n'étaient qu'à quelques mètres du bas de la colline ses pieds glissèrent sur les cailloux, et elle partit à la renverse. James bondit derrière elle et jeta les bras autour de sa taille, mais il ne put, hélas, assurer sa propre stabilité ni la retenir.

Elle atterrit sur lui, son tendre postérieur pressé sur son sexe qui réagit de manière prévisible – maudit soit-il ! Elle s'assit, ne se rendant apparemment pas compte de l'effet qu'elle produisait sur lui. Sa fierté masculine lui aurait fait penser que c'était difficile à ignorer, mais peut-être était-elle trop embarrassée par sa chute pour remarquer la bosse dure comme de la pierre sous son délectable derrière.

Il s'assit aussi, tout en gardant les bras autour d'elle. Il était réticent à la lâcher – et pas seulement pour des raisons de sécurité.

— Allez-vous bien ? demanda-t-il.

— Oui. Enfin, non – je suis assez mortifiée. J'espère que je ne vous ai pas écrasé.

— Pas vraiment.

Elle roula loin de lui avec une agilité remarquable, mais lorsqu'elle essaya de se mettre debout sa jambe fléchit sous elle. Elle se redressa presque aussitôt, cependant, et afficha un grand sourire.

— Vous vous êtes fait mal, conclut James.

Il se leva et la prit délicatement par les épaules.

— Hmm ? fit-elle d'un air candide.

— Votre jambe a fléchi comme si vous vous étiez blessée.

— Non, rien de dramatique. Je crains d'être seulement maladroite, ce qui ne doit pas vous surprendre, n'est-ce pas ? Je crois que la pluie augmente. Dieu merci, nous sommes presque à l'auberge.

— Voudriez-vous vous appuyer sur mon bras ? Ou bien je pourrais vous porter.

Elle se figea et lui lança un regard un peu curieux, comme si elle avait sous les yeux une étrange créature, assez déconcertante.

— Je ne pense pas que ce sera nécessaire.

James réprima la déception qui montait dans sa poitrine, et ils continuèrent le long de la rue principale, passant devant la boulangerie, avec Olivia qui évitait de s'appuyer sur sa jambe droite et refusait obstinément de le laisser l'aider.

La pluie dégoulinait de l'enseigne accrochée à l'extérieur de l'auberge, et des flaques de boue s'étaient formées par terre. Ils se trouvaient à l'endroit où James s'était battu avec Crutcher la veille. Cela lui semblait remonter à quinze jours…

— Nous y sommes, dit Olivia avec plus d'enthousiasme que cela semblait nécessaire. Si je ne vous revois pas avant votre départ pour l'Égypte, je vous souhaite un bon voyage. J'espère que lorsque vous creuserez et explorerez, vous trouverez tout ce que vous cherchez.

Sa voix se fêla sur le dernier mot.

Ainsi, elle tenait toujours à lui.

Mais il n'osa pas s'appesantir là-dessus.

— Je vais parler à votre cocher et m'assurer qu'il est bien préparé à votre voyage dans l'Oxfordshire.

— C'est très aimable à vous.

— Au revoir, Olivia.

D'une manière ou d'une autre, il avait forcé sa bouche à prononcer ces mots.

— Au revoir.

Elle se tourna et entra en boitant dans l'auberge, le laissant debout sous la pluie comme le sot qu'il était.

7

Préserver : *1) Momifier, empêcher un objet de se détériorer ou le protéger de la destruction. 2) Garder intact, comme dans : « Elle comptait bien préserver la parcelle de respect pour elle-même qui lui restait encore. »*

— Terrence s'inquiète que les routes ne soient pas praticables ce soir, dit Hildy.

Elle délaça prestement la robe mouillée d'Olivia.

— Je lui fais confiance pour nous conduire en toute sécurité jusqu'à une auberge. En outre, je ne veux pas rester ici une autre nuit.

Ou plutôt : elle ne le pouvait pas. Pas après la conversation qu'elle venait d'avoir avec James. Il fallait qu'elle s'en aille avant que sa résolution ne flanche.

— Très bien, je vais lui dire de préparer la voiture.

Hildy soupira.

— Il est habitué à recevoir de mauvaises nouvelles de ma part, de toute façon.

Olivia tiqua un peu à cette petite pique – surtout parce qu'elle savait qu'elle la méritait.

— Merci, Hildy. Je vous promets que je ne vous décevrai plus.

Elle jeta de côté sa toilette humide et se pencha tandis que sa soubrette lui enfilait par-dessus la tête une élégante robe de voyage à rayures.

Hildy fit claquer sa langue.

— Je prendrai toujours votre parti, quoi qu'il arrive. Mais Terrence, c'est une autre histoire – il a beau vous adorer, il obéit d'abord au duc.

— Je sais.

— Je vais commander quelques sandwichs à emporter avec nous et informer Terrence que nous serons prêtes à partir dans une demi-heure.

Après un petit coup final, elle noua les lacets sur le côté de la robe d'Olivia puis disparut en hâte dans le couloir, refermant la porte derrière elle.

Olivia ôta les épingles de ses cheveux et les brossa avant de les tordre en un chignon convenable sur sa nuque. Ensuite, elle contempla avec un peu de dédain les bottines pratiques pour marcher qu'Hildy avait laissées près du fauteuil. C'était un choix raisonnable, mais elle ne pouvait concevoir comment elle ferait entrer son pied droit – qui avait à peu près doublé de volume – dans une bottine fermée. Elle releva son ourlet pour jeter un coup d'œil au pied en question : il débordait de façon grotesque de sa pantoufle bleue autrefois jolie, mais à présent déformée et toute sale. Elle n'osa pas ôter la chaussure, car elle ne parviendrait jamais à en mettre une autre. À la place, elle rabattit sa jupe, glissa les bottines dans sa valise et fit en boitant le tour de la chambre pour vérifier qu'elles n'avaient pas oublié un ruban ou un peigne.

Le temps qu'Hildy revienne, Olivia était prête et impatiente de partir. Elle fit signe à sa soubrette de passer devant elle afin qu'elle ne remarque pas sa cheville blessée – elle ferait des histoires et retarderait inutilement leur départ.

Tandis que Terrence chargeait leurs bagages, Olivia parvint non sans mal à grimper dans la berline. Un instant plus tard, Hildy passa la tête par la portière et parla d'une voix forte pour être entendue par-dessus le bruit de la pluie sur le toit.

— je vais juste prendre la nourriture que la femme de l'aubergiste a préparée, dit-elle. Puis nous serons prêts à partir.

Elle claqua la portière et fonça vers l'auberge en une tentative vaillante mais vaine de passer entre les gouttes.

Olivia fixa la rue étroite et boueuse où James et elle avaient marché ensemble. Elle aurait préféré être engourdie – pour ne pas sentir son pied qui la lançait, bien sûr. Mais aussi pour échapper à la torture de savoir que l'avenir qu'elle s'était laissé aller à imaginer n'existerait jamais. Elle avait fait plus qu'imaginer sa vie avec James – elle y avait cru de tout son cœur. La certitude qu'elle l'épouserait un jour avait été la boussole qui la guidait dans ses décisions, grandes et petites. Quelle robe mettre ? Qu'est-ce qui plairait à James ? À quelle soirée assister ? Où serait le plus probablement James ? Quel livre lire ? Quel sujet intéresserait le plus James ?

Comme c'était pathétique.

Avec du recul, son avidité à lui plaire semblait pire que désespérée. C'était comme si elle avait oublié qui elle était, elle, Olivia Sherbourne. Oublié qu'elle existait séparément et indépendamment de James Averill.

De la colère – contre elle-même, contre James et contre toute maudite antiquité jamais découverte – la parcourut. Les poings serrés, elle frappa les coussins en velours de la voiture. Mais ils étaient trop mous pour procurer beaucoup de satisfaction. Alors, en un geste brillant, elle frappa le siège opposé de son pied droit.

Juste ciel. Sa cheville s'enflamma d'une douleur féroce, aveuglante, qui remonta dans sa jambe et jusque dans sa hanche. Les bords de sa vision devinrent noirs, et elle s'agrippa à la paroi de l'habitacle pour ne pas s'évanouir par terre.

Des larmes lui piquèrent les yeux. Stupide, stupide, stu…

Bang, bang. Les vitres de la voiture tremblèrent sous la force des coups, et la portière de la berline s'ouvrit brusquement.

Olivia s'essuya les yeux – ce ne serait pas bien qu'Hildy la trouve dans tous ses états –, mais ce n'était pas sa soubrette.

Là, dans l'ouverture, se tenait James, paraissant insensible à la pluie qui mouillait ses épaules et sa tête.

— Je craignais que vous ne soyez partie, dit-il, à bout de souffle.

— Je pensais que nous nous étions déjà dit au revoir, répondit-elle, d'un ton un peu plus acerbe qu'elle n'en avait l'intention.

— Je sais. Mais je ne peux simplement pas vous laisser partir ainsi pour l'Oxfordshire.

Elle souffla un peu, surprise par son toupet.

— Vous ne me « laissez pas » partir ? J'ai pris ma décision et j'ai bien l'intention de la suivre.

Des gouttes fonçaient les boucles qui pendaient sur le front de James et coulaient le long de son nez.

— Je n'ai pas encore décidé si j'informerai ou non votre frère de vos faits et gestes.

— Est-ce une menace ? Parce que je vous ai déjà dit que, si vous jugez nécessaire de tout révéler à mon frère, vous pouvez le faire sans que je vous en empêche.

— Je ne comprends pas. Pourquoi agissez-vous ainsi ?

Elle ne pouvait guère lui dire que sa maudite cheville la lançait ou que son stupide cœur se brisait.

— Où que j'aille et quoi que je fasse ne vous concerne pas. Toute influence que vous aviez sur moi auparavant a disparu. Dès qu'Hildy reviendra, nous partirons. Avec ou sans votre bénédiction.

— Très bien.

Là-dessus, il monta dans la voiture, referma la portière derrière lui et prit place sur le siège en face d'elle.

— Bon sang de bois, que faites-vous ?

James ne haussa même pas un sourcil à son langage vulgaire. Qu'il soit damné.

Comme un chien voulant se sécher, il secoua vivement la tête, faisant voler des gouttelettes autour de lui. Olivia se rétracta pour éviter l'eau glacée.

Autrefois, elle aurait trouvé sa désinvolture rafraîchissante, et même charmante. Mais là, elle lui donnait envie de le frapper de son pied valide.

— Quelles belles manières, dit-elle d'un ton sec.

Il haussa les épaules.

— C'est vous qui avez commencé en jurant.

Elle souffla, mais fut secrètement contente qu'il ait remarqué sa saillie.

— Mon Dieu, comme les choses se sont rapidement détériorées, dit-elle.

James croisa les bras sur sa poitrine et la gratifia d'un large sourire, ce qui fit battre plus vite son traître cœur.

— C'est confortable, ici, dit-il. Chaud et sec, aussi.

— *C'était sec*, rectifia Olivia. Quoi qu'il en soit, maintenant que vous avez fait valoir vos arguments – *elle aurait été bien en peine de dire ce qu'ils étaient* – vous devriez descendre avant que quelqu'un ne s'aperçoive que nous sommes seuls dans ma voiture.

Les yeux de James se plissèrent au coin, et il gloussa comme s'il était sincèrement amusé.

— Je suis ravie que ma détresse vous réjouisse à ce point, observa-t-elle, acide.

— Olivia.

La façon dont il prononça son nom – si honnête, si intime – abattit toutes les défenses qu'elle avait érigées autour d'elle.

— Je ne suis pas ici pour vous tourmenter, dit-il d'une voix douce.

— Ah non ?

Il sourit et, d'un mouvement fluide, se leva de son siège pour s'asseoir à côté d'elle. En un instant, la température dans l'habitacle grimpa de dix degrés. Quelques centimètres à peine séparaient leurs épaules ; sa jupe était coincée en partie sous sa cuisse. Il prit sa main sur le siège entre eux et la pressa.

Olivia pouvait à peine respirer.

— Bien sûr, que je ne veux pas vous affliger, disait-il – comme si Olivia pouvait comprendre ses paroles alors que sa paume était pressée contre la sienne ! Mais j'essaie encore de voir comment gérer cette situation au mieux. Je sais que je devrais prévenir votre frère. De fait, si j'avais une once de bon sens, je l'aurais fait dès que vous êtes arrivée ici hier soir.

— Mais vous ne l'avez pas fait.

— Non, et franchement je n'en ai pas envie. Le problème, c'est que votre frère ne sait pas où vous êtes.

— Euh, pas précisément, certes. Mais il sait que je me suis rendue dans le nord-ouest.

— Pour le moment, vous n'êtes même pas dans le comté où il vous croit.

— C'est vrai.

Elle soupira, ennuyée que James se sente obligé de faire ressortir ce qui était évident.

— Toutefois, j'essaie de rectifier cet état de choses, se justifia-t-elle. Je devrais arriver chez ma tante d'ici demain soir. En supposant que l'on me laisse partir, ajouta-t-elle d'un ton entendu.

— Je n'ai pas l'intention de vous en empêcher, dit James.

— Je vois.

Olivia considéra un instant cette affirmation.

— Alors cela vous ennuierait-il de me dire pourquoi vous êtes ici ?

— Je viens avec vous.

Il lui lâcha la main, mit les siennes derrière sa tête et étira ses longues jambes gainées de daim.

Bonté divine.

— Chez tante Eustace ?

— Oui. Je compte vous déposer saine et sauve à sa porte.

Olivia se hérissa.

— Je ne pense pas avoir besoin que vous me « déposiez ».

— Eh bien, le problème est là…, lâcha-t-il d'un ton traînant. Vous ne pensez pas.

Vraiment, c'était…

La portière s'ouvrit de nouveau. Hildy tenait un grand panier devant elle et monta à moitié dans l'habitacle avant de se rendre compte qu'il avait été envahi par une masse de muscles et de virilité. Elle recula, ouvrant de grands yeux.

— Permettez-moi, offrit James en tendant le bras.

Il l'aida à embarquer d'une main et prit le panier de l'autre.

Hildy s'assit sur la banquette opposée et se tordit les mains.

— Je suis désolée, je ne savais pas…

Son regard alla d'Olivia et James à la portière, comme si elle projetait de se ruer dessus.

— Tout va bien, Hildy. M. Averill était sur le point de s'en aller, dit Olivia.

James lui lança un sourire satisfait.

— Je crois que vous avez mal compris, lady Olivia. J'ai l'intention de vous escorter jusque dans l'Oxfordshire, dit-il à la soubrette.

— Ne soyez pas ridicule, rétorqua Olivia, furieuse. Le voyage va nous prendre quasiment deux jours. Je suis sûre que vous préféreriez consacrer ce temps à creuser autour de quelque tas de pierres datant des druides.

Il s'adossa aux coussins.

— Pas vraiment.

Olivia débattit de ce qu'elle devait faire, mais il était difficile de réfléchir quand elle pouvait sentir la chaleur qui émanait du corps de James. Les angles presque durs de son visage étaient compensés par ses lèvres pleines et ses yeux couleur de mousse. Non. Elle ne laisserait pas sa beauté physique la distraire.

— Si vous insistez pour nous accompagner, alors je suppose que vous devez le faire.

— Je le dois, en effet.

Olivia lui décocha un sourire et battit des cils en imitant de son mieux une débutante bien élevée.

— Mais je vois que vous n'avez pas de sac. Je suis sûre que vous voudrez emporter quelques affaires pour le voyage – un livre ou un journal pour passer les longues heures à l'étroit, quelques vêtements secs, d'autres articles indispensables…

James pencha la tête de côté.

— Et vous attendrez ici que je revienne ?

— Mais oui, voyons, mentit-elle.

— Je ne crois pas.

Flûte.

— Très bien, alors.

Elle tapa au plafond ; la voiture s'ébranla. James allait sûrement se ressaisir, arrêter la berline et mettre fin à cette farce.

Mais une demi-heure plus tard, alors que cinq miles de route boueuse et défoncée les séparaient d'Haven Bridge, la réalité de la situation s'imposa à elle.

James et elle allaient passer les deux prochains jours épaule contre épaule dans les confins intimes de sa voiture. Le seul aspect positif qu'elle réussit à trouver à la chose, c'était le fait que sa présence – aussi exaspérante soit-elle – la distrayait de la douleur qui irradiait de sa cheville.

C'était une mauvaise idée.

Des décisions aussi spontanées que celle-ci n'étaient pas dans la nature de James. Il croyait à la préparation, à l'organisation, à la logique – et ce voyage impromptu dans l'Oxfordshire défiait les trois.

Il n'avait sur lui que les habits qu'il portait et ce qu'il avait dans sa poche – quelques billets de vingt livres et la lettre destinée à Olivia. Il passa la main sur le devant de sa redingote, vérifiant que le papier était bien là.

Il avait décidé qu'il devait le garder sur lui. Le laisser dans sa chambre à l'auberge, même pour peu de temps, était trop risqué. N'importe qui pouvait entrer dans la pièce et le faire disparaître – et Olivia pourrait ne jamais lire le dernier message que lui avait laissé son père.

Savoir que la lettre était en sécurité dans sa poche le rassurait – mais pas complètement.

Il n'avait pas eu l'occasion de dire à son propre cocher où il allait, ni de lui donner des instructions pour venir le chercher.

Il n'avait pas pu non plus informer son oncle de ses plans, et le vieil homme allait s'inquiéter quand il ne viendrait pas lui faire sa visite quotidienne.

Mais s'il avait osé mettre un pied hors de la voiture d'Olivia pour prendre quelques affaires ou parler à Ian, il n'aurait rien trouvé d'autre à son retour que les ornières des roues s'emplissant de pluie.

Et il ne pouvait pas la laisser partir comme cela.

Elle était assise avec raideur à côté de lui, reniflant de temps en temps comme si elle pouvait à peine réprimer son aversion pour sa compagnie.

Même s'il n'était pas non plus emballé par les circonstances, il devait s'assurer qu'elle arrive saine et sauve chez sa tante. Il aurait pu s'abstenir de cette tâche s'il avait eu la jugeote d'écrire à Huntford une lettre l'informant des voyages non autorisés de sa sœur… mais il ne l'avait pas fait.

Un tel geste serait revenu à trahir Olivia.

À un moment de la matinée, il s'était avisé qu'il accordait au moins autant de prix à sa relation avec elle qu'à celle avec son frère.

Elle était devenue importante pour lui. De certaines façons qu'il aimait mieux ne pas examiner de trop près.

Elle était irritée contre lui, cela sautait aux yeux – un état de choses qu'il trouvait perturbant. Il s'était confortablement habitué, supposait-il, à être l'objet de son adoration. Comment avait-il pu la prendre pour acquise toutes ces années ?

La soubrette d'Olivia, sur la banquette d'en face, s'occupait à du raccommodage. Mais toutes les quelques minutes, elle levait vers lui des yeux méfiants, comme si elle s'attendait à ce qu'il ait sauté sur sa maîtresse pendant qu'elle baissait la tête pour nouer son fil.

Il souriait poliment chaque fois qu'elle regardait dans sa direction, déterminé à la gagner à sa cause, même s'il ne pouvait pas revenir dans les bonnes grâces d'Olivia en usant de son charme.

Ils avaient roulé dans un silence lourd et tendu pendant près de deux heures. James ne put le supporter plus longtemps.

— Est-ce que quelqu'un près de moi se sentirait une petite faim ? demanda-t-il.

Hildy posa sa couture et regarda Olivia.

— Vous n'avez pas mangé depuis ce matin.

Olivia jeta un coup d'œil à James, et il sut qu'elle pensait au festin qu'ils avaient partagé sur la colline.

— Je n'ai pas faim, dit-elle.

La soubrette sortit quand même le panier de sous la banquette.

— La femme de l'aubergiste nous a préparé quelques succulents sandwichs au poulet, des pommes et de la bière. Voulez-vous essayer de manger quelque chose ?

— Non, merci.

Déterminée à trouver de quoi tenter Olivia, Hildy chercha au fond du panier.

— Oh ! il y a des pâtisseries, aussi. Vous devez garder vos forces, vous savez.

— Pour quoi faire ? Ce n'est pas comme si j'allais chez tante Eustace à pied.

La domestique, froissée, baissa les yeux et remit le torchon sur le panier.

— Oh ! Hildy, implora Olivia. Pardonnez-moi d'être si brusque. Certaines personnes ont le don de faire ressortir mon pire côté.

Elle jeta un regard noir à James.

— Alors vous allez manger quelque chose ? demanda la soubrette avec espoir.

— Bien sûr.

Une bonne odeur de pain frais et de poulet emplit l'habitacle, et James en eut l'eau à la bouche. Hildy lui tendit un sandwich.

— Tenez, monsieur Averill.

— Êtes-vous sûre qu'il y a assez ? Pour le cocher et pour vous, aussi ?

— Oh ! oui, répondit-elle avec chaleur. C'est très aimable à vous de demander.

Hildy et James discutèrent de choses et d'autres pendant qu'ils mangeaient, et au bout d'une demi-heure les paupières d'Hildy tombèrent. Elle rangea le reste des provisions pour le cocher, s'appuya au côté de la voiture et s'endormit peu après.

Olivia regardait fixement par la fenêtre le ciel gris et la pluie qui continuait à tomber à verse.

— Je sais que vous ne voulez pas de moi ici.

James se pencha vers elle et parla tout bas pour ne pas réveiller la soubrette.

— Mais je n'avais pas l'intention de vous importuner – seulement d'assurer votre sécurité.

Elle haussa un sourcil.

— Vraiment, monsieur Averill ? Vous n'avez pas d'autre motivation ?

James battit des paupières, déconcerté qu'elle l'appelle ainsi. Quelle autre motivation suspectait-elle ? Peut-être devinait-elle combien il était attiré par elle et comment, même alors qu'ils étaient assis là, chaperonnés par sa soubrette, il imaginait à quel point il aimerait embrasser la peau douce de son cou, juste derrière son oreille.

— Quelle autre raison aurais-je ?

— Hmm, voyons voir, dit-elle d'un ton sec. Peut-être ne croyez-vous pas que je me rende dans l'Oxfordshire, finalement.

En vérité, la pensée qu'elle n'allait pas chez sa tante Eustace n'était pas venue à l'esprit de James – ce qui aurait peut-être dû être le cas, pourtant.

— Où iriez-vous, sinon ?

— Je ne sais pas, répondit-elle, exaspérée par sa question. Le fait est que vous ne me faites pas confiance.

— Ce n'est pas vrai. Je vous fais confiance pour les choses qui comptent.

— Par exemple ?

— Eh bien, je sais que vous feriez n'importe quoi pour protéger votre sœur et votre frère. Et vous vous élevez toujours pour défendre ce que vous jugez juste.

Elle le dévisagea comme si elle pensait qu'il pouvait se moquer d'elle.

— Qui ne défendrait pas sa famille ?

Qui, en effet ? Il n'avait pas la moitié du courage d'Olivia. Même ses plus proches amis ignoraient l'existence de Ralph, son frère.

— Vous pourriez être surprise, dit-il. Ce que j'essaie de dire, c'est que je ne doute pas de votre parole. Je savais seulement que, si quelque chose de désagréable vous était arrivé en allant chez votre tante, je ne me le serais jamais pardonné.

Un peu de la dureté d'Olivia sembla commencer à fondre, ne fût-ce que légèrement.

— C'est très galant de votre part. Mais que pourrait-il bien arriver entre ici et…

Boum.

8

La voiture fit une violente embardée, expédiant Olivia dans les airs, puis par terre. Elle atterrit sur son postérieur – assez fort pour lui faire vibrer les dents –, mais c'était mieux que d'atterrir sur son pied foulé. James gisait à côté d'elle, bras et jambes étalés à travers le petit espace.

Hildy, qui avait heurté la cloison derrière elle, se réveilla en poussant un cri.

— Que s'est-il passé ?

— Tenez-vous bien, avertit James, alors que la berline semblait déjà ralentir. Nous avons dû heurter une ornière. Est-ce que l'une de vous est blessée ?

Il prit les joues d'Olivia dans ses mains chaudes, comme pour se rassurer qu'elle allait bien. Son cœur, qui tambourinait déjà dans sa poitrine, accéléra encore en réaction à son contact.

Elle secoua la tête.

— Je vais bien.

Elle se tourna vers Hildy.

— Vous êtes-vous cogné la tête ?

— Pas très durement, milady.

Mais la soubrette paraissait trop pâle au gré d'Olivia.

James se rassit sur la banquette et tira sans peine cette dernière à côté de lui.

— Restez ici. Je vais voir le cocher.

— Merci, répondit-elle, soudain très, très contente qu'il soit là.

Avant même que la voiture ne se soit complètement arrêtée, James souleva le loquet et sauta avec légèreté sur le sol détrempé. Il décocha un clin d'œil rassurant à Olivia et referma bien la portière derrière lui.

Olivia rejoignit Hildy sur l'autre banquette et lui pressa la main très fort.

— Je n'avais jamais senti une telle secousse, dit la soubrette, nerveuse. J'espère que Terrence n'a pas été blessé.

— Il a réussi à arrêter les chevaux. C'est bon signe.

Olivia se tut et tendit l'oreille.

— Je les entends parler.

Elle ne put distinguer ce que les hommes disaient par-dessus le bruit de la pluie sur le toit, mais elle entendit Terrence jurer avec une vigueur impressionnante – ce qu'elle trouva rassurant, aussi bizarre que cela puisse paraître.

Quelques minutes plus tard, James ouvrit la portière et passa la tête à l'intérieur.

— Terrence va bien.

Un autre juron retentit derrière lui.

— Mais, comme vous l'avez sans doute deviné, il n'est pas particulièrement content. L'une des roues de la voiture s'est enfoncée dans une ornière. Elle en est ressortie, par bonheur, mais l'essieu arrière est fendu. Si nous continuons à rouler, nous risquons qu'il se casse net. Il va falloir que nous laissions la berline et allions chercher de l'aide.

Le ton qu'il utilisa n'admettait pas de réplique. Olivia l'ignora.

— Nous ne pouvons pas laisser la voiture sur le côté de la route. N'importe qui pourrait passer et partir avec.

— Pas à moins d'avoir des chevaux disponibles.

Un jour plus tôt encore, Olivia se serait pâmée devant le bon sens de James. Maintenant, son attitude supérieure lui portait sur les nerfs.

— Je reconnais que c'est peu probable. Mais la berline est chargée de nos bagages. Un voleur pourrait partir avec toutes nos affaires.

— Pas si nous les emportons, répliqua James.

Mais pourquoi n'avait-elle pas pris des bagages plus légers ?

— À quelle distance est le village le plus proche ?

— Terrence pense que nous sommes seulement à deux ou trois miles de Sutterside. Pas une marche terrible.

Peut-être pas – si l'on avait deux chevilles fonctionnant correctement.

— Pourrions-nous monter sur les chevaux ?

Il secoua la tête à regret.

— Nous n'avons pas de selles.

— Mais nous allons être trempés !

— Au moins, vous avez des vêtements de rechange, vous.

Olivia grogna.

— Je vous ai laissé une chance de préparer un sac, je vous rappelle.

James eut un sourire sardonique.

— Ah, oui. Et, si j'étais allé le chercher, c'est vous qui seriez debout sous la pluie à inspecter l'essieu à ma place.

Elle se pencha en avant et regarda le ciel gris derrière lui.

— Et moi qui vous croyais aventureuse, la taquina-t-il. Avez-vous une cape supplémentaire que vous pourriez enfiler ? Il ne reste plus qu'une heure de jour environ, alors plus vite nous partirons, mieux ce sera.

Hildy était déjà en train de rassembler des affaires et de resserrer les liens de son bonnet sous son menton. Olivia détestait admettre la vérité à propos de sa cheville – surtout parce qu'elle avait menti à ce sujet lorsqu'ils étaient rentrés à l'auberge – mais elle n'avait pas le choix.

— Je ne pense pas pouvoir marcher jusqu'à Sutterside, dit-elle d'un ton détaché. Je me suis tordu la cheville ce matin, en rentrant de notre promenade.

Hildy étouffa une exclamation.

— Milady, vous auriez dû le dire !

— Cela n'a rien de terrible, Hildy, c'est juste un peu douloureux. Néanmoins, je crois qu'il vaut mieux que je reste ici avec la voiture et que je surveille nos bagages.

— Je vois, dit James. Et si un bandit de grand chemin se montre, vous le combattrez pour le faire fuir ?

— S'il le faut.

Mais elle espérait que cela n'arriverait pas…

— Avec quoi ? Une ombrelle ?

— Peut-être que Terrence aurait la bonté de me prêter son pistolet.

James ferma les yeux un instant, comme s'il priait pour rester patient. Puis il entra dans l'habitacle, qui sembla soudain trop petit pour eux deux, et s'assit en face d'elle.

— C'est sérieux à quel point ? demanda-t-il. Soyez franche.

Olivia recula un peu plus son pied droit sous la banquette.

— Cela ira probablement mieux d'ici demain, mais pour le moment c'est… sensible.

— Sensible, répéta-t-il – inutilement, d'après elle.

— Oui.

— Laissez-moi voir.

Fière et vaniteuse comme elle était, elle avait redouté ce moment. Parce que si James devait passer les prochaines années en Égypte, elle préférerait qu'il ne se souvienne pas d'elle comme de la fille au pied d'éléphant.

— Non.

Il se pencha en avant, les coudes appuyés sur les genoux.

— Je veux juste y jeter un coup d'œil. Je ne toucherai pas si c'est douloureux.

Elle secoua la tête avec ardeur et regarda Hildy. Mais aucune aide ne vint de ce côté-là, car la soubrette paraissait presque aussi curieuse que James.

— Pourquoi ne voulez-vous pas me le montrer ? demanda-t-il.

— Par pudeur.

Il éclata de rire. Même Hildy gloussa. Son excuse avait peut-être été un peu exagérée, soit. Mais elle brûlait d'ôter la pantoufle de son pied valide et de la lancer sur James.

— Très bien, dit-elle. Regardez tout votre soûl.

Elle tendit son pied droit et releva son ourlet jusqu'au genou.

James et Hildy en restèrent muets. Un instant, Olivia fut prise d'un sérieux doute : l'état de son pied avait-il encore empiré ? C'était difficile à imaginer, mais peut-être qu'il était devenu noir ou qu'un liquide en sortait. Elle y jeta un coup d'œil et fut soulagée de le trouver inchangé – volumineux à un point que c'en était grotesque, mais pareil.

— Bonté divine.

James prit le mollet d'Olivia dans une main et le pied de celle-ci dans l'autre.

— Je suis tellement désolé, Olivia.

— Je ne suis pas sur mon lit de mort, lança-t-elle, mais en vérité elle aurait bien aimé pleurer un bon coup.

— Cela doit vous faire un mal du diable.

En effet, et en parler n'arrangeait pas les choses.

— Une marche de deux miles paraît hors de question, maugréa-t-elle.

James reposa son pied par terre avec précaution et rabattit sa jupe. Le seul poids de son ourlet sur sa cambrure la faisait presque autant souffrir que la fois où lord Kesley avait marché dessus pendant un quadrille.

— Vous ne pouvez pas marcher, c'est sûr, déclara-t-il d'un ton posé.

Elle réprima l'envie de faire une remarque sarcastique, même si elle en avait dit autant.

— S'il ne pleuvait pas et s'il n'y avait pas toute cette boue, je pourrais peut-être vous porter…

— Non ! se récria Olivia avec ardeur.

Après avoir subi deux rejets de sa part la semaine précédente, sa fierté ne le lui permettrait tout simplement pas.

— Vous avez raison. Le sol est trop traître. Nous allons devoir attendre ici pendant que Terrence va chercher de l'aide.

Olivia inclina la tête de côté, espérant avoir mal entendu.

— *Nous ?*

— Je ne vous laisserai pas seule.

James désigna sa cheville et fit une grimace comme s'il sentait un poisson vieux de trois jours.

— En particulier avec votre pied dans cet état.

— Ce n'est pas comme s'il allait se détacher pendant que vous avez le dos tourné.

Il haussa les épaules avec l'air de dire qu'il ne le parierait pas.

— Sans deux pieds valides, vous serez encore plus sans défense que d'habitude.

— Je ne suis pas aussi impuissante que vous pourriez le penser, observa Olivia.

Une menace à peine voilée transparut dans son sourire entendu.

James la gratifia en retour d'un large sourire.

— Je suis navré, mais vous aurez à supporter ma compagnie un peu plus longtemps.

— Hildy pourrait rester avec moi, dit-elle avec espoir.

— Elle le peut si vous voulez. Mais même vous deux ne pouvez rester seules ici. Il fera nuit le temps que Terrence revienne. Il dételle les chevaux, en ce moment. Je vais l'informer de nos plans afin qu'il puisse partir.

Il fit un mouvement vers la portière, puis s'arrêta, le front soucieux.

— Votre pied irait-il mieux si vous le posiez sur cette banquette ?

Avant qu'elle ne puisse répondre, il ajouta :

— Essayons.

Il s'agenouilla par terre et souleva sa jambe avec le même soin qu'il aurait porté à la jambe momifiée d'une ancienne princesse égyptienne, elle en était certaine – mais il aurait sans doute été plus enchanté par cette dernière. Avec un plaid de voyage qu'il trouva sous son siège, il emmaillota sa cheville et l'appuya sur la banquette. Les lancements diminuèrent un peu.

— Merci, dit-elle. Cela va un peu mieux.

James hocha la tête et sortit parler à Terrence. Dès qu'il fut parti, Hildy se racla la gorge.

— Vous voulez que je reste avec vous, alors ?

Comme si la réponse n'était pas évidente !

— Je pense que ce serait mieux. Avez-vous des objections ?

— Non, bien sûr que non, dit la soubrette.

Mais elle regarda avec nostalgie par la fenêtre.

— Pourtant, vous préféreriez marcher jusqu'à Sutterside sous la pluie plutôt que d'attendre ici avec moi, au sec dans la voiture, je me trompe ?

— Oh ! cela paraît affreux quand vous le dites ainsi, répondit Hildy. Mais vous savez que je n'ai jamais bien supporté les longs voyages.

— Vous ne pouvez pas être malade – nous ne bougeons même pas.

— Je sais, milady.

La soubrette devint écarlate.

— C'est moins le mouvement qui me pose un problème que le manque d'espace. Maintenant que M. Averill voyage avec nous, l'habitacle paraît beaucoup plus petit. Cela me donne mal au cœur.

— Eh bien, nous pouvons ouvrir la portière.

Avec gaucherie, Olivia se pencha par-dessus sa jambe allongée, souleva le loquet et poussa la portière.

Une brise humide pénétra à l'intérieur.

— C'est mieux, non ?

Hildy jeta un regard sceptique à l'ouverture.

— Je suppose.

Mais, juste à ce moment-là, une bourrasque referma la portière dans un claquement.

Sapristi. Il n'y avait aucune raison qu'Hildy souffre à cause d'elle – du moins pas davantage que ce qu'elle avait déjà subi.

— Finalement, je pense que vous devriez accompagner Terrence jusqu'au village. Pendant qu'il s'occupera des chevaux et de la réparation, vous pourriez peut-être réserver des chambres pour nous à l'auberge.

— Je pourrais aussi commander à dîner, dit la soubrette avec empressement.

— C'est arrangé, donc, agréa Olivia. Prenez une autre cape dans ma valise pour vous protéger.

Alors qu'Hildy ouvrait la bouche pour protester, Olivia ajouta :

— Je ne peux pas permettre que vous preniez froid.

Hildy sourit avec gratitude.

— Vous êtes très aimable, milady.

Peu après, elle jeta la cape supplémentaire sur ses épaules et prit son petit sac.

— Terrence et moi, nous nous hâterons jusqu'au village. Il reviendra avec de l'aide en un rien de temps.

Olivia lui pressa la main.

— Soyez prudente, Hildy.

Avec un hochement de tête, la soubrette sortit et Olivia se retrouva seule.

Une bénédiction qui dura environ trois secondes.

La portière se rouvrit brusquement, et Olivia se glissa sur la gauche afin que James n'ait pas à passer par-dessus sa jambe étendue pour s'asseoir en face d'elle. Hélas, il se méprit sur son intention et installa son imposante personne mouillée juste à côté d'elle.

— Hildy et Terrence sont en route, en tirant les chevaux derrière eux. Ils sont résolus à vous secourir aussi rapidement que possible. Je ne saurais dire qui ils voient comme la plus grande menace – les bandits de grand chemin ou moi.

Olivia s'efforça d'ignorer qu'elle était seule avec James en pleine campagne. Elle avait passé le plus clair d'une décennie à essayer d'arranger ce genre de situation, et maintenant qu'elle y était arrivée – par accident – elle souhaitait être n'importe où ailleurs !

Parce que, en dépit de la détermination de James à quitter sa famille, ses amis et elle pour aller déterrer des momies, elle tenait toujours à lui.

Le timbre riche et grave de sa voix la faisait fondre à l'intérieur comme du chocolat. Un regard en biais de ses yeux verts lui coupait le souffle et la privait de tout bon sens.

Elle était dans les ennuis jusqu'au cou.

Elle le savait.

Et, si le regard affamé que James lançait dans sa direction était une indication, il le savait aussi.

9

Observations : *1) Rapport scientifique sur les détails d'un site de fouilles ou d'un objet. 2) Jugement fondé sur une expérience personnelle, comme dans : « D'après ses observations, le postérieur de James était inégalé à la fois par sa forme et sa fermeté. »*

James n'avait aucunement l'intention de séduire Olivia.

Le problème, c'était que lorsqu'il était avec elle il avait coutume de faire toutes sortes de choses qui n'étaient pas dans ses intentions.

— Il est très possible qu'un attelage passe et s'arrête pour nous porter secours, dit-il.

S'il se rappelait cette possibilité, peut-être serait-il moins enclin à céder à la tentation de l'embrasser.

Elle lui décocha un sourire indulgent.

— Nous avons croisé très exactement *un* autre voyageur depuis notre départ d'Haven Bridge, et c'était un fermier dans une charrette tirée par une mule.

— Ce moyen de transport manque peut-être d'une certaine dignité, la taquina-t-il. Mais avec une cheville dans cet état vous ne pouvez vous permettre de dédaigner un chariot parfaitement commode – même s'il est bringuebalant.

— C'est vrai. Dieu merci, nous ne sommes pas à Hyde Park. Pourriez-vous m'imaginer descendre Rotten Row à l'arrière d'une charrette, mon pied horriblement enflé posé sur une caisse de poulets en colère ? Je vois très bien miss Starling, assise dans une élégante calèche, me regardant de sous son ombrelle en dentelle sans cacher sa révulsion.

Olivia frémit.

— Je devrais être heureuse que nous soyons au beau milieu de nulle part, je suppose. Les seuls témoins de ma honte sont le vaches, par là-bas.

James rit tout bas.

— Vous savez toujours trouver le bon côté d'une situation déplaisante. J'admire cela en vous.

Elle tourna vivement la tête pour le regarder, plissant les paupières comme si elle craignait qu'il se moque d'elle.

— Vraiment ?

— Oui. j'admire énormément de choses chez vous, Olivia.

Elle déglutit avec peine, faisant bouger les jolis muscles de son cou.

— C'est gentil.

— C'est vrai. Depuis que je vous connais, je vous ai toujours vue pleine d'une énergie et d'une passion sans bornes. Vous dites toujours ce que vous pensez, et il est facile de discuter avec vous. Même si vous n'auriez vraiment pas dû venir ici à l'insu de votre frère…

— Oui, je crois que vous l'avez déjà dit.

— … d'un certain point de vue, je suis content que vous l'ayez fait.

Olivia haussa un sourcil.

— Et pourquoi donc ?

— Eh bien, je me rends compte à présent que j'ai toujours pris comme allant d'eux-mêmes votre charmant sourire, votre appétit de la vie et votre loyauté inaltérable. Je suis désolé de ne pas l'avoir vu plus tôt, et d'avoir été aveugle à ce que vous éprouviez pour moi.

Mais il n'avait pas vraiment été aveugle. À un certain niveau, il avait *su* qu'Olivia avait des sentiments pour lui, et il avait abusé de sa dévotion en s'y complaisant sans la reconnaître. Sapristi, quel homme digne de ce nom ne souhaiterait pas être la cible de ses regards pleins d'adoration ? Oh oui, il avait pris plaisir à son intérêt pour lui, et largement. Et cela le rendait au moins en partie coupable de la situation fâcheuse dans laquelle ils se trouvaient maintenant.

— Eh bien, dit-elle lentement, pour ma part, j'ai compris environ une demi-heure après mon arrivée à Haven Bridge que j'avais commis une terrible erreur. Mais, si je ne vous avais pas poursuivi, je n'aurais pas vu le panorama du sommet de votre colline ni goûté les meilleurs petits pains chauds du monde – ce qui aurait été tragique.

James était bien d'accord. Et, parce que le dire paraissait insuffisant, il prit sa main nue et en baisa le dos. Elle réprima une petite exclamation, mais ne la retira pas. C'était une autre chose qu'il adorait en elle : elle ne s'esquivait jamais.

Sa peau avait un goût de pluie, de lavande et aussi de son essence à elle. Mais bien qu'il soit très, très tenté de faire remonter ses lèvres sur son avant-bras, puis plus haut, il résista.

— C'est exactement ce que je disais, déclara-t-il. Vous êtes là, en rade dans la campagne avec un pied blessé, et vous choisissez de vous appesantir sur les bonnes choses et pas sur les mauvaises.

— Je ne vois aucun intérêt à parler de choses désagréables, mais cela ne signifie pas que je n'ai pas de regrets.

James pressa la main d'Olivia plus fort.

— Quels sont vos regrets ?

Soudain, il était impératif qu'il le sache.

— Voulez-vous me le dire ?

Olivia resta silencieuse quelques instants, et il se demandait s'il avait franchi une ligne invisible, s'il l'avait poussée trop loin, quand soudain elle parla.

— Je regrette d'avoir mené une vie frivole.

— Quoi ?

— C'est vrai. La plupart de mes soucis frisent le ridicule – un ourlet déchiré, un carnet de danse vide, de méchants ragots.

— Je ne suis pas un expert, reconnut James, mais je pense que toutes les jeunes dames se soucient de ces choses-là.

— Non, dit Olivia en secouant la tête. Pas mes plus proches amies. Avant qu'Anabelle n'épouse Owen, elle luttait pour garder sa mère en vie et mettre de la nourriture sur la table pour sa sœur. Daphne peut soigner la plupart des maladies mieux que notre médecin et trouve encore le temps de travailler à l'orphelinat. Et, bien que Rose ait deux ans de moins que moi, elle est infiniment plus sage. Avec tout le temps que nous passons ensemble, on aurait pu penser qu'un peu de sa sérénité aurait déteint sur moi.

Elle eut un rire sourd.

— Mais non. Voilà. Vous m'avez posé la question, et maintenant vous savez. Je regrette de ne rien avoir fait d'important en mes vingt-deux ans d'existence. Je n'ai rien changé autour de moi.

James aurait voulu la détromper, mais il se retint. S'il contredisait d'emblée ce qu'elle avait dit, elle ne le croirait jamais. Alors il attendit quelques instants et laissa le bruit de la pluie sur le toit et contre les vitres apaiser un peu l'angoisse d'Olivia. Puis, d'une voix très douce et en pesant chaque mot, il dit :

— Vous avez fait une différence pour moi.

C'était la vérité.

Qui se souciait qu'elle ne puisse se targuer d'avoir accompli de grandes choses ? Il voulait lui expliquer qu'être quelqu'un de bien était largement suffisant. Que la loyauté et l'attachement à sa famille surpassaient toute une litanie de bonnes actions ou d'entreprises grandioses.

Olivia appuya la tête contre les coussins de velours comme si elle avait été vidée de toute son énergie.

— Tout est tellement plus clair, maintenant.

— Comment ça ?

L'estomac de James se crispa. Elle allait probablement dire qu'elle n'avait plus d'inclination romantique pour lui, qu'elle ne pouvait imaginer pourquoi elle avait si longtemps soupiré après lui. Bien sûr, ce serait pour le mieux, et pourtant… en vaurien égoïste qu'il était, il détestait cette idée. L'adoration d'Olivia avait été une constante dans sa vie. Savoir qu'elle était de son côté – quoi qu'il advienne – l'avait fait se redresser un peu plus en marchant, gonfler un peu plus le torse. Elle était parfois une plaie, c'était vrai, mais même alors elle le faisait se sentir comme un roi. Elle lui avait offert sa dévotion indéfectible.

Et lui, en échange, il avait pris tout cela pour acquis.

Elle fixait le plafond de l'habitacle comme si c'était un ciel clair et étoilé.

— Ce voyage – aussi malvenu qu'il ait été – a été vraiment instructif pour moi. Durant toutes les années où j'étais entichée de vous, mon unique but était de capter votre attention – c'était mon aspiration la plus élevée. Et, maintenant que je vous ai avoué mes sentiments, je me rends compte combien ce but était creux. Non pas que vous en soyez indigne, croyez-le bien, ajouta-t-elle vivement, mais je ne peux pas avoir tous mes rêves entortillés autour d'une autre personne. J'ai besoin d'accomplir quelque chose pour moi-même. Comment puis-je espérer que quelqu'un d'aussi expérimenté que vous me respecte si je n'ai aucune vraie passion à moi ?

Avant qu'il ne puisse lui dire combien cette idée était ridicule, elle continua.

— Heureusement, j'ai une idée – une sorte de projet.

— Je suis sûr qu'il est très noble. Mais, Olivia, vous avez bel et bien mon respect. Plus que vous ne vous en doutez.

Elle poursuivit comme si elle ne l'avait pas entendu.

— Ce n'est rien de grandiose, vous savez. Mais ce voyage m'a rappelé combien j'aime être hors de Londres – à quel point j'apprécie la campagne. Et je me suis mise à penser aux fillettes de l'orphelinat de Daphne. La semaine dernière, quand je l'ai accompagnée dans sa visite, j'ai parlé à plusieurs petites orphelines. Saviez-vous que la plupart d'entre elles sont nées à Londres et n'ont jamais vu le monde en dehors des rues sales de St. Giles ? Elles n'ont jamais vu de vaches paître dans de belles prairies vertes, ni nagé dans de clairs lacs bleus.

— Je ne suis pas sûr que ce soit une tragédie, dit James.

Le visage d'Olivia se décomposa, et il souhaita pouvoir reprendre ses paroles stupides et irréfléchies.

— Peut-être pas. Néanmoins, je pense toujours que ce serait bon pour elles de voir un peu du monde au-delà des murs de l'orphelinat.

— Oh ! je suis d'accord, acquiesça-t-il vivement, cette fois. On ne peut pas tout apprendre dans les livres.

Elle s'illumina aussitôt.

— Exactement ! Je pourrais emmener de petits groupes de fillettes dans des excursions d'un jour – des pique-niques à la campagne, des visites d'églises dans des villages des environs, peut-être même quelques sorties plus longues pour les plus âgées. Quels moments merveilleux nous passerions !

Elle soupira de bonheur.

— Je suis certain que les fillettes seraient ravies d'échapper aux confins de la salle de classe, déclara James. Et l'air de la campagne leur ferait du bien.

— Oui, vraiment. Il y a une nouvelle orpheline – elle a huit ans et s'appelle Molly – qui souffre de paralysie agitante. Elle a passé les deux dernières années dans une institution pour les fous avant qu'une aimable infirmière ne se rende compte qu'elle n'y était pas à sa place et l'envoie à l'orphelinat. Elle est si heureuse d'être avec les autres filles, et elle progresse déjà rapidement pour apprendre ses tables et ses lettres. Mais elle est si pâle. Je pense que cela doit faire très longtemps qu'elle n'a pas senti le soleil sur son visage.

La description par Olivia de la petite malade rappela son frère à James. Il avait cette remarque sur le bout de la langue, quand il se souvint.

Il ne parlait *pas* de Ralph. Il n'en avait jamais parlé. Pas même à ses plus proches amis.

Ignorant ses pensées, Olivia continua sur sa lancée.

— J'aurai besoin de la permission d'Owen, bien sûr, mais je pense que je pourrai le convaincre de me prêter la voiture et un valet ou deux.

James était sur le point de lui faire observer qu'elle ne s'était pas souciée de demander la permission de Huntford avant de venir dans la région des Lacs, mais il y renonça. Il ne voulait pas dire quoi que ce soit qui ferait pâlir la lumière émanant du beau visage d'Olivia.

— Votre idée me paraît splendide. Toutes les réserves que votre frère pourrait avoir ne feront pas le poids face à vous.

Elle lui adressa un large sourire.

— Je peux être très persuasive. Mais parfois j'aimerais ne pas avoir à l'être. Il me semble que je serai toujours à la merci d'Owen.

— Au moins, il est juste. Et il n'a jamais rien pu vous refuser, à Rose ou à vous.

— C'est un frère merveilleux. Je ne voulais pas sous-entendre autre chose. Toutefois, je suis une adulte à présent.

Elle se redressa un peu sur son siège.

— Je ne vois pas pourquoi je devrais demander sa permission pour la moindre petite excursion.

James se passa une main sur le devant de sa redingote, s'assurant que la lettre était toujours rangée dans sa poche de poitrine. Il put en sentir le papier sous l'étoffe mouillée. Soudain, elle lui sembla peser aussi lourd que les pierres dressées de Stonehenge. Pourquoi Huntford l'avait-il mêlé à ce qui était clairement une affaire de famille ? Plus James passait de temps avec Olivia, plus il se rendait compte que la façon correcte de faire était de lui donner la lettre.

Le problème, c'était que la décision ne dépendait pas de lui.

Il était sûr d'une chose, en attendant : dès qu'il reverrait Huntford, il lui remettrait le pli et exigerait qu'il le donne à Olivia.

— Je ne doute pas que vous réaliserez tout ce à quoi vous vous attellerez. Et je ne vois pas d'inconvénient à vous dire que je suis un peu jaloux de ces fillettes qui vont passer des journées idylliques à la campagne avec vous.

Olivia souffla.

— Je serais d'avis que vous avez eu votre compte de ma compagnie. En outre, quel attrait pourrait présenter des pâturages pleins de moutons comparés aux aventures qui vous attendent en Égypte ?

L'attrait résidait moins dans les pâturages que dans la femme assise à côté de lui. Pour être plus précis, il résidait dans la peau de sa joue, lisse comme un pétale de fleur, dans ses lèvres pleines et les courbes séduisantes de son corps.

— Aussi impatient que je sois d'explorer l'Égypte et d'étudier ses anciennes civilisations, l'Angleterre a beaucoup à offrir ici et maintenant.

Il lui pressa la main, espérant que ce qu'il voulait dire soit clair.

Olivia ne répondit pas et se contenta de regarder par la fenêtre. Toutefois, s'il ne se trompait pas, ses joues avaient rosi.

— Comment va votre cheville, à présent ? demanda-t-il.

— Comme si quelqu'un avait laissé tomber un piano dessus.

— Vous auriez dû me le dire, vous savez – plus tôt, pour que nous puissions la faire examiner par un médecin.

— J'aimerais que Daphne soit ici, dit Olivia. Elle irait chercher quelques herbes, préparerait un cataplasme, et en un rien de temps je gambaderais dans les champs.

— J'aimerais voir ça. Pas le cataplasme, mais les gambades.

Un grondement de tonnerre dans le lointain secoua la voiture, et une expression alarmée passa sur le visage d'Olivia. Elle saisit le bras de James et se cramponna à lui un bref et fabuleux instant.

— Pardonnez-moi, dit-elle, visiblement embarrassée. J'ai été surprise.

— Ne vous excusez pas.

Il s'approcha et passa un bras sur ses épaules.

— Vous avez eu deux jours fatigants. Pourquoi n'appuyez-vous pas votre tête contre moi pour vous reposer ? Je promets de ne pas vous taquiner si vous ronflez.

Olivia le regarda avec méfiance, mais accepta la proposition. Hésitante, elle posa la joue sur son épaule, et le parfum propre de ses cheveux emplit la tête de James. Il souleva une longue mèche de son cou et l'enroula autour de son doigt, aimant son contact soyeux. Peu à peu, la tension sembla se retirer d'elle et son corps se nicha contre lui, chaud et docile.

La pluie frappa le toit plus fort et le tonnerre se fit plus sonore et plus fréquent. Quelques gouttes réussirent à s'infiltrer par le haut de la portière et s'écrasèrent par terre avec de minuscules éclaboussures, à des intervalles réguliers.

Olivia poussa un soupir las.

— Dans quelle situation affreuse je nous ai mis. Comment ai-je pu gâcher les choses à ce point ?

— L'essieu cassé n'est pas votre faute.

Il lui caressa le haut du bras, ce qui, bien sûr, lui donna envie d'en caresser davantage, mais il se retint.

— Et je vais vous dire une chose : si je dois être en rade dans une voiture au beau milieu d'un orage, il n'y a personne avec qui je préférerais être échoué.

Elle leva le visage vers lui et cligna lentement de ses beaux yeux bruns.

— Vraiment ?

Sapristi. Il allait l'embrasser.

Il aurait été impossible de ne pas le faire.

10

Saperlipopette. Elle allait embrasser James.

Elle s'était promis de ne pas le faire, mais comment pouvait-elle résister ?

L'étincelle qui brillait dans ses yeux verts envoyait de délicieux frissons dans les membres d'Olivia, et elle fondait littéralement contre lui. Lorsqu'il se pencha en avant, posant son front contre le sien, elle fut perdue. Elle prit de petites inspirations, comme si le plus léger mouvement pourrait briser le sortilège ténu et merveilleux qui les liait.

— Olivia, chuchota-t-il en abaissant ses lèvres vers les siennes.

Même s'ils s'étaient déjà embrassés, ce qui arrivait là… c'était différent.

C'était le baiser qu'elle avait attendu toute sa vie.

James commença doucement, comme si elle était un trésor rare et fragile et qu'il ne pouvait croire à sa chance de l'avoir trouvée. Ses lèvres effleurèrent les siennes – la testant et la tentant, promettant plus encore.

Elle ferma les yeux afin de mieux sentir son souffle sur sa joue, ses doigts dans ses cheveux, la solide pression de son bras derrière elle. Lorsqu'il écarta ses lèvres de sa langue, un soupir échappa à Olivia, et il l'absorba, l'attirant plus près et approfondissant son baiser.

Elle ne lui résista pas ; elle n'aurait pas pu même si elle avait essayé.

Ce baiser ne prenait pas son origine dans l'ivresse, la pitié ou le désespoir.

Elle avait vu la faim qui brillait dans les yeux de James et entendu l'admiration dans sa voix. Il voulait vraiment ce qui se passait.

Et au diable tout le reste !

En vérité, si à cet instant précis la foudre devait frapper la voiture ou une crue l'emporter, James et elle ne renonceraient pas à s'embrasser. C'était à couper le souffle, à faire fléchir les genoux, à arrêter le cœur.

Il avait exactement le goût qu'elle se rappelait – un goût chaud, viril, de cannelle –, et elle répondit avec ardeur à chaque assaut de sa langue, se noyant dans une vague enivrante de désir. Elle brûlait de se tortiller plus près de lui, mais son pied droit était toujours posé sur le siège d'en face et sa jambe formait une barrière entre eux.

Percevant sa frustration, il souleva ses deux jambes avec douceur et les installa sur ses genoux.

— Voilà qui est beaucoup mieux, lui murmura-t-il à l'oreille, envoyant de délicieux frissons dans tout son corps. C'est de la folie, Olivia, mais je ne peux m'en empêcher.

— Moi non plus.

Il sema une traînée de baisers brûlants le long de son cou et sur sa clavicule jusqu'au creux de sa gorge, où son pouls s'emballait. Les cheveux de James chatouillaient sa peau sensible ; en riant, elle releva le visage vers lui.

— J'ai rêvé maintes fois de vous embrasser.

Ses joues s'échauffèrent à sa hardiesse.

— Mais mes fantasmes étaient toujours plus pittoresques.

James lui décocha un sourire coquin qui fit manquer un battement à son cœur.

— Comment cela ? demanda-t-il.

— D'abord, nous étions habituellement à l'intérieur.

— Eh bien, je suis déçu par votre manque d'imagination. À l'intérieur, c'est si… prévisible.

— Il se peut que j'aie imaginé un ou deux baisers dehors, admit-elle, mais alors nous avions au-dessus de nous un ciel clair, illuminé par les étoiles. Pas de coups de tonnerre.

— Voilà qui paraît horriblement ennuyeux, dit James, un peu distrait.

Son regard aux paupières lourdes avait dérivé vers la poitrine d'Olivia – en particulier le carré de peau au-dessus de son corselet ajusté.

— Je ne les aurais pas qualifiés d'ennuyeux, mais je n'avais pas de point de comparaison, alors.

— Et maintenant ?

D'un doigt rêche, il suivit paresseusement son décolleté échancré.

— Je suis en train de découvrir, dit-elle d'une voix altérée, que s'embrasser est une expérience bien plus riche que ce que je pensais.

— Vous n'en avez pas idée, grommela-t-il, fixant toujours ses seins – d'une façon assez impudente, de l'avis d'Olivia.

Non pas qu'elle y voie un inconvénient. Elle noua les bras autour de son cou et joua avec les douces boucles de sa nuque.

— Même si cet acte s'est avéré différent de ce que j'avais imaginé dans ma relative innocence, je m'aperçois que la réalité est meilleure.

Un éclat sauvage s'alluma dans les yeux de James. Il se pencha et posa sa bouche sur la sienne, l'emplissant de chaleur et de passion. Il passa une main sur la hanche d'Olivia et remonta sur son ventre, frôlant avec légèreté de son pouce le dessous de sa poitrine. Juste comme Olivia pensait qu'elle allait mourir d'impatience, il s'empara d'un sein, pinçant légèrement son mamelon à travers le fin crêpe de sa robe.

Elle l'embrassa plus fort, ne voulant surtout pas qu'il s'arrête. Il ne le fit pas. À la place, il porta son attention sur son autre sein, l'étourdissant de plaisir.

La température monta en flèche dans l'habitacle, embuant les vitres. La robe si bien ajustée d'Olivia devint une source d'irritation, car elle semblait soudain lacée trop serré. Elle haletait comme si l'air lui manquait – alors qu'elle savait très bien que non. Néanmoins, elle pouvait assez facilement remédier à la situation.

La façon d'agir responsable aurait été de cesser d'embrasser James. Mais, comme elle ne la trouvait pas du tout attractive, elle passa à la seconde – légèrement moins convenable.

Qui était de baisser une main et de desserrer les lacets sur le côté de sa robe.

— Que faites-vous ?

Il y avait dans la voix de James une note d'espoir qui concourut à atténuer l'embarras qu'elle aurait dû éprouver.

— Ma robe me serrait trop.

Tout en parlant, elle en fit glisser les manches, ce qui fit bâiller son décolleté. De l'air frais passa aussitôt sur la rondeur de ses seins, encore couverts par son corset et sa camisole. Enfin, couverts *en partie*.

— Je ne pensais pas que vous auriez des objections, dit-elle, satisfaite du ton langoureux qu'elle avait réussi à prendre.

Les pupilles de James se dilatèrent jusqu'à ce qu'il ne reste qu'un fin cercle de vert. Il promena son regard sur elle, s'attardant sur ses épaules nues, le bord en dentelle de sa camisole, la profonde vallée entre ses seins. Puis il courba la tête, baisant la peau qu'elle avait dévoilée.

Chaque frôlement de ses lèvres, chaque caresse de ses doigts la mettait en feu, et une pulsation suave naquit dans ses reins.

C'était James. *Son* James.

Mieux encore, ce n'était pas un rêve.

Oh ! sa conduite était bien téméraire, elle le reconnaissait. Rose lui aurait dit qu'elle méritait mieux que des ébats dans une voiture échouée sur le bord de la route. Daphne l'aurait pressée de sauvegarder son cœur. Anabelle lui aurait conseillé d'être pragmatique – après tout, dans deux mois James serait sur un bateau à destination de l'Égypte.

Olivia savait tout cela, mais elle *voulait* ce qui arrivait et le reconnaissait pour ce que c'était : quelques moments volés de félicité.

Elle n'allait pas faire l'amour avec lui – elle n'était pas complètement idiote –, mais elle voulait découvrir la passion, et voulait la découvrir avec lui. Surtout, elle voulait vivre ce rêve un peu plus longtemps.

Avec une hardiesse qu'elle avait toujours suspecté posséder, Olivia abaissa son corset et sa camisole, libérant entièrement ses seins.

— Doux Jésus, murmura James, et l'expression affamée de ses yeux était tout ce qu'Olivia avait espéré.

Elle s'adossa au côté de l'habitacle et l'attira à elle par les revers de sa redingote.

Il n'eut pas besoin d'autre encouragement. Il se courba sur elle, captura un téton dans sa bouche et caressa l'autre de sa paume. Sa langue, chaude et humide, tourna autour du petit bouton serré, le suçant jusqu'à ce que le corps entier d'Olivia vibre de frissons.

Elle passa les doigts dans ses cheveux, l'attirant plus près et souhaitant qu'il soit aussi facile de le garder là avec elle. Pour toujours.

Il s'arrêta et la regarda, les paupières lourdes.

— Vous êtes stupéfiante, Olivia.

Ses paroles glissèrent sur elle comme une robe de soie.

— Si vous le dites.

— Mais nous ne devons pas nous laisser emporter. Enfin, pas plus que nous ne l'avons déjà fait.

— Je sais.

Momentanément distraite par la spirale qu'il dessinait sur son sein, elle marqua une pause. Quand enfin son doigt atteignit le téton raidi, elle inspira et soupira de bonheur.

— Pensez-vous que nous pourrions profiter un peu plus longtemps l'un de l'autre ?

Pour toute réponse, il captura sa bouche et l'embrassa profondément. Peut-être qu'Olivia interprétait un peu trop ses actions, mais le grondement sourd dans la gorge de James et la tendresse avec laquelle il prit sa joue dans sa main lui firent penser que oui, il voulait peut-être la posséder. D'une certaine manière, elle lui appartenait déjà – et lui appartiendrait toujours.

Simplement pas de la façon dont elle avait rêvé autrefois.

Mais elle n'y penserait pas maintenant. Pas pendant que James marquait son cou de baisers, passait une main sur sa hanche et le long de sa jambe…

À la place, elle se perdrait dans ce moment et explorerait un peu de son côté. Elle glissa les mains à l'intérieur de sa redingote, savourant le contact de son torse dur sous son gilet. Elle les fit remonter sur ses muscles lisses. Mais pourquoi portait-il autant de couches de vêtements !

Elle repoussa sa redingote de ses épaules et l'abaissa sur ses bras, l'obligeant à cesser de l'embrasser pour s'en débarrasser. Il semblait pressé d'en être libéré, ce qui plut terriblement à Olivia. Il la jeta de côté sans même sans soucier, et lorsqu'il le fit une feuille de papier pliée glissa par terre. Cela ne pouvait pas être très important, comparé à la perspective de passer les mains sur ses larges épaules et le long de ses bras musclés.

Mais une partie très obstinée et très fâcheuse de son cerveau se rappela avoir déjà vu ce billet à l'allure assez officielle. Après la rixe devant l'auberge d'Haven Bridge. Il devait être important, tout compte fait.

— James, dit-elle d'une voix rauque.

Mais il pensa apparemment qu'elle avait prononcé son nom parce qu'elle appréciait ce qu'il lui faisait – à savoir, glisser la main sous l'ourlet de sa robe et de sa camisole et tracer de petits cercles coquins sur la peau sensible au creux de son genou. En vérité, « apprécier » n'était pas un mot assez fort. Ses membres lui paraissaient délicieusement indolents, comme si elle avait bu trop de punch dans les jardins de Vauxhall.

Toutefois la lettre était toujours par terre, refusant d'être ignorée.

Olivia déplaça son corps sur la gauche, tendit le bras et pinça le coin du papier entre deux doigts.

James releva la tête et lui décocha un sourire langoureux qui lui coupa le souffle.

— Je vous ne laisserai pas tomber, dit-il en la ramenant sur la banquette avec fermeté.

Son regard alla à ses lèvres comme s'il voulait de nouveau l'embrasser, mais avant qu'il ne le puisse Olivia agita la lettre sous son nez.

Le sourire avenant disparut. Comme si la voiture avait été subitement transportée dans la toundra, les yeux de James devinrent glacés et son corps se raidit.

— Comment avez-vous eu cela ?

Son ton était acide.

— Je l'ai ramassée. Par terre, répondit-elle un peu sèchement.

Il lui arracha la lettre, se redressa et l'enfila d'un geste vif dans la ceinture de ses culottes, dans son dos.

— Sapristi.

Avec une petite grimace, Olivia se redressa aussi.

— Qu'est-ce qui ne va pas ?

James secoua lentement la tête, comme si de les voir là à moitié déshabillés et leurs affaires personnelles répandues dans l'habitacle le déconcertait. Puis il ferma les yeux, donnant l'impression qu'il voulait effacer cette scène de son esprit.

L'effacer *elle* de son esprit.

Devrait-elle toujours être pour lui une source de regrets ?

— Attendez, laissez-moi vous aider, dit-il en remontant les manches d'Olivia sur ses épaules et en lissant sa jupe sur ses jambes.

Il avait recouvré tout son contrôle – redevenant poli et formel. D'une manière exaspérante.

— Je peux me débrouiller, dit-elle, imitant son ton glacé.

Pendant qu'elle renfilait sa poitrine dans sa robe et nouait les lacets, il remit sa redingote et se déplaça un peu sur la banquette, lui laissant plus d'espace.

Par tous les diables, que s'était-il passé ?

— Comment va votre pied ?

Son pied ? Ses lèvres étaient gonflées de ses baisers, sa peau fourmillait de ses caresses, et tout au fond d'elle-même elle palpitait de désir. Mais il s'enquérait de son pied !

— Bien, je pense. Pas pire qu'avant.

— Parfait.

Il s'adossa au siège et regarda par la fenêtre.

— La pluie a un peu diminué.

Oh ! non. Elle n'allait pas le laisser prétendre que la dernière demi-heure – ou plus ? – n'avait jamais existé. Toutefois, elle ne put se résoudre à discuter de leur relation, ou de leur absence de relation, plutôt. Elle opta pour une tactique différente.

— Pourquoi portez-vous toujours cette lettre sur vous ?

Il se passa les mains sur le visage.

— Je ne peux pas vous en parler.

— Pourquoi ?

— Il s'agit d'une affaire qui m'a été confiée.

Ses paroles étaient brèves, comme s'il voulait mettre fin à la conversation.

Eh bien, elle n'allait pas se laisser faire aussi facilement.

— On dirait une lettre.

Il haussa les épaules.

— C'est possible.

— C'est possible ? Vous ne le savez pas ? Vous la portez sur vous depuis des jours !

— Qu'est-ce qui vous le fait penser ?

— Elle est tombée de votre veste en deux occasions distinctes, au moins. Si elle est vraiment aussi importante, vous pourriez y faire plus attention, ne croyez-vous pas ?

— Elle *est* importante.

— Et vous en êtes sûr, même si vous n'avez aucune idée de ce que c'est ?

— Je ne veux pas en parler, Olivia. C'est personnel.

— Vous avez dit qu'il s'agissait d'une affaire, tout à l'heure. Maintenant c'est personnel ?

James posa les coudes sur ses genoux et se prit la tête dans les mains.

— Oui.

— Je vois. Cette lettre – ou quoi que ce soit d'autre – est d'une nature personnelle. Je n'ai pas le droit de poser de questions à son sujet, même si vous aviez votre main sous ma jupe il y a quelques instants.

Il releva vivement la tête.

— Bon sang, Olivia. Vous faites paraître cela si vulgaire.

— Pardonnez-moi, dit-elle en feignant l'horreur. Et dites-moi : comment décririez-vous nos échanges ?

Il poussa un soupir.

— Je me soucie de vous. Je vous respecte.

— Vous avez une étrange façon de le montrer.

— Je sais. Vous méritez mieux, et il y a certaines choses dont nous devons parler… mais je ne suis pas libre de le faire maintenant.

— Tout ceci paraît très mystérieux, James.

En vérité, cela sonnait comme une excuse.

Il se tourna vers elle et prit ses mains dans les siennes.

— Je ne me suis pas conduit comme un gentleman.

— Je ne me suis pas conduite comme une dame.

Il esquissa un faible sourire.

— Je n'ai pas été complètement honnête avec vous. Quand vous découvrirez de quoi il s'agit, vous ne voudrez peut-être plus avoir affaire à moi. Et je ne vous en blâmerai certainement pas.

Olivia ne pouvait pas plus imaginer vouloir chasser James de sa vie qu'elle ne pouvait imaginer renoncer au chocolat chaud. Quel que soit son secret, il le torturait visiblement. Son front était plissé par le souci, et la honte voilait ses beaux yeux verts. Elle pensait tout connaître de lui, mais de toute évidence il gardait quelques mystères.

— Je sais que vous n'êtes pas parfait, dit-elle. Mais cela ne signifie pas que vous n'êtes pas parfait pour moi.

James lui prit les mains et pressa ses lèvres, chaudes et humides, sur leur dos.

— Attendez et vous verrez.

Même si elle était lasse d'attendre, Olivia hocha la tête.

Il y avait une affaire, cependant, qui ne pouvait souffrir de délai.

11

Déterrer : *1) Exhumer un objet enfoui dans le sol. 2) Révéler une chose cachée profondément, comme dans : « On ne pouvait dire quelle douleur le contenu de la lettre pourrait déterrer. »*

— Je ne sais pas trop comment dire ceci avec délicatesse, commença Olivia, mais je crains de devoir m'excuser quelques instants.

James lui décocha un regard perplexe.

— Pourquoi voudriez-vous…

Ses yeux s'élargirent.

— Oh.

Elle avait donné sa cape à Hildy, mais peu importait. La pluie torrentielle avait laissé place à une légère ondée. Et, à dire vrai, cela ne lui ferait pas de mal de se rafraîchir. Elle se glissa vers la portière, mais hélas James lui barra le passage.

Et il ne donna pas signe de vouloir s'écarter.

— Le cocher pourrait revenir à tout moment, maintenant, dit-il.

— Ou nous pourrions attendre ici une heure de plus, fit-elle remarquer.

James se gratta le menton, rappelant à Olivia le frottement délicieusement abrasif de sa mâchoire le long de son cou.

— Vous ne pouvez pas marcher, avec votre cheville.

— Je l'ai fait plus tôt.

— Et comment était-ce ?

Comme si un forgeron avait posé son pied sur une enclume et abattu son marteau dessus.

— Supportable.

Il haussa un sourcil, sceptique.

— Je me suis débrouillée.

— Oui. Vous vous débrouillez toujours. Mais vous pourriez peut-être essayer de vous reposer sur d'autres personnes, de temps en temps.

— Et vous voulez que je me repose sur vous ? Pour ceci ?

— Vous n'aurez pas besoin de vous appuyer. Je vous porterai.

Olivia imagina James la jetant sur son épaule, piétinant à travers un champ boueux et la déposant près d'un buisson convenant à ses desseins. Elle ne pouvait songer à une chose aussi horrifiante.

— Je préférerais régler cette affaire par moi-même.

Il la fixa un bon moment. Allait-il la laisser passer, oui ou non ? Puis il relâcha lentement son souffle.

— Très bien. Mais pour le moins vous aurez besoin de mon aide afin de franchir la barrière.

Juste ciel. Il y avait une barrière ?

— Merci, dit-elle avec autant de dignité qu'elle put en rassembler.

James ouvrit la portière et sortit à reculons comme s'il craignait de lâcher Olivia des yeux, ne fût-ce qu'une seconde. Elle se coula le long de la banquette et saisit le côté de l'habitacle, se préparant avant de faire reposer son poids sur sa cheville blessée. Se souvenant de la douleur aiguë ressentie plus tôt en s'appuyant dessus, elle hésita.

James fronça les sourcils.

— Je vous en prie. Laissez-moi vous porter.

Même s'il était dur de lui refuser quoi que ce soit – en particulier quand ses yeux expressifs prenaient cet air de chiot implorant –, elle secoua la tête.

— Ma cheville est juste un peu engourdie après ces heures passées en voiture. Elle va se détendre.

Là-dessus, elle se déplaça vers la portière. Tandis qu'elle s'avançait, courbée pour éviter de heurter le plafond de la tête, elle prit soigneusement équilibre sur son pied valide. Lorsqu'elle essaya ensuite le droit avec prudence, elle dut se mordre la lèvre pour s'empêcher de hurler de douleur comme un animal blessé.

James fronça les sourcils avec réprobation, et avant qu'Olivia ne puisse protester il l'attrapa sans cérémonie sous les bras et la souleva. Elle passa instinctivement les bras autour de son cou tandis que son corps se pressait contre le sien. En sûreté dans son étreinte, elle se détendit et – au moins un instant – céda à l'attirance qui flamba aussitôt entre eux.

Lentement, elle se laissa glisser le long de son corps. Sa poitrine, au départ au niveau des yeux de James, descendit sur son torse musclé. Quand ses pieds, ou plutôt *son* pied, toucha le sol, il ne fit pas un geste pour la lâcher. À la place, ses bras l'enveloppèrent complètement, la tenant fermement contre lui. Olivia était médusée par sa bouche parfaite et son expression affamée. Le brouillard qui tombait du ciel ne faisait rien pour tempérer la chaleur intense qui jaillissait entre eux, et la preuve de son désir se pressait contre son ventre. Délurée comme elle l'était, elle s'appuya contre James, savourant le pouvoir féminin qu'elle avait sur lui.

En jurant tout bas, il lui embrassa le front et relâcha son étreinte. Elle sourit pour cacher sa déception tandis qu'il regardait des deux côtés de la route.

— Allons dans cette direction, dit-il en indiquant un bouquet d'arbres dans un champ voisin.

Bien sûr, « voisin » était un terme relatif. La veille, quand elle avait deux chevilles en bon état, elle aurait dit que le petit bosquet était « tout près ». Maintenant, il ressemblait plus à un pays éloigné.

— Très bien.

Elle ne se donna pas la peine de refuser son aide – pas alors qu'une formidable barrière de bois qui lui arrivait à la poitrine se dressait entre elle et sa destination. Il passa un bras autour d'elle et marcha lentement, s'arrêtant tous les quelques pas pour s'assurer qu'elle ne souffrait pas le martyre.

C'était douloureux, mais avec l'aide de James elle arriva jusqu'à la barrière. Ils s'arrêtèrent et, pendant qu'Olivia réfléchissait à la manière la moins embarrassante de l'escalader, James la franchit aisément d'un bond et atterrit comme un chat de l'autre côté.

Tendant les bras, il dit :

— Montez sur le barreau inférieur avec votre pied valide, et je vous ferai passer par-dessus.

Olivia le regarda avec méfiance. Oh ! elle se fiait à lui pour lui faire franchir la barrière en toute sécurité. Ce dont elle doutait, c'était de sa volonté de la laisser parcourir le reste du trajet toute seule.

— Bon. Mais vous devez promettre que vous resterez ici.

Il se tourna pour regarder les arbres, à une bonne cinquantaine de mètres de là.

— C'est un long chemin à parcourir par vous-même.

— Vous devez promettre.

Marmonnant à mi-voix, James hocha la tête et lui fit signe de monter. À peine avait-elle grimpé sur le barreau inférieur qu'il la souleva – un bras passé dans son dos et l'autre sous ses genoux. Il la tint si fermement contre sa poitrine qu'elle put sentir les battements réguliers de son cœur contre son épaule. Le brouillard s'était de nouveau changé en crachin et de petites gouttes s'accrochaient aux cils de James, le faisant ressembler à une version plus jeune et imberbe de Neptune.

— Vous pouvez me poser, maintenant.

Il regarda de nouveau vers le bosquet.

— Juste un peu plus loin ?

Il s'avança pouce par pouce vers les arbres.

— Vous avez promis !

Il s'arrêta, le regret se lut sur son visage, et il la posa en douceur sur le sol qui s'enfonça sous ses pantoufles.

— Je vais attendre ici. Si vous avez besoin de moi, appelez-moi.

— Voulez-vous vous tourner vers la route, s'il vous plaît ?

Avec un soupir, James pivota et appuya les coudes sur la clôture.

— Merci.

Sa jambe fléchit presque au premier pas qu'elle fit, alors elle se mit à sautiller sur son pied valide. Elle devait relever l'ourlet de sa jupe, et elle frémit de penser combien elle devait paraître ridicule. Elle était trop épuisée par ses sauts, cependant, pour s'appesantir sur son embarras. Et même si sautiller était moins douloureux que de marcher, cela donnait tout de même des à-coups dans son pied blessé et elle serrait les mâchoires chaque fois qu'elle atterrissait.

Par deux fois, elle s'arrêta pour se reposer avant de continuer. Le bas de sa robe était trempé et ses pantoufles si boueuses qu'elles étaient méconnaissables. Quand elle atteignit enfin l'intimité du petit bois, elle vaqua à ses besoins – une affaire malcommode pour le moins – et s'adossa à un gros arbre pour reprendre son souffle.

Au cours du dernier quart d'heure, le ciel couvert s'était rapidement assombri ; Olivia distinguait à peine la forme de la voiture, au loin. Les muscles de sa jambe valide frémissaient de ses efforts et protestaient à l'idée de retraverser le champ. Elle aurait pu ramper si elle n'avait pas été encombrée par ses jupes…

Elle ne pouvait pas y échapper : elle allait *encore* devoir sautiller sur tout le trajet de retour, en une pitoyable imitation d'un kangourou.

Elle s'écarta de l'arbre, fit un grand bond en avant et entendit un affreux « crac » – le bruit d'un tissu qui se déchirait. Avec une bonne dose de terreur, elle se tourna pour regarder derrière elle. Un morceau de soie rayée grand comme un mouchoir était accroché au tronc, ce qui signifiait qu'il n'était pas là où il aurait dû être – à savoir couvrant son postérieur.

— Sapristi.

La vache la plus proche, allongée à quelque distance de là, lui jeta un regard condescendant et meugla.

La robe d'Olivia était irrécupérable, mais franchement c'était le cadet de ses soucis. Bien sûr, elle avait toujours sa camisole pour lui couvrir les jambes

– dans une certaine mesure. Elle était si humide qu'elle était presque transparente.

Elle résolut d'ignorer tout tracas relatif à la pudeur dans l'immédiat et de se concentrer pour rejoindre James et la voiture. Avec une force née du désespoir le plus pur, elle empoigna le devant de sa robe pour relever son ourlet… et se mit à sautiller. Elle sautilla encore et encore jusqu'à ce que James devienne plus net. Elle envisagea alors de l'appeler à l'aide, mais elle était arrivée jusqu'ici – qu'étaient quelques mètres de plus ? Il s'appuyait d'un air décontracté à la barrière, ses larges épaules s'affinant en des hanches minces et des jambes sveltes et musclées. Les pans de sa redingote couvraient son postérieur, mais elle savait même sans le voir qu'il était ferme et parfaitement sculpté.

Laisser ses pensées dériver dans une direction aussi plaisante lui fournit une distraction par rapport à la douloureuse crispation de ses muscles et aux lancements dans son pied droit… jusqu'à ce qu'elle saute sur son ourlet et s'affale en avant.

— Oh !

James se tourna en entendant son cri. Probablement juste à temps pour la voir culbuter dans une flaque de boue malodorante.

Restait à espérer que c'était bien de la boue.

Par chance, elle ne s'était pas blessée davantage. Mais elle était couverte de gadoue de la poitrine jusqu'en bas ; quelques mèches de ses cheveux avaient trempé dedans aussi. Tandis que James accourait vers elle, tel un demi-dieu en culottes de daim, elle parvint à s'asseoir et à se sortir en glissant de la flaque traîtresse qui avait englouti l'une de ses pantoufles.

James se précipita et s'agenouilla à son côté.

— Que s'est-il passé ?

À son crédit, il ne montra aucune trace de dégoût devant son état.

— Alors que je sautillais allègrement, je suis tombée par accident dans une flaque de boue.

— Êtes-vous blessée ?

— Non. Même si je suspecte que certaines parties de ma personne seront meurtries demain.

Le regard de James alla à la flaque.

— Qu'est-ce que c'est que cet objet bleu qui flotte au milieu ?

— Ma chaussure.

Elle haussa un peu le menton, le mettant au défi de se moquer d'elle.

— Dois-je la récupérer ?

Elle secoua la tête avec vigueur.

— Les vaches peuvent la garder.

Les yeux verts de James se plissèrent au coin, ce qui améliora l'humeur d'Olivia… en dépit de tout.

— Je vais vous porter jusqu'à la voiture, dit-il.

Lorsqu'elle ouvrit la bouche pour protester, il leva une main.

— Nous pouvons nous y prendre de deux façons : je peux vous porter comme une dame convenable, ou vous jeter sur mon épaule comme un sac de grains. D'une manière ou d'une autre, je vous porterai. À vous de choisir.

— Votre redingote va être abîmée.

La lèvre inférieure d'Olivia trembla légèrement.

— Pensez-vous sincèrement que je me soucie de ma redingote en ce moment ?

— Vous n'avez pas d'habits de rechange, lui rappela-t-elle.

— Ah, oui, dit-il en la soulevant avec facilité.

Elle s'appuya contre lui, sa tête se nichant parfaitement au creux de son cou.

— Je me souviens de votre hâte de quitter Haven Bridge.

— Je donnerais n'importe quoi pour y être maintenant. J'aimerais pouvoir recommencer cette journée depuis le début.

Elle renifla d'une façon suspecte.

— Elle n'a pas été que mauvaise, n'est-ce pas ?

Il la regarda dans les yeux.

— Je dirais même que certaines parties ont été remarquables.

— Je suppose, dit-elle avec un manque évident de conviction.

De la boue avait éclaboussé sa joue, se confondant avec ses taches de rousseur. Quelques mèches de cheveux collaient à son cou, et sa peau était mouillée de pluie. James avait envie de lui dire combien elle était belle – même maintenant, *surtout* maintenant –, mais il ne pensait pas qu'elle le croirait.

— Vous vous sentirez mieux une fois que l'on vous aura débarrassée de ces vêtements, dit-il. Euh, lorsque nous serons à l'auberge, je veux dire. Et que vous serez dans votre chambre, bien sûr.

Bonté divine. Depuis quand s'était-il changé en un idiot qui bafouillait, en sa compagnie ?

Elle haussa un sourcil en le regardant, mais ne dit rien. Et elle paraissait misérable.

Il la porta vers la voiture, marchant avec précaution sur le sol inégal et saturé d'eau. Tout ce qu'il voulait, c'était la mettre à l'abri de la pluie et l'installer sur un siège confortable aussi rapidement que possible. Il se serait giflé d'avoir laissé arriver cet incident. Il aurait dû insister pour rester avec elle – au diable sa fierté obstinée !

Il parvint à la ramener jusqu'à la clôture sans autre péripétie, Dieu merci, mais il ne pouvait absolument pas escalader la barrière en la tenant.

— Vous pouvez me poser par terre, affirma-t-elle.

Mais elle semblait si molle et si faible dans ses bras, qu'il doutait que ses jambes la soutiennent.

— Reposez-vous encore quelques minutes, déclara-t-il d'un ton apaisant.

— Mmm…, murmura-t-elle contre son torse.

Les yeux d'Olivia se fermèrent, et elle sembla s'assoupir. Quand les bras de James se fatiguèrent, il s'appuya à la barrière pour se soutenir. Le ciel s'assombrit, et il allait la réveiller quand une charrette arriva en bringuebalant lentement sur la route.

Ils avaient de l'aide.

Un homme d'un certain âge, barbu, conduisait la charrette tirée par une robuste paire de mules ; Terrence était assis à côté de lui, l'air réprobateur. Avant même que la charrette ait cessé de bouger, le cocher sauta à bas de son siège et se précipita vers la barrière.

Il jeta un regard à la robe sale et au visage pâle d'Olivia et lança un coup d'œil accusateur à James.

— Que lui est-il arrivé ?

Olivia leva la tête.

— Je vais bien, Terrence. C'est juste que j'ai glissé dans la boue. M. Averill ne voulait pas que je risque de tomber de nouveau.

— Pourquoi vous marcheriez tout court avec votre cheville blessée, c'est ce que j'aimerais savoir, commença le cocher, qui agita la main d'un air exaspéré. Peu importe, faites-la-moi juste passer, dit-il à James. Je vais l'installer à l'arrière de la charrette avant de décharger la voiture.

Bien que James n'apprécie pas du tout de lâcher Olivia, il la fit passer avec soin par-dessus la clôture. Terrence avait pensé à apporter des couvertures, alors James en étala une sur la paille mouillée. Quand le cocher déposa Olivia dessus, il étendit l'autre couverture sur elle.

— Merci d'être venu à mon secours, Terrence.

Le sourire d'Olivia était si doux et si sincère que les joues du cocher devinrent écarlates.

— Mais qu'allons-nous faire à propos de la voiture ? continua-t-elle. Je n'aime pas l'idée de la laisser ici toute la nuit.

Terrence se rengorgea.

— Soyez tranquille, milady. Je resterai ici. J'ai parlé au chef palefrenier. Il amènera les chevaux au lever du jour afin que nous puissions conduire la berline au village et faire examiner l'essieu. Je pense que nous nous remettrons en route d'ici demain soir.

— Si vous devez passer la nuit dans la voiture, dit Olivia, vous devez prendre cette couverture.

Elle l'ôta et la lui tendit.

— Je ne pourrais pas, lady Olivia.

— J'insiste, dit-elle fermement en la lui jetant.

James aida Terrence à charger la charrette avec toutes les affaires qui restaient dans la voiture, hormis le panier de nourriture. Olivia se montra catégorique : le cocher devait le garder.

— Merci, dit-il. Miss Hildy a préparé votre chambre et vous attend. La vôtre est prête aussi, monsieur Averill, ajouta-t-il comme s'il y pensait après coup.

James grimpa dans la charrette à côté d'Olivia.

— Parfait. Lady Olivia sera en sécurité avec moi.

— Mais oui, bien sûr, dit le cocher.

Et, bien que la nuit soit tombée, James fut certain qu'il levait les yeux au ciel.

Il ne pouvait blâmer Terrence de douter de lui. Et il frémit en songeant à ce que Huntford penserait de la situation – s'il l'apprenait.

Le fermier barbu fit claquer ses rênes sur la croupe de ses mules et la charrette s'ébranla, roulant lentement dans la nuit mouillée de crachin. Olivia frissonna un peu, et James remonta sur ses épaules et ses jambes la couverture sur laquelle elle était assise. Elle paraissait mélancolique, triste et abattue.

— Je pensais ce que j'ai dit tout à l'heure, dit-il.

— Quoi ?

— Que je me soucie de vous.

— Parfois, vous avez une drôle de façon de le montrer.

— Je sais.

Mais il allait essayer de mieux faire. En commençant tout de suite.

12

Olivia n'avait jamais été aussi heureuse de voir une auberge.

Sa robe – ou ce qu'il en restait – était trempée et la glaçait jusqu'aux os. Des bouts de paille s'accrochaient à la boue sur ses vêtements et dans ses cheveux. Elle avait perdu une pantoufle, et l'autre comprimait tellement son pied enflé qu'elle serait sans doute obligée de la découper.

Mais le pire de tout, c'était que son cœur se brisait.

James n'était peut-être pas l'homme qu'elle avait imaginé. L'homme dont elle avait rêvé ne serait pas devenu froid et distant simplement parce qu'elle avait posé une question innocente au sujet d'une lettre.

Tout ce qu'elle souhaitait, c'était enfiler une chemise de nuit propre, s'enfouir dans un lit et remonter les couvertures sur sa tête jusqu'au matin.

James la porta jusque dans l'auberge, et même si être traitée comme une invalide la piquait dans sa fierté elle était trop fatiguée pour protester. Il la porta dans l'étroit escalier et le long du couloir, jusqu'à sa chambre, sans la moindre difficulté. Hildy ouvrit la porte, jeta un regard à Olivia et se mit à s'agiter comme une mère poule affolée.

— Oh ! mon Dieu. Posez-la sur le lit. Non, pas sur les draps. Mettez-la sur la chaise, rectifia-t-elle comme si Olivia était un chiot rentré de la cour avec les pattes sales.

Pendant que la soubrette fouillait dans la valise d'Olivia, James l'installa avec douceur sur une chaise de bois et caressa sa joue du revers de ses doigts.

— Je vais faire envoyer de l'eau chaude pour un bain et appeler un médecin.

— Un bain semble merveilleux, dit-elle, mais attendons demain matin avant de faire venir le médecin. Ma cheville ira probablement beaucoup mieux d'ici là.

Il lui jeta un regard sceptique, mais ne discuta pas. À la place, il agita un doigt et dit sévèrement :

— Pas de marche.

— Flûte. Voilà qui gâche mes plans de danser toute la soirée.

— Lady Olivia ! la gronda Hildy.

On aurait pu penser que sa soubrette était habituée à ses plaisanteries, depuis le temps…

James sourit.

— Je vous laisse, mais je serai dans ma chambre si vous avez besoin de quoi que ce soit.

Hildy le fit sortir et referma la porte derrière lui. Puis elle ôta avec précaution toutes les couches de vêtements d'Olivia et jeta chaque effet par terre, en un tas fripé. Ensuite, elle la frictionna avec une serviette et l'aida à enfiler une robe de chambre douce et propre.

Olivia soupira.

— Merci.

— Il ne reste plus qu'une petite affaire à régler, dit Hildy.

Ah, oui. La pantoufle. Mais elle n'avait rien de « petit », étant donné que son pied informe l'avait élargie bien au-delà de sa taille normale.

— Essayons vos ciseaux de couture, suggéra Olivia.

Hildy les prit, s'agenouilla à côté de son pied et commença à couper avec soin. C'était une tâche ardue pour elle comme pour Olivia. L'étoffe était épaisse, et la plus légère secousse faisait grincer des dents à Olivia. Au bout d'un quart d'heure, de la sueur perlait sur son front ; elle s'agrippait des deux mains au bord de la chaise.

— On y est presque, dit Hildy.

Puis elle sépara les deux moitiés de la pantoufle comme une coquille de moule.

Le pied d'Olivia était libéré. Elle remua ses orteils – autant que l'enflure le permettait – et sentit le sang y revenir. La douleur lui donna envie de hurler, au début, mais au bout d'une minute les lancements s'atténuèrent et elle se détendit.

— J'entends quelqu'un dans le couloir, dit Hildy. Ce doit être votre bain.

Elle passa la tête par la porte et fit signe à deux servantes d'entrer. L'une portait une baignoire-sabot, l'autre une pile de linges. Elles plièrent un drap en deux et l'étalèrent par terre avant de placer la baignoire dessus.

— L'eau chauffe, milady, déclara une fille au visage rougeaud. Nous vous l'apporterons bientôt.

Fidèles à leur parole, elles revinrent peu après, portant chacune deux seaux. Elles mélangèrent l'eau fumante à de l'eau plus fraîche, versant petit à petit jusqu'à ce que la température soit bonne. La fille la plus grande présenta un pain de savon et laissa un seau d'eau près de la baignoire pour le rinçage.

Hildy mit quelques brins de lavande dans l'eau, et le parfum apaisant emplit la chambre. L'eau paraissait si tentante et sentait si bon qu'Olivia se mit debout et commença à sautiller vers la baignoire.

— Faites attention, dit Hildy en se précipitant à son côté. Il ne faudrait pas vous rompre le cou, en plus.

Olivia parvint à quitter sa robe de chambre en se tenant à sa soubrette, puis celle-ci l'aida à monter dans la baignoire. Elle se frotta la peau jusqu'à ce qu'elle soit rose, et ensuite se lava les cheveux et les rinça. Se sentir propre était merveilleux.

— Je vais juste faire trempette un peu plus longtemps, dit-elle à Hildy.

Elle s'adossa à la baignoire, ferma les yeux et laissa l'eau chaude qui clapotait la plonger dans une agréable torpeur.

— Je vais vous faire monter le dîner, annonça la soubrette. Ne vous avisez pas de sortir de ce bain avant mon retour.

— Je n'y songerais pas, répondit Olivia. J'ai l'intention de rester dedans jusqu'à être ridée comme un pruneau.

Hildy lui adressa un sourire sceptique.

— Vous ne me faites pas confiance ?

Olivia posa une main sur son cœur, comme si elle était blessée.

— Nous sommes dans une auberge, à des miles de chez votre tante Eustace – où le duc pense que nous sommes, répondit la soubrette. Et vous avez beau dire que M. Averill est un gentleman, eh bien… j'ai vu comment il vous regarde.

Soudain intéressée, Olivia releva la tête.

— Et comment M. Averill me regarde-t-il ?

— Comme s'il était à moitié entiché de vous et à moitié furieux contre vous.

Hildy se faufila dans le couloir. Juste avant de refermer la porte, elle ordonna :

— Ne bougez pas de là !

Olivia ravala la réplique qu'elle avait sur les lèvres et s'enfonça davantage dans l'eau, qui maintenant était tiède. Elle les avait tous mis dans une fieffée situation.

Ses décisions irresponsables avaient conduit à la bagarre de James, à sa cheville foulée et à l'essieu fendu de la voiture. Il semblait injuste qu'après tout cela – alors qu'elle essayait de bien se conduire – le sort ait conspiré contre elle et l'ait laissée seule avec James dans la voiture durant plusieurs heures.

Et, bien qu'elle se soit évertuée à faire ce qu'il fallait, elle aurait dû être une sainte pour ne pas succomber à des charmes aussi puissants que les siens.

Au moins, elle faisait de son mieux pour rectifier les choses. Avec un peu de chance, elle serait chez sa tante avant que quiconque de sa famille n'apprenne quoi que ce soit. Et, même si elle était heureuse qu'aucun d'eux ne soit là pour la voir tomber en disgrâce – ce qui, d'une manière ironique, incluait une vraie chute –, Rose, Anabelle et Daphne lui manquaient terriblement. Même Owen lui manquait – en dépit du fait qu'il aurait été fou furieux s'il, avait su où elle était et ce qu'elle avait fait.

Oh ! bon. Elle ne pouvait rien y changer ce soir. Ils devraient arriver chez tante Eustace le lendemain soir, ou à coup sûr le surlendemain.

Et, lorsqu'elle y serait, elle essaierait de définir ce qu'elle ferait du reste de sa vie – une vie sans James.

Espérant somnoler jusqu'au retour d'Hildy, Olivia ferma les yeux, mais le souvenir des baisers brûlants de James et de ses caresses troublantes envahit son esprit. La passion qui avait jailli entre eux était plus grande que ce qu'une jeune fille avec son expérience limitée aurait pu imaginer.

Et elle s'était imaginé pas mal de choses au fil des années. Mais, même si elle se considérait comme une experte en fantasmes, tous ses rêves à propos de James et elle avaient été balayés par la réalité à couper le souffle d'eux deux ensemble. Il n'y avait pas eu de draps de soie ni de bougies romantiques, mais il l'avait fait se sentir comme une princesse – belle, importante, vénérée. Sa façon de la toucher avait fait vibrer tout son corps de plaisir.

En cet instant même, ses tétons se durcissaient à ce souvenir. L'eau qui refroidissait clapotait sur son ventre, et une pulsation suave naquit au creux de sa personne. Elle glissa une main entre ses jambes et se toucha du bout des doigts, puis inspira au frisson qui la parcourut.

Elle saisit les bords de la baignoire et s'assit bien droite. Ces sensations, nouvelles et puissantes, étaient trop liées au souvenir de son après-midi avec James. Elle ne pouvait les explorer maintenant – pas alors qu'elle se sentait si à vif, si rejetée.

Elle voulait sortir du bain. Tout de suite. Mais elle avait promis à Hildy de ne pas bouger, alors elle attrapa une serviette et se mit à se frotter les cheveux, petit bout par petit bout. Lorsqu'ils furent aussi secs que possible, elle jeta la serviette sur ses épaules, ramena ses genoux contre elle et passa ses bras autour.

Il lui semblait qu'Hildy était partie depuis des siècles, mais un quart d'heure était probablement plus proche de la vérité. Néanmoins, Olivia était sûre que, si elle passait encore cinq minutes dans la baignoire, ses pieds se changeraient en queue de poisson et des écailles lui pousseraient sur les jambes.

Elle allait juste sortir du bain, enfiler sa robe de chambre et attendre patiemment sur la chaise qu'Hildy revienne. Quel mal pouvait-il lui arriver ?

Elle se dressa avec lenteur au milieu de la baignoire, en équilibre sur son pied valide. Elle ne pouvait guère sauter à cloche-pied hors du tub – bien qu'elle l'ait envisagé un instant –, alors elle décida qu'elle devrait brièvement faire porter son poids sur son pied sensible. N'étant pas du genre à tergiverser, elle leva sa jambe au pied enflé et maintenant légèrement violet par-dessus le bord de la baignoire et le posa avec précaution sur le linge étalé par terre.

Elle se mordit la lèvre, compta mentalement jusqu'à trois et sortit du bain, s'appuyant sur sa cheville foulée.

La douleur irradia dans sa jambe, mais elle s'y attendait. Ce quelle n'avait pas prévu, c'était que ladite cheville pourrait ne pas supporter son poids.

Sa jambe fléchit sous elle et, tandis qu'elle roulait par terre, le pied qui était encore dans le tub en accrocha le bord et renversa la baignoire avec fracas. De l'eau tiède et légèrement savonneuse se répandit partout, trempant la serviette et formant une flaque impressionnante sur le sol.

Flûte.

Sa hanche gauche avait supporté le choc de sa chute, et elle lui faisait si mal qu'Olivia dut inspirer et souffler par le nez pour s'empêcher de pleurer. Juste ciel, elle devait être la personne la plus maladroite d'Angleterre.

Un bruit de pas résonna dans le couloir, et on frappa du poing à la porte.

— Olivia !

C'était James, bien sûr.

— Allez-vous bien ?

L'inquiétude dans sa voix fit tressauter son cœur dans sa poitrine.

— Oui, mentit-elle.

— J'ai entendu quelque chose tomber. Pourquoi dirait-on que vous êtes par terre ?

— J'ai trébuché. Ce n'est rien.

Sa voix se fêla sur le dernier mot.

— J'entre.

Il secoua la poignée, mais la porte était fermée à clé.

Il voulait entrer ? Olivia s'assit, sa hanche meurtrie oubliée. Où était sa serviette ?

— Ce n'est pas la peine. Hildy va bientôt revenir.

— Vous êtes seule ?

Il semblait horrifié.

— Éloignez-vous de la porte.

Boum. La porte trembla dans son cadre et le bois autour de la poignée éclata légèrement. Olivia attrapa la serviette trempée et s'enroula dedans du mieux qu'elle put, mais elle atteignait à peine le haut de ses cuisses.

— James ! cria-t-elle. Je n'ai pas besoin de secours !

— Je crois que si.

Boum. Cette fois, la porte s'ouvrit à la volée, et James fut propulsé dans la chambre comme lancé par une catapulte. Ses bottes atterrirent dans l'eau savonneuse qui couvrait le sol et ses pieds dérapèrent sous lui. Ses membres gesticulèrent dans les airs l'espace d'une seconde, puis il s'affala par terre à côté d'elle, grognant sous le choc. Il n'avait pas sa redingote et ses manches de chemise étaient remontées, exposant des avant-bras nerveux. Un air ahuri écarquilla ses yeux vert mousse.

Lentement, il se redressa et cligna des paupières.

— Vous êtes nue.

La peau d'Olivia s'échauffa – contrastant fortement avec la serviette froide et mouillée drapée sur sa poitrine. Mais elle avait sa fierté, bonté divine ! Elle haussa le menton et secoua ses boucles humides.

— Si vous m'en aviez laissé l'occasion, je vous aurais dit que je ne recevais pas.

Bon sang. Olivia était étalée par terre à côté de lui, et la serviette drapée autour d'elle ne laissait pas grand-chose à son imagination. Il pouvait voir sous le linge humide la pointe durcie de ses seins et la douce courbe de sa hanche. Et, surtout, il y avait ses jambes nues et soyeuses qui en sortaient. Les parfums suaves de la lavande, du savon et d'Olivia elle-même emplissaient sa tête. C'était presque assez pour lui faire oublier pourquoi il avait enfoncé sa porte. Il se secoua mentalement.

— Le vacarme que j'ai entendu du couloir était aussi fort qu'une rixe du samedi soir dans une taverne. Je me suis inquiété.

D'accord, c'était peu dire. Il l'avait imaginée coincée sous une lourde coiffeuse ou étalée dans une flaque de sang – et il avait paniqué. Cette panique, farouche, l'avait propulsé à travers sa porte. Maintenant qu'il constatait qu'elle était entière, ou à peu près, il pouvait respirer de nouveau. Presque.

— Comment vous êtes-vous retrouvée par terre ?

— Comme vous, répondit-elle simplement. Un instant j'étais debout, et le suivant…

Elle agita un bras mince.

Il prit sa joue dans sa main.

— Êtes-vous blessée ? En dehors de votre cheville, je veux dire.

Elle hésita, comme si elle débattait de ce qu'elle devait révéler.

— Ma hanche est un peu meurtrie.

Le regard de James alla à sa hanche gauche, qu'elle tapotait de la main. Bien que tenté d'enlever la serviette et de vérifier par lui-même, il se retint.

Il se retenait de faire un tas de choses, à vrai dire, comme embrasser ses lèvres pleines, passer les mains sur son corps délectable, la soulever dans ses bras et la porter sur le lit à quelques mètres de là.

Mais la porte de sa chambre était béante, pendant à ses gonds. Il passa son pouce sur la peau lisse de sa joue, puis laissa tomber sa main à regret et s'accroupit.

Olivia resserra la serviette autour d'elle.

— Que faites-vous ?

Au lieu de répondre, il la souleva avec soin et se leva. Elle garda une main sur la serviette et passa l'autre autour de son cou.

— La chaise ou le lit ? demanda-t-il.

— La chaise, répondit-elle vivement.

Il la porta jusqu'à la chaise à dossier droit et la déposa dessus avec précaution – pour la deuxième fois de la soirée. La serviette s'accrocha un instant à son bras, lui permettant d'apercevoir ses fesses avant qu'elle ne la remette en place.

Mais il lui restait pas mal de choses à regarder. Ses longues mèches châtaines, humides, tranchaient sur la peau claire de ses épaules. De sa position au-dessus d'elle, il pouvait presque distinguer sous la serviette la vallée entre ses seins ronds. Elle était assise dans une posture très sage, les chevilles croisées. Sa pose aurait été parfaitement convenable si ses jambes n'avaient pas été nues – jusqu'en haut des cuisses. Le sexe de James se durcit et, pendant un instant, il resta là à la fixer comme un idiot.

Elle haussa un sourcil et désigna un vêtement de soie rose posé sur le lit.

— Voudriez-vous me donner ma robe de chambre ?

— Bien sûr.

Sapristi, il aurait probablement dû y penser.

Il alla à grands pas jusqu'au lit, prit le peignoir léger et était sur le point de le tendre à Olivia quand un hurlement déchira l'air.

Ils se tournèrent vers la porte et virent Hildy debout sur le seuil, les mains pressées sur ses joues d'un air horrifié.

— Tout va bien, assura Olivia d'un ton apaisant. M. Averill a pensé à tort que j'étais en difficulté…

— Oui, c'était bien sot de ma part, lâcha-t-il en levant les yeux au ciel.

— … et il a essayé de me venir en aide.

— La… la porte, bredouilla Hildy.

Le visage de James s'échauffa.

— Je vais parler à l'aubergiste pour qu'il vous donne une autre chambre. De fait, je pense que je vais y aller tout de suite.

Il fit deux pas en direction de la porte.

— Un instant, monsieur.

Hildy lui barra le passage, et son regard sévère se posa sur son poing, qui serrait de la soie rose et vaporeuse.

— Ah, mes excuses, fit James en lui tendant le peignoir.

— Vous pouvez surveiller la porte, dit froidement la soubrette, pendant que j'aide lady Olivia à enfiler ce vêtement.

Docile, il prit son poste et s'efforça de ne pas penser à Olivia complètement nue derrière lui.

— Voilà, annonça Hildy quelques instants plus tard. Vous pouvez vous retourner, monsieur Averill.

Olivia portait à présent sa robe de chambre et *une* pantoufle. La soubrette avait aussi ôté la courtepointe du lit et l'avait posée sur sa maîtresse – comme protection supplémentaire.

Tout bien considéré, ce n'était pas une mauvaise idée.

— Je vous fais mes excuses pour le désordre et les dégâts, déclara James. Je vais m'en occuper tout de suite.

— Attendez, je vous prie.

La soubrette, fatiguée, s'assit sur le bord du lit.

— Qu'y a-t-il, Hildy ? demanda Olivia d'une voix soucieuse. Vous ne semblez pas bien.

— Je vais bien, milady. Mais j'ai parlé à Terrence quand j'étais en bas, et il m'a donné des informations qui nous affectent tous.

Les cheveux de James se dressèrent sur sa nuque.

— Qu'est-il arrivé ?

Il s'attendait à moitié à ce qu'elle dise que Huntford avait découvert où ils étaient et conduisait un régiment de l'armée britannique pour venir les chercher.

— C'est la voiture, poursuivit la soubrette désespérée. L'essieu ne peut pas être réparé, il doit être changé. Cela prendra deux jours au moins.

13

Amulette : *1) Un talisman porté par les anciens Égyptiens pour écarter le Mal, à la fois pendant leur vie et après. 2) Un objet porte-bonheur, comme dans la phrase : « La journée qu'Olivia venait de subir prouvait qu'elle avait besoin d'une puissante amulette – et peut-être d'un verre de cognac. »*

— Nous allons être coincés ici pendant *deux jours* ? s'écria Olivia.

À l'autre bout de la pièce, James pâlit, apparemment pas plus enthousiaste qu'elle à la perspective de passer deux voire peut-être trois nuits dans cette auberge. Mais son expression était redevenue pensive lorsqu'il redressa la baignoire et jeta la serviette trempée dedans.

— Je conviens que la situation n'est pas idéale, dit-il. Mais, au moins, vous pourrez reposer votre cheville. Demain matin à la première heure, j'irai chercher un médecin afin qu'il examine votre pied et votre hanche.

— Votre hanche ? s'exclama Hildy. Qu'est-il arrivé à votre hanche ?

Olivia décocha à James un regard qui disait « merci beaucoup », puis se tourna vers sa soubrette.

— Rien de grave. Toutefois, j'avoue que si je ne mange pas quelque chose bientôt je pourrais m'effondrer.

Le changement de sujet suffit à distraire Hildy.

— J'ai demandé qu'un plateau vous soit monté.

— Pourquoi ne prenez-vous pas ma chambre, pour le moment ? offrit James. Je pourrais vous y transférer avec toutes vos affaires.

Olivia n'était pas sûre d'apprécier d'être mise dans le même sac que sa valise, comme quelque chose à « transférer ».

— Merci. C'est très aimable à vous.

James haussa les épaules et jeta un coup d'œil à la porte fracturée derrière lui.

— C'est le moins que je puisse faire.

Olivia ne put s'empêcher de fixer les larges épaules qui avaient enfoncé sa porte et le morceau de peau attirant dévoilé par le col ouvert de James. Il était bien dommage qu'il n'ait pas été torse nu quand il avait fait irruption dans sa chambre.

Après la journée qu'elle avait endurée, lui offrir un James à moitié dévêtu semblait être le moins que le destin aurait pu faire.

Olivia se réveilla le lendemain matin dans le lit de James. Peu importait qu'il ne soit pas dedans. Ou qu'il n'ait pas eu l'occasion d'y dormir. Penser que ce lit était le sien l'émoustillait.

Hildy écarta les rideaux de la petite chambre, laissant entrer beaucoup trop de lumière pour l'heure matinale.

— Je suis contente que vous soyez réveillée, dit-elle – *comme si Olivia avait le choix !* Le médecin est en train de monter.

James n'avait pas perdu de temps, c'était le moins que l'on puisse dire, mais mieux valait se débarrasser de l'examen tout de suite, supposa-t-elle.

Une demi-heure plus tard, sa cheville était bandée. Ou plutôt tout son pied. Elle ne pouvait remuer un orteil, ce qui était sans doute une bonne chose. Hélas, il n'y avait pas une pantoufle au monde qui pourrait contenir son pied emmailloté. Elle pourrait au moins s'efforcer de le cacher sous sa robe. Sa hanche était meurtrie, mais il n'y avait rien à faire pour cela. Le médecin avait prédit qu'elle serait d'une belle nuance de vert d'ici la fin de la semaine.

Il lui avait ordonné de rester couchée pendant deux jours. Lorsqu'elle avait protesté, il avait accepté qu'elle puisse s'asseoir sur une chaise avec le pied relevé. Au bout de deux jours – si elle n'en faisait pas trop –, elle pourrait marcher avec des béquilles. Bien sûr, elle n'avait pas pensé à emporter des béquilles dans cette petite excursion, alors le médecin lui donna le nom et l'adresse d'un menuisier qui pourrait lui en fabriquer.

Une fois qu'il fut parti, Hildy l'aida à enfiler une robe jaune toute simple mais jolie, puis passa un ruban blanc dans ses boucles brunes. Olivia dut reconnaître que l'effet était assez charmant, et représentait un gros progrès par rapport à la robe boueuse et déchirée qu'elle portait la veille au soir.

La soubrette posa ensuite un coussin sur le siège d'une chaise de bois et installa avec soin le pied bandé d'Olivia dessus.

— Aimeriez-vous lire votre livre pendant que je m'occupe du petit déjeuner ?

Olivia jeta un regard nostalgique à la belle matinée ensoleillée qui lui faisait signe derrière la fenêtre.

— Pas de petit déjeuner pour moi, Hildy. Mais, quand vous aurez mangé quelque chose, voudriez-vous je vous prie demander à Terrence d'aller commander mes béquilles ? Même si je ne suis confinée dans ma chambre que depuis une demi-heure, je me sens déjà comme un oiseau en cage.

— Bien sûr, répondit la soubrette d'un ton compatissant.

Elle mit l'adresse du menuisier dans sa poche.

— Je vais aller avec lui. Je pourrai servir de modèle pour les mesures.

Olivia sourit.

— Merci. Rien que de savoir qu'elles ont été commandées me réconfortera pendant que je suis coincée ici. Je dois dire que la situation m'ennuierait beaucoup moins si j'étais quelque part où je suis censée me trouver – comme chez tante Eustace. Ou à la maison.

— Eh bien, lady Olivia, vous sembliez presque avoir le mal du pays, à l'instant, plaisanta Hildy. Pensez simplement à cette dernière épreuve comme à une autre partie de votre grande aventure.

Elle fit un clin d'œil et tendit un livre à Olivia.

— L'important, c'est que nous vous remettions sur pied et vous conduisions chez votre tante aussi rapidement que possible. Entre-temps, il ne peut pas vous arriver grand-chose ici, dans votre chambre.

La soubrette jeta une cape sur ses épaules et se dirigea vers la porte.

— Je serai de retour avant le déjeuner. Essayez de vous reposer, jusque-là.

— J'essaierai, dit résolument Olivia.

Mais, en vérité, elle n'avait guère le choix.

Elle fixait son livre depuis trois minutes, lorsqu'on frappa à la porte. Elle mit par réflexe son pied par terre comme pour se lever, puis se ressaisit.

— Qui est-ce ? lança-t-elle.

— James.

Le timbre grave de sa voix fit bondir le cœur d'Olivia.

— Je suis curieux de savoir ce que le médecin a dit.

Elle attrapa le châle à franges posé sur le dos de sa chaise et le jeta sur son pied bandé. Maudite vanité.

— Dois-je tout vous raconter à travers la porte, ou préférez-vous entrer ?

James tourna la poignée – Olivia n'était même pas sûre que la porte n'était pas fermée à clé – et il pénétra dans la chambre, cachant un paquet dans son dos.

— Est-ce que je vous dérange ?

Elle soupira.

— Pas du tout. Hildy est allée faire une course. J'essaie d'imaginer comment je vais survivre, enfermée dans cette pièce pendant deux jours.

— Les ordres du médecin ?

Elle hocha la tête, et il lui tendit le paquet plat, enveloppé dans du papier brun.

— Voilà de quoi vous distraire, dit-il.

Tandis qu'elle l'ouvrait, il s'assit sur le bord du lit, l'air plein d'espoir – et plus beau qu'aucun homme n'avait le droit de l'être.

Le papier tomba, révélant plusieurs feuilles de vélin crème et un petit paquet de fusains. Une drôle de chaleur irradia dans le ventre d'Olivia.

— Quelle charmante attention ! s'exclama-t-elle.

C'était le premier cadeau que James lui faisait.

Il désigna les fournitures d'un geste de la main.

— Cela vous aidera peut-être à passer le temps.
— Où avez-vous trouvé ces choses ?
— Dans une boutique du village. J'avais besoin de m'occuper pendant que le médecin vous examinait, alors je suis sorti me promener.
Il fronça les sourcils d'une façon adorable, et si Olivia n'avait pas été mieux fixée elle aurait pensé qu'il s'était inquiété. Pour elle.
— Merci.
Même si le papier et les fusains étaient des présents tout simples, elle les préférait à des bijoux. Enfin, presque.
Il se pencha en avant, les coudes sur les genoux.
— Votre cheville… Est-elle cassée ?
— Une entorse. Je suppose que cela me va bien.
Elle avait seulement voulu se montrer légère, mais James saisit une de ses mains et la serra dans les siennes.
— Ne dites pas cela. Je suis à blâmer aussi, et je vais me racheter vis-à-vis de vous.
Juste ciel ! C'était de plus en plus intéressant.
— Comment vous proposez-vous de le faire ?
Sa paume un peu rêche caressait le dos de sa main, faisant naître une sensation très agréable dans tout le corps d'Olivia.
— Je pourrais vous tenir compagnie – jusqu'à ce que vous vous lassiez de moi.
Elle essaya de s'imaginer se lassant de James… et n'y parvint pas. Soudain, son immobilisation ressembla moins à une punition et plus à un rêve. L'entière attention de James pendant deux jours complets ? Elle ne pouvait songer à rien de plus alléchant !
— Très bien.

Elle lui décocha un sourire impertinent.

— Vous pouvez commencer à me distraire tout de suite.

*
* *

L'esprit de James s'envola vers plusieurs activités qui seraient très distrayantes pour eux deux. Il déglutit avec quelque difficulté.

— Qu'aimeriez-vous faire ?

Elle haussa un sourcil d'un air suggestif, et cela suffit à le rendre dur. *Sapristi.*

Il se leva et se passa une main dans les cheveux.

— Aimeriez-vous essayer les fusains ? Je pourrais réunir quelques objets à dessiner. Peut-être un pichet, ou des fruits…

— Des fruits ?

Il haussa les épaules.

— Ce n'est pas ce que les gens dessinent, habituellement ?

— Peut-être, mais je ne trouve pas les pommes ou les oranges particulièrement… inspirantes. En tant qu'artiste, je veux dire.

— Vous préféreriez un paysage ?

Il alla à la fenêtre, écarta le rideau usé et contempla la cour de l'auberge, en grande partie vide. Quelques arbres décharnés bordaient l'espace, mais la principale caractéristique de l'endroit était malheureusement la boue.

— Je crains qu'il n'y ait pas une vue formidable.

— Croyez-vous ? demanda Olivia d'un air malicieux.

Il se tourna et la trouva en train de l'observer avec un grand sourire, comme s'il était une sculpture qu'elle était tentée d'acheter. Son regard se promena sur son torse, ses hanches et ses jambes, jusqu'à la pointe de ses bottes. Elle se pencha même sur la gauche comme si elle essayait de voir son postérieur.

Bonté divine.

Il se mit les mains sur les hanches et attendit que les yeux d'Olivia remontent jusqu'aux siens. Ce qu'ils firent – après une ou deux autres petites escapades.

— Si vous ne voulez pas dessiner des fruits, je suis sûr que je pourrais trouver un bouquet de fleurs. Et peut-être une étoffe intéressante à draper derrière ?

— Ce n'est pas la peine, dit-elle en souriant. J'ai tout ce qu'il me faut. Pourquoi ne tirez-vous pas cette chaise ?

— Vous n'avez pas l'intention de…

— Bien sûr que si. Ne me dites pas que vous n'avez encore jamais posé pour un croquis.

Elle désigna d'un geste la chaise dans le coin.

— Asseyez-vous donc dans ce joli rayon de lumière.

Il commença par regimber, mais une promesse était une promesse. En outre, il n'avait rien à faire, aucun endroit où aller. Alors il tira la chaise sur le plancher et s'assit.

— Je ne pense pas que je ferai un très bon modèle.

L'idée d'être assis là, à observer Olivia en train de faire de même, avec rien pour le distraire à part ses yeux langoureux, sa bouche qui appelait les baisers et les rondeurs tentantes de ses seins, cela ressemblait à une torture. De l'espèce la plus agréable, peut-être, mais une torture quand même.

— Sottise.

Elle pencha la tête de côté et fit la moue.

— Essayez de passer votre bras droit sur le dossier de la chaise.

Il ouvrit la bouche pour objecter, mais, quand il vit la grosse masse de son pied qu'elle tentait de cacher sous son châle, il soupira et fit ce qu'elle lui demandait.

— Maintenant, posez votre cheville droite sur votre genou gauche.

— Comme ceci ?

— Pas mal... mais je pense que nous pouvons faire mieux.

— Ah oui ?

— Faites comme si vous étiez à votre club. Comment vous assiériez-vous si vous vouliez vous y détendre, un soir ?

— Je ne sais pas. Comme ceci, je suppose.

Il étendit les jambes et croisa ses chevilles.

Elle le parcourut de nouveau du regard, lentement.

— Cela ira, fit-elle d'une voix un peu altérée. Oui, je pense que je peux travailler là-dessus.

Elle replia sa jambe gauche, y appuya les feuilles et leva un morceau de fusain.

— J'espère que vous êtes à l'aise, dit-elle avec un grand sourire, parce que je pense que cela prendra un moment.

Elle était assise à pas plus de deux mètres, et l'étudiait comme si elle avait besoin de tout graver de lui dans sa mémoire. Si quelqu'un d'autre qu'Olivia l'avait examiné ainsi, la situation aurait été gênante, mais avec elle cela semblait... naturel. Pendant plusieurs minutes, aucun d'eux ne parla. Une brise chaude soulevait les cheveux de James et le bord des feuilles d'Olivia. Dans la cour, sous la fenêtre, le personnel de l'auberge allait et venait, lançant des saluts, chargeant des chariots et attelant des chevaux. L'agitation qui régnait un étage plus bas offrait un vif contraste avec l'intimité silencieuse de la pièce.

Enfin, elle commença à bouger sa main en travers du papier, en traçant des arcs. Tandis qu'elle travaillait, elle se passait le bout de la langue sur le coin de la bouche. James avait envie de la taquiner à ce sujet, mais s'il le faisait elle pourrait s'arrêter. Et il ne voulait pas qu'elle change quoi que ce soit, pas même ce petit détail. Ni pour lui ni pour personne.

Et, pendant que son attention était rivée sur la feuille, il saisit l'occasion de l'étudier à son tour. D'habitude, elle était pareille à un papillon, toujours en mouvement. Mais pas ce jour-là. Là, elle était assez immobile pour qu'il puisse apprécier sa peau soyeuse, ses cils épais et ses courbes tentantes.

— Jouons à un jeu, dit-elle.

— Nous en avons fini avec le dessin ?

Plein d'espoir, il se pencha en avant. Elle lui fit signe de reprendre sa pose.

— Non, nous commençons juste. Nous pouvons jouer à ce jeu de nos places respectives.

— Très bien. Quelles sont les règles ?

La main d'Olivia s'immobilisa en l'air, et elle leva les yeux au ciel.

— Est-ce que tous les jeux doivent avoir des règles ?

Il grogna.

— Oui. Les choses seraient très hasardeuses, sans elles.

— Bon. Les règles sont très simples. Nous nous posons des questions chacun à notre tour. Et nous devons répondre sincèrement.

— Et, si nous refusons de répondre, y aura-t-il un gage ?

— Bien sûr.

Pensive, elle posa un doigt sur ses lèvres.

— Celui qui enfreindra les règles devra faire ce que l'autre lui demandera.

James souffla. Ne faisait-il pas *déjà* ce qu'elle voulait ?

— Par exemple ?

Elle eut un rire voilé qui fit naître une drôle de chaleur au fond de lui.

— Servez-vous de votre imagination.

Il le faisait déjà, sapristi !

— Les dames d'abord.

Il garda un ton léger, mais son cœur battait plus vite. Si elle le questionnait sur son enfance ou sa famille…

Posant son fusain sur la table à côté d'elle, Olivia demanda :

— Avez-vous déjà été amoureux ?

Il respira. Il pouvait s'arranger de cette question.

— Une fois. Miss Mary Newton. Elle avait de magnifiques yeux bleus qui se plissaient aux coins quand elle riait, et elle riait de toutes mes plaisanteries…

— Vous ne faites pas de plaisanteries, coupa Olivia, les sourcils froncés.

— Peut-être pas, mais Mary me trouvait très spirituel. Et elle trouvait ma fascination pour les antiquités charmante. J'avais dix-neuf ans et elle aussi. Tout le monde pensait que nous serions parfaits ensemble.

— Mais vous ne l'étiez pas ?

James se remémora le jour où Mary avait rencontré son frère. Il s'était efforcé de la préparer en douceur aux mouvements spasmodiques de Ralph et à son élocution ralentie, mais en le voyant elle n'avait pas pu cacher sa répulsion. Elle avait fondu en larmes et était sortie de la maison en courant comme si Ralph était un monstre, hideux et inhumain.

C'était alors qu'il avait su que Mary n'était pas faite pour lui.

Olivia se pencha en avant, attendant sa réponse.

— Non. Nous n'étions pas destinés l'un à l'autre.

— Pourquoi ? A-t-elle rompu, ou bien est-ce que c'est vous ?

James secoua la tête.

— Vous avez déjà eu votre question. Maintenant c'est mon tour.

Elle souffla, frustrée, puis elle écarta les bras comme pour dire : « Allez-y, ne vous gênez pas. »

— Je suis prête.

— J'ai besoin de réfléchir, admit-il.

Que demander à la jeune fille qui avait toujours été un livre ouvert ? Il savait presque tout d'elle. Du moins le pensait-il.

— Si vous pouviez revenir en arrière et effacer une chose que vous avez faite, quelle serait-elle ?

14

Olivia soupesa la question de James. Elle avait fait un tas de choses qu'elle aimerait pouvoir effacer – dont trois rien qu'au cours de la semaine précédente, pour être honnête. Mais si elle ne pouvait n'en effacer qu'une ? Bien sûr, elle souhaitait avoir mieux protégé Rose de la laideur des liaisons de leur mère et du suicide de leur père. Mais elle savait que ce n'était pas ce que James demandait.

Il voulait savoir laquelle de ses *propres* actions elle aimerait le plus supprimer.

Elle remua sur sa chaise.

— J'aimerais prendre le gage.

James se leva et marcha vers elle. Elle s'empressa de retourner la feuille – celle qui était censée porter les débuts d'un croquis – sur ses genoux. Il s'assit sur le bord du lit, à une longueur de bras d'elle. Elle pouvait presque sentir ses cheveux cendrés entre ses doigts, la peau légèrement rêche de ses joues sous ses paumes.

— Et moi qui vous croyais courageuse, dit-il.

— Je le suis.

Elle battit des cils.

— Je ferai ce que vous demandez. Quoi que vous vouliez.

— Si vous étiez vraiment courageuse, vous répondriez à ma question. Pour vous, un gage est moins redoutable que la vérité.

Il avait raison, saperlipopette.

— Je n'aime pas y penser – à ce regret que j'ai. C'est… douloureux. En outre, je crains que vous ne me preniez pour quelqu'un d'horrible, ensuite. Et je ne pourrais pas le supporter.

James sourit, la faisant fondre aussitôt à l'intérieur.

— Vous ne pourriez rien me dire qui me fasse penser que vous êtes quelqu'un d'horrible. Mais nous avons tous droit à nos secrets.

Il croisa les bras, et sa redingote se tendit sur ses larges épaules.

— Donc, ce sera un gage.

— Oui.

Olivia tremblait presque de plaisir anticipé. Que ce soit un baiser ou une caresse intime. Quelque chose qui satisfasse le désir qui s'enroulait dans son ventre.

Mais, alors, elle vit quelque chose briller dans les yeux de James. De la déception.

— Très bien, dit-il. Laissez-moi réfléchir…

— Attendez.

Olivia inspira vivement.

— Je vais répondre à la question. Non pas parce que je crains ce que vous pourriez me demander de faire, mais parce que vous avez raison. Dire la vérité – au moins dans ce cas – est plus difficile. Et je ne veux pas garder de secrets. Pas vis-à-vis de vous.

Les yeux verts de James se réchauffèrent, virant presque au brun, et il tendit le bras pour prendre sa main dans la sienne.

— N'ayez pas peur. Et faites-moi confiance – je ne suis guère en position de juger quiconque.

Elle prit une grande inspiration pour se donner du courage ; il hocha la tête pour l'inciter à parler.

— Comme vous le savez, ma sœur Rose est la personne la plus gentille et la plus douce que vous pourriez rencontrer. Elle était à un âge très vulnérable lorsqu'elle a été témoin, directement, de la liaison de ma mère. Et quand nous avons découvert le corps de mon père gisant dans une mare de sang dans son cabinet de travail.

James lui pressa la main.

— Je sais combien vous étiez proche de lui.

La gorge d'Olivia se serra, et elle déglutit avec peine avant de continuer.

— Rose a une force intérieure insurpassable, mais de dehors… eh bien, elle était brisée.

— Je me souviens combien votre frère était inquiet pour elle, et pour vous.

— Owen a essayé de nous protéger de son mieux, mais Rose ne pouvait simplement pas supporter la douleur. Elle s'est retirée en elle-même, et pendant très longtemps – près de deux ans – elle n'a pas parlé. Du moins à la plupart des gens. De temps en temps elle murmurait, mais seulement pour moi.

Olivia s'arrêta et ferma les yeux, pour se rappeler les détails de cette journée.

— C'était peut-être il y a trois ans. Rose et moi étions dans une boutique de modiste pleine de monde de Bond Street. Elle regardait des rubans à un bout du comptoir ; je jetais un œil à de la dentelle à l'autre bout. Deux jeunes dames jolies et élégantes ont engagé la conversation avec moi, et, même si je ne les connaissais pas, je souhaitais désespérément leur faire bonne impression. Nous avons discuté de bonnets et de gants pendant un moment, puis elles se sont mises à ricaner… de Rose. Elles l'avaient observée, voyant comment elle s'exprimait par gestes et ne parlait pas – même quand la boutiquière lui posait une question directe.

— Ah.

James hocha la tête avec sympathie.

— Olivia, vous n'êtes pas obligée…

— Si.

Maintenant qu'elle avait commencé à raconter l'histoire, elle avait besoin de finir. La honte enfla en elle et tout son corps trembla.

— Ces femmes se sont moquées de Rose. Elles l'ont traitée de phénomène et ont dit qu'une personne aussi instable qu'elle devrait sûrement aller à l'asile de Bedlam.

Elle chassa ses larmes d'un battement de cils et regarda James.

— Savez-vous ce que j'ai fait ?

Il déglutit et fit signe que non.

— J'ai ri.

Son ventre se crispa, la force de la culpabilité non atténuée par le temps.

— J'ai écouté leurs piques cruelles. Pire encore, j'ai fait comme si je ne connaissais pas ma propre sœur. La sœur qui n'avait toujours été que gentillesse et loyauté envers moi. Je ne pense pas que Rose soit au courant de ma trahison et je bénis le ciel pour cela. Mais *moi* je sais – et je devrai vivre avec ce remords le reste de ma vie.

Elle le regarda dans les yeux, craignant à l'avance ce qu'elle y lirait.

Mais, au lieu de censure et de déception, elle vit de la chaleur. Et peut-être même… de l'affection.

— Il est temps que vous cessiez de vous flageller, dit-il. La profondeur de vos regrets montre combien vous aimez votre sœur. Et, si Rose avait eu vent de l'incident, je ne doute pas qu'elle vous aurait pardonné.

Olivia esquissa un faible sourire.

— Une preuve de sa nature généreuse et indulgente.

— Oui. Mais elle ne pourrait souhaiter une sœur plus aimante que vous.

La chaleur du regard de James lui emballa le pouls.

— Merci de vous êtes confiée à moi.

Olivia soupira.

— Ce jeu était censé être un amusement, et je crains de l'avoir gâché avec ma pitoyable confession.

— Pas du tout. Je crois que c'est à vous de poser une question. Choisissez-en une bonne.

— Aimeriez-vous m'embrasser ?

Les mots étaient tombés de ses lèvres avant qu'elle ne puisse les retenir.

James rit tout bas, un son riche et profond qui fit vibrer le ventre d'Olivia.

— Est-ce une question, ou une invitation ?

Elle battit des cils, l'air candide.

— Une question, bien sûr. Et simple : aimeriez-vous m'embrasser ?

Il leva la main d'Olivia jusqu'à ce qu'elle soit à un pouce de ses lèvres. L'haleine de James, chaude et humide, joua sur sa peau sensible. Son regard alla à son visage, la faisant fondre par son intensité, tandis qu'il répondait.

— J'aimerais, en vérité, vous embrasser. J'aimerais faire beaucoup plus que vous embrasser, même.

— Comme… ?

— Tss-tss. C'est une autre question. Toutefois, je vais l'accepter. J'aimerais ôter vos épingles à cheveux et laisser crouler vos belles boucles brunes sur vos épaules. J'aimerais dénouer les lacets de votre robe et la faire glisser de votre corps. J'aimerais vous enlever votre camisole. Avec mes dents.

Le visage d'Olivia s'embrasa – ainsi que d'autres parties d'elle.

— Pourquoi ne le faites-vous pas, alors ?

L'éclat séducteur de ses yeux diminua légèrement, mais l'envie était toujours là.

— Parce que vous êtes une dame et que je suis un gentleman – même si je n'ai pas agi comme tel dernièrement. Parce que, si je vous embrassais, je ne voudrais jamais m'arrêter.

Il pressa ses lèvres sur le dos de sa main et ferma les yeux un bref instant avant d'ajouter :

— Parce que je pars pour l'Égypte dans quelques semaines, et que si je vous séduisais maintenant je serais le pire des vauriens.

Elle posa son papier à dessin par terre, jeta le châle qui cachait son pied sur le dossier de sa chaise et se mit debout sur son pied valide.

— Que faites-vous ? demanda James, d'un ton si incrédule que l'on aurait pu croire qu'elle avait passé une jambe par la fenêtre et s'apprêtait à sauter.

Olivia s'assit à côté de lui sur le lit, si près que leurs genoux se touchaient presque.

— J'avais besoin de quitter cette chaise.

Il regarda son pied bandé et fronça les sourcils.

— Laissez-moi approcher votre tabouret et…

Elle se pencha en avant et l'interrompit.

— Embrassez-moi.

Elle avait vaguement conscience de quémander, mais elle s'en moquait.

— Ou c'est moi qui vous embrasserai.

Il déglutit avec peine et ouvrit la bouche, probablement pour objecter. Elle devait agir vite, alors elle leva la main et tira sur le ruban blanc passé dans ses cheveux, pouce par pouce, jusqu'à ce qu'il soit libéré. Puis elle le lâcha sur les genoux de James. Pendant qu'il fixait la longueur de soie blanche, elle ôta quelques épingles et laissa ses boucles tomber dans son dos.

— Voilà.

Elle secoua la tête pour séparer les mèches ondulées.

— J'ai même fait une partie du travail pour vous.

— Juste ciel, Olivia.

Sur ces mots, James prit le visage de celle-ci entre ses mains et l'attira à lui. Leur désir explosa en un baiser farouche, affamé, brut. La langue de James, brûlante et insistante, se poussait dans la bouche d'Olivia, comme s'il voulait la réclamer pour sienne. Il coula les doigts dans ses cheveux et en saisit une poignée comme s'il craignait qu'elle puisse s'écarter.

Ce qui ne risquait pas d'arriver.

Elle avait attendu des années que James libère toute la force de sa passion. Pour elle. Elle avait su qu'elle était là, frémissant juste sous la surface, comme de la lave sur le point de faire éruption. Et maintenant elle avait enfin jailli.

Chaque fois qu'elle mêlait sa langue à la sienne, il gémissait. Il avait le souffle court, comme s'il était avide d'air – et d'elle. Elle ne l'avait jamais vu aussi dénué de contrôle, et cela l'enchantait.

Il passa les mains sur son corps, presque gauche dans sa hâte de la posséder. Lorsqu'il saisit avec rudesse un sein à travers sa robe, elle se pressa contre lui, soupirant tandis qu'il la caressait à travers des couches de soie sensuelle.

Quand ce ne fut plus suffisant, il fit glisser ses petites manches ballon sur ses bras et passa un doigt sur le décolleté échancré de son corselet. Puis il glissa une main à l'intérieur, s'empara d'un sein et en frotta la pointe sensible de sa paume.

— Olivia, dit-il d'une voix étouffée. Je vous désire si fort que j'oublie qui je suis et ce qui est bien.

— Je sais qui vous êtes, murmura-t-elle. Et ceci me paraît très bien, à moi.

— Cela ne rend pas les choses convenables pour autant.

Aussi abruptement que leur baiser avait commencé, il prit fin. James retira sa main de sa robe et la remit en place.

— Même si je ne quittais pas Londres, je ne vous conviendrais pas.

Elle inspira et retint son souffle, une vaine tentative pour atténuer la brûlure dans sa poitrine. Il était déjà assez douloureux de penser qu'une expédition avait condamné leur avenir ensemble. Mais à présent James insinuait qu'il y avait un autre obstacle au-delà de l'Égypte, et cette possibilité faisait dix fois plus mal.

Elle avait envie de le secouer jusqu'à ce qu'il voie les choses aussi clairement qu'elle.

— Comment pouvez-vous dire cela ? Je sais, moi, que vous me convenez. Pourquoi ne voulez-vous pas me croire ?

— Vous pensez tout savoir de moi. C'est faux.

Olivia empoigna sa chemise à deux mains.

— Alors éclairez-moi ! J'ai mis mon âme à nu pour vous, aujourd'hui. Pourquoi ne faites-vous pas la même chose ?

15

Pioche, piocher : *1) Un outil avec une tête en fer utilisé pour creuser le sol. 2) Choisir, comme dans : « Parmi tous les beaux gentlemen à marier de Londres, il fallait qu'elle pioche celui qui était catégoriquement décidé à partir pour l'Égypte. »*

James pouvait encore sentir le goût suave de la bouche d'Olivia, le poids parfait de son sein dans sa main. Son sexe, toujours dur, se pressait contre le devant de ses culottes.

Tout cela rendait sacrement difficile de suivre la plus simple des conversations.

Il essayait de faire ce qu'il fallait, mais Olivia ne semblait pas apprécier ses efforts. Elle serrait le devant de sa chemise comme si elle voulait l'étrangler et le regardait d'un air d'attente.

Posant ses mains sur les siennes, il avoua :

— Il est dur pour moi de me concentrer quand vous êtes aussi près. Voudriez-vous répéter la question ?

Elle ferma les yeux un bref instant comme pour rassembler sa patience.

— Je vous ai dit mon secret. Pourquoi ne voulez-vous pas me dévoiler le vôtre ?

Il était tenté de faire dévier la conversation vers un autre sujet ou de dire des généralités qui protégeraient sa fierté et préserveraient la bonne opinion qu'elle avait de lui. Mais elle méritait de connaître la vérité sur lui.

Sur deux points.

— Très bien.

Il lui lâcha les mains, et elles glissèrent de quelques pouces sur son torse avant qu'elle ne se reprenne et les place sagement sur ses genoux.

— J'écoute, dit-elle. Et ne vous inquiétez pas. Rien de ce que vous pourriez dire ne changera ma bonne opinion de vous.

Il se leva et se mit à aller et venir.

— C'est gentil, mais aussi naïf de votre part. Si j'avouais que j'ai tué quelqu'un ?

Elle eut un sourire serein.

— Vous ne l'avez pas fait. Mais, si vous l'aviez fait, je suis sûre que cela aurait été pour vous défendre.

Sa confiance en lui aurait dû lui donner de l'espoir ; à la place, elle le fit se sentir un imposteur. Il eut l'envie indigne d'un gentleman de la choquer – de dire quelque chose qui ébranlerait l'illusion dorée qu'elle se faisait de lui.

— Et si j'avais séduit une jeune dame et eu un enfant en dehors du mariage ?

Olivia en resta bouche bée pendant quelques instants, stupéfaite, avant de dire :

— Je ne vous ai jamais vu agir d'une façon déshonorable. S'il vous était arrivé de le faire, je sais que vous vous efforceriez de redresser les choses.

Elle le regarda, ses yeux bruns perplexes.

— Mais vous ne l'avez pas fait… n'est-ce pas ?

— Non. Je suis désolé, je…

Il marcha jusqu'à la fenêtre et regarda fixement dans la cour. Elle méritait son honnêteté. Ralph aussi.

— Ce n'est pas cela. C'est plus compliqué. Ma confession va vous sembler étrange, mais je… j'ai un frère.

Rien que prononcer ces mots lui coûtait.

— Vraiment ?

Dans la voix d'Olivia se mêlaient l'étonnement et la joie.

— Owen le connaît-il ? Pourquoi n'en avez-vous jamais parlé ?

— Personne n'est au courant. Je me suis donné beaucoup de mal pour garder son existence secrète – pour la nier, même. Et je me déteste pour cela.

— Je ne comprends pas. Pourquoi feriez-vous comme si vous n'aviez pas de frère ?

C'était bien là le cœur du problème. Il n'avait aucune raison valable – à part une fierté égoïste.

— Ralph est… différent.

— Comment cela ?

Olivia fronça légèrement les sourcils.

— Est-il un criminel ou… un fou ?

James secoua la tête avec véhémence.

— Il est aimable, attentionné, et il m'adore.

— Nous sommes deux, alors.

Elle ne le pressa pas d'en dire plus, mais resta assise avec patience, attendant qu'il s'explique.

— Ralph est né handicapé. Sa jambe et son bras droits sont faibles et atrophiés, et il souffre de paralysie agitante. Son élocution est ralentie. Le médecin avait dit à mes parents qu'il ne passerait pas un an, mais il a survécu. Mon père voulait l'éloigner de la maison, mais ma mère n'a pas voulu en entendre parler. Alors mon père est parti. Ma mère et moi avons fait de notre mieux pour nous occuper de Ralph.

Olivia réprima une exclamation.

— C'est une grande responsabilité pour un jeune garçon.

— Ne pensez pas que je n'en voulais pas à mon frère. Chaque fois que je devais le porter dans l'escalier, ou lui faire la lecture, ou aider notre mère à le baigner, j'étais amer et en colère. Comme si c'était sa faute.

— Oh ! James.

Sa voix se fêla, et il se détourna de la fenêtre pour lui faire face. Les cheveux châtains d'Olivia brillaient dans la lumière du matin, et elle tendait une main, l'appelant tel un ange qui pourrait d'une manière ou d'une autre le racheter. Mais il résista. Il devait tout lui dire, sans lui épargner le pire, sans se l'épargner à lui-même. Comme il serait plus facile de terminer l'histoire s'il n'avait pas à voir la déception dans ses yeux, il se retourna vers la fenêtre.

— Mon père nous envoyait de l'argent de temps à autre – probablement pour soulager sa conscience. Ma mère mettait de côté chaque sou qu'elle avait pour m'envoyer à l'école, même si cela signifiait moins d'aisance pour elle et Ralph. Et, quand je rentrais à la maison pour les vacances, Ralph me suppliait de lui parler des autres garçons, des professeurs et de mes études. Mais ce qu'il aimait plus que tout, c'était aller à la pêche avec moi.

— Un beau passe-temps pour des frères, dit Olivia d'un ton appréciateur.

— On pourrait le penser. Égoïstement, je ne voulais pas l'emmener, mais ma mère insistait. Elle pensait que le soleil et le bon air lui feraient du bien. Elle n'était jamais plus heureuse que lorsque Ralph et moi passions du temps ensemble. Alors un jour, je l'ai emmené.

Il s'arrêta, se remémorant cette journée à la chaleur lourde, la vase qui s'immisçait entre leurs doigts de pied, les insectes qui bourdonnaient sans arrêt autour de leur tête. Il était malheureux ; Ralph lui se croyait au paradis.

— Que s'est-il passé ? Est-ce que quelque chose a mal tourné ?

— Des garçons plus âgés ont trouvé l'endroit où nous pêchions. Ils ont harcelé Ralph, le traitant d'idiot. Ils ont parié qu'il ne saurait pas réciter l'alphabet. Lui ont posé des additions. Ont dit qu'il était un monstre difforme qui ne méritait pas de fouler cette terre.

— C'est horrible ! Qu'avez-vous fait ?

— Rien. Je suis resté assis et j'ai tout écouté. Sans dire un mot.

Mais même maintenant, plus de dix ans après, il sentait encore la colère qui bouillonnait en lui à ce moment-là. Elle était dirigée contre Ralph pour être comme il était, contre lui-même pour ne pas être le genre de frère que Ralph méritait, et de loin ; mais surtout contre les garçons. Parce qu'ils étaient de vrais ânes.

— Plus ils parlaient, continua-t-il, plus leurs piques étaient méchantes. Puis l'un d'eux est allé jusqu'à Ralph et l'a poussé à bas du rocher sur lequel il était assis. Il est tombé dans la rivière avec sa canne à pêche.

— Non !

James hocha la tête.

— Quelque chose en moi est devenu sauvage. Pendant que mon frère se débattait dans la partie peu profonde de la rivière, j'ai chargé sur le garçon qui l'avait poussé. Quand il a été à terre, je me suis assis sur lui et l'ai frappé jusqu'à ce que son nez soit en sang. Lorsque ses amis ont essayé de m'ôter de lui, je les ai attaqués aussi – comme un animal. Je les ai mordus, griffés et bourrés de coups de pied jusqu'à ce qu'ils se tortillent par terre. Je ne me serais peut-être jamais arrêté si je n'avais pas entendu Ralph m'appeler, m'implorant de les laisser et de venir l'aider. Me suppliant de le ramener à la maison. C'est ce que j'ai fait. Par la suite, j'ai appris à me battre correctement, afin que personne n'ose s'en prendre de nouveau à Ralph.

— Pas étonnant que ce souvenir vous hante. Mais vous n'avez pas à avoir honte de la façon dont vous avez agi. Vous avez défendu votre frère contre trois brutes. Qu'y a-t-il de mal à cela ?

— Ce qu'il y a de mal, c'est la manière dont j'ai agi chaque jour depuis. J'ai tenu Ralph à distance. Je lui ai dit, j'ai dit à ma mère et je me suis persuadé moi-même qu'il valait mieux qu'il reste à la maison et évite les gens. Pour qu'il ne soit pas exposé de nouveau à ce genre de laideur.

— Vous essayiez de le protéger.

— Vraiment ? Ou de me protéger moi-même ? Cela a été plus facile pour moi ainsi. Moins problématique. Je n'amenais pas mes camarades d'école au cottage. J'y passais peu de temps – juste une visite mensuelle à ma mère et à Ralph pour leur donner un peu d'argent et vérifier si tout allait bien.

Il soupira et pressa son front contre la vitre fraîche.

— Faire comme si mon doux et gentil frère n'existait pas me rend aussi horrible que les brutes qui l'ont embêté ce jour-là. En vérité, cela me fait beaucoup ressembler… à mon père.

— Non. Pas du tout. Mais, si la façon dont vous avez traité votre frère ne vous plaît pas, pourquoi ne pas la rectifier ?

— Ce n'est pas comme si je pouvais l'amener à un bal, ou même à mon club.

Mais il savait que ce n'était pas ce que suggérait Olivia.

— Faites-le venir à Londres et rester chez vous une semaine. Présentez-le à Owen, Rose et moi – tous les gens en qui vous avez confiance. Nous pourrions faire des promenades en voiture dans la ville, des pique-niques à la campagne. Pensez-vous que Ralph aimerait cela ?

Oui, il aimerait.

— Il faudrait que je le lui demande.

— N'attendez pas trop longtemps. L'été ne sera bientôt plus qu'un souvenir.

Et James serait parti.

Pour une fois, il souhaita avoir plus de temps. Avec son frère, avec Olivia. Depuis le soir où elle l'avait embrassé sur la terrasse des Easton, il était déboussolé – et cette sensation lui plaisait.

— Merci de comprendre.

— Je vous en prie.

Olivia sourit, apaisant ses émotions à vif.

— Reprenons-nous nos positions respectives de dessin et de pose ?

Pas avant qu'il ne lui ait parlé de la lettre de son père.

— Il y a encore une chose que vous devriez savoir.

— Bien sûr. Mais pourquoi ne venez-vous pas vous asseoir à côté… Juste ciel, j'entends d'ici Terrence qui crie après les garçons d'écurie ! Hildy et lui ont dû rentrer de chez le menuisier. Les voyez-vous ?

James regarda par la fenêtre et aperçut le cocher et la soubrette.

— Oui.

Sapristi. Sa chance était passée. Hildy montait probablement l'escalier, à présent, et Olivia arrangeait en hâte sa robe et ses cheveux.

— Je ferais mieux de me rasseoir sur ma chaise avant qu'Hildy ne me trouve ainsi. Elle sera heureuse de me voir dessiner – un passe-temps si anodin et si féminin.

— C'est vrai, mais si quelqu'un est capable d'en faire autre chose, c'est bien vous.

Elle eut un grand sourire.

— Je regrette que nous n'ayons pas eu le temps d'achever notre conversation. Pourrions-nous continuer plus tard ? Peut-être cet après-midi ?

— Certainement.

Olivia se mit debout sur son pied valide.

— Attendez.

James alla à son côté et passa un bras autour de sa taille, s'émerveillant de la perfection avec laquelle son corps s'adaptait au sien. Il l'aida à regagner la chaise et, pendant qu'elle posait son pied blessé sur le tabouret, il se baissa pour ramasser ses feuilles par terre.

Elle retint une exclamation.

— Laissez ça ! dit-elle en essayant de lui arracher la liasse des mains.

Il la tint juste hors de sa portée et retourna le paquet. Puis il le feuilleta. Toutes les pages étaient blanches.

— Qu'est-ce que c'est que cette histoire ? la taquina-t-il. Je suis resté patiemment assis tout ce temps, et vous n'avez rien dessiné ?

Elle rougit tandis qu'il lui tendait les papiers.

— Je voulais vous dessiner, mais je…

Le bout de ses oreilles devint rose vif.

— … je ne pensais pas pouvoir vous rendre justice.

Il rit tout bas.

— Quoi que vous dessiniez, ce sera un progrès. La ressemblance n'a pas besoin d'être parfaite, vous savez. Assurez-vous simplement de saisir mon menton carré, mes larges épaules, mes bras musclés…

— James ! le réprimanda-t-elle en le frappant avec les feuilles. Arrêtez tout de suite et posez pour moi comme tout à l'heure.

Prenant son fusain, elle ajouta :

— Je veux dessiner quelque chose avant qu'Hildy ne revienne.

Il fit ce qu'elle lui disait, et elle griffonna. Chaque fois qu'elle levait les yeux sur lui il faisait une grimace, ce qui la faisait glousser. Et cela fit oublier à James ses soucis à propos de l'expédition, de Ralph et de la lettre – au moins pour un moment.

Hildy entra dans la chambre, enregistra la scène et haussa les épaules. Même s'il n'était guère convenable pour Olivia d'être seule dans la pièce avec un homme, toutes sortes de règles avaient été négligées ces derniers jours. Et au moins, cette fois, tout le monde était habillé.

— Le menuisier a dit qu'il allait se mettre tout de suite aux béquilles et qu'elles devraient être terminées plus tard dans la journée. Il a demandé que je revienne les essayer, alors Terrence m'emmènera ce soir après dîner.

— Ce soir ? C'est merveilleux ! s'écria Olivia. Merci.

James se leva.

— Puisque vous ne pouvez pas sortir, je pourrais peut-être faire monter un plateau pour le dîner et me joindre à vous ? Et vous pourriez finir mon croquis.

— M. Averill m'a apporté ces fournitures, Hildy, expliqua Olivia. N'est-ce pas adorable de sa part ?

— En effet !

La soubrette s'avança vers elle.

— Faites-moi voir ce que ça donne.

Olivia serra les feuilles sur son cœur.

— Euh… pas avant que j'aie fini.

James lui lança un regard entendu et gagna la porte.

— Je vous verrai pour dîner, disons à 7 heures ?

— Parfait.

James le pensait aussi.

16

Plus tard ce soir-là, James suivit les fumets appétissants de rôti de bœuf, de légumes et de pain frais jusqu'à la chambre d'Olivia, mais il hésita lorsqu'il atteignit sa porte.

Il tâta sa redingote et s'assura que la lettre était bien dans sa poche. Owen ne lui pardonnerait peut-être jamais son initiative, mais c'était la seule chose à faire. Et pas seulement d'un point de vue légal. Olivia était une femme adulte, et ce qu'elle ferait de la lettre de son père devait être son choix.

Déterminé à exécuter sa décision, James frappa.

Hildy le reçut, désignant du bras une petite table ronde garnie d'une nappe, de porcelaine et d'un vase de fleurs des champs.

— Tout est prêt pour que vous dîniez, lady Olivia et vous.

Olivia était déjà assise et portait une robe qui n'aurait pas été déplacée dans un bal à Londres. Une soie dorée effleurait ses épaules et plongeait en un profond décolleté en pointe sur le devant, dénudant le haut de ses seins ronds. Ses cheveux étaient ramassés sur sa tête, à part quelques boucles coquines qui encadraient son visage en forme de cœur.

James déglutit avec quelque difficulté. Elle était superbe, et la façon dont elle lui souriait le faisait se sentir capable d'escalader une pyramide. Il y avait tant de choses qu'il admirait chez elle. Elle ne cachait pas ses sentiments. Elle montrait aux personnes qui l'entouraient ce qu'elles signifiaient pour elle.

Elle vivait sa vie comme si chaque satanée journée comptait.

Et, quand il était avec elle, c'était bien le cas.

— Venez donc me rejoindre, dit-elle.

Incapable de parler, il sourit et adressa un signe de tête poli à Hildy en s'asseyant face à elle.

— N'est-ce pas charmant ? demanda-t-elle.

À la lumière d'une unique bougie dont la flamme vacillait, elle rayonnait.

— En effet.

Hildy se racla la gorge.

— Terrence et moi dînerons en bas avant d'aller chez le menuisier. Mais ce n'est pas parce que vous aurez vos béquilles que vous pourrez les utiliser demain. Le médecin a dit que vous deviez vous reposer deux jours.

L'expression d'Olivia se fit calculatrice.

— Eh bien, je pense que la matinée du deuxième jour pourrait certainement compter comme…

— *Non*, dirent James et Hildy en chœur.

— Bon.

Ses épaules s'affaissèrent, mais l'ombre d'un sourire éclaira son visage.

— Je ne discuterai pas avec vous, parce que Hildy m'a gâtée. Regardez : elle nous a même trouvé cette fabuleuse bouteille de vin !

La soubrette rougit en prenant son châle et son sac.

— Je voulais que votre dîner soit spécial. Vous avez eu deux journées éprouvantes.

— Par ma faute, reconnut Olivia. Mais merci de m'aider à en tirer le meilleur parti.

— Amusez-vous bien, dit Hildy en se dirigeant vers la porte. Il y a un bout de chemin jusque chez le menuisier, mais nous devrions revenir vers 9 heures et demie.

Elle sortit, les laissant seuls. Après un bref silence confortable, James dit :

— Vous êtes magnifique. J'ignorais que cette soirée devait être formelle – et je n'ai pas pensé à apporter ma jaquette.

— J'essaierai de passer sur votre tenue insuffisamment habillée, plaisanta-t-elle, si vous promettez de ne pas remarquer que je ne porte qu'une pantoufle.

— Entendu.

Il servit le vin, puis tendit le bras et lui pressa la main.

— Tout à l'heure, j'ai mentionné que je devais vous dire quelque chose. Voyez-vous…

— Attendez. Je pense que nous devrions d'abord porter un toast, dit-elle en levant son verre.

Elle fit une pause pour réfléchir, les yeux brillant de malice.

— À cette soirée. Puisse-t-elle être pleine de surprises qui nous raviront maintenant… et resteront à jamais dans nos souvenirs.

James leva son verre à son tour et acquiesça d'un signe de tête. Pourtant, il doutait que la révélation qu'il avait à lui faire – la lettre de son père – soit le genre de surprise qu'elle avait à l'esprit.

— Nous n'avons pas de domestiques pour nous servir, dit-elle, mais j'avoue que je préfère. Nous pouvons prétendre que personne n'existe à part nous.

— Permettez-moi.

Il ôta les couvercles de l'assiette d'Olivia et de la sienne et les mit de côté.

— Je suis heureux de jouer le rôle du valet, ce soir. Quoi qu'il vous faille, vous n'avez qu'à demander.

— Mon esprit fourmille de possibilités, mais savez-vous ce que j'aimerais le plus ?

— Vous devez me le dire. Je vis pour vous servir.

— J'aimerais savoir ce qui vous fascine à propos de l'Égypte – au point que vous laissiez derrière vous le confort de Londres, votre famille et vos amis, pour aller explorer là-bas.

— C'est compliqué. Je ne sais pas si je peux le mettre en mots.

— Voulez-vous essayer, s'il vous plaît ? Je veux vraiment comprendre.

Personne ne lui avait demandé cela auparavant, mais il se rendait compte que sa réponse importait à Olivia, alors il décida d'expliquer de son mieux.

— Votre frère et Foxburn pensent que je vais en Égypte pour échapper aux contraintes de la société – en particulier les écharpes.

— Et ils se trompent ?

James eut un grand sourire.

— Pas complètement. Je compte laisser la plupart de mes écharpes à la maison. Mais il y a plus que cela.

Elle avala une bouchée d'asperge et lui sourit d'un air encourageant.

— Quand j'avais environ douze ans, j'ai lu quelque chose à propos d'une tombe dans les anciennes pyramides et j'ai été fasciné par la conception des Égyptiens de l'après-vie. Je voulais croire qu'il existait un monde au-delà de celui-ci, et j'ai demandé à ma mère comment ce serait pour Ralph. Serait-il normal et fort ? Pourrait-il s'exprimer comme nous – clairement et sans difficulté ?

Olivia posa sa fourchette.

— Qu'a-t-elle répondu ?

— Elle a pleuré. Puis elle m'a demandé ce que j'en pensais. Je lui ai dit que, si un pharaon pouvait avoir des soldats, des esclaves et des chats après sa mort, la moindre des choses serait que Ralph soit en bonne santé.

Olivia soupira tout bas.

— Cela me semble parfaitement raisonnable, et très gentil. Pensez-vous que les Égyptiens avaient raison, donc ? Que les choses qui sont importantes pour nous de notre vivant sont celles dont nous aurons besoin après notre mort ?

— D'une certaine façon. Mais les choses importantes ne sont pas la richesse ou des serviteurs.

— Qu'est-ce que c'est ?

— L'amour que nous portons à notre famille et à nos amis. Je pense que c'est la chose qui perdurera, finalement.

Les yeux d'Olivia s'emplirent de larmes.

— Je l'espère. Bien que mon père me manque, il me plaît de penser qu'il m'aime de loin, ainsi que Rose et Owen.

Juste ciel, c'était la parfaite introduction.

— Olivia, je…

— Mais je ne veux pas parler de cela maintenant.

Elle se tamponna les yeux de sa serviette.

— Racontez-moi comment votre passion pour l'Égypte a grandi.

Sentant qu'elle avait besoin de temps pour se ressaisir, James poursuivit :

— J'ai lu tout ce que je pouvais sur la civilisation égyptienne. Après l'expédition de Napoléon en Égypte, il y a eu quantité de publications sur le sujet – cartes de tombes, dessins, peintures. Mais j'étais frustré que les livres ne contiennent pas les réponses à toutes mes questions. Je voulais savoir comment les pyramides avaient été bâties et quelle était la vie de ceux qui n'avaient pas eu la chance de naître pharaons. J'ai décidé que je ferais aussi bien de trouver les réponses par moi-même en creusant dans le sable du désert égyptien plutôt que de les chercher dans des livres poussiéreux.

— Ainsi, c'est un désir de comprendre les anciens Égyptiens qui vous a conduit à explorer.

James réfléchit un moment.

— Je suis intrigué par d'autres civilisations anciennes, aussi – ou, plutôt, par la possibilité de découvrir des fils qui nous relient à ceux qui vivaient il y a des milliers d'années. Un linguiste français a réussi à déchiffrer quelques-uns des hiéroglyphes trouvés dans les tombes. Si nous pouvions seulement lire les messages qu'ils ont laissés, nous comprendrions peut-être.

— Nous pourrions découvrir qu'ils n'étaient pas si différents de nous.

— Oui, acquiesça-t-il avec plaisir. Il me plaît d'imaginer que nous sommes reliés par notre humanité – notre besoin d'aimer et d'être aimés.

Bonté divine, le voilà qui papotait comme un idiot !

Olivia soupira.

— C'est magnifique. Je ne m'en serais pas doutée.

— Doutée de quoi ?

— Que vous étiez un tel romantique.

— Je ne le suis pas, déclara-t-il fermement. Je suis un réaliste.

Elle lui jeta un sourire entendu.

— Bien sûr.

— Tout cela mis à part, cette civilisation a tant accompli ! Et le pays et les gens sont à la fois étrangers et exotiques. Je suis impatient de marcher dans les rues étroites du Caire, de chevaucher sur des miles de grès et de sable, de voir les pyramides et le Sphinx de mes propres yeux.

Olivia s'adossa à sa chaise et hocha la tête pour elle-même.

— Je crois que je comprends, murmura-t-elle.

— Vraiment ?

Pour James, ses explications ne lui avaient pas paru très bonnes, pourtant, mais il n'aurait pas dû être surpris qu'elle ait réussi à glaner quelque chose de ses élucubrations maladroites. Maintenant qu'il y pensait, dans leurs conversations, elle l'avait toujours rejoint en parcourant plus de la moitié du chemin.

— J'ai toujours été satisfaite de vivre ici, dans mon monde sûr, confortable et familier, avoua-t-elle. Je n'ai jamais éprouvé le besoin de me rendre dans des pays lointains. Mais vous êtes si passionné que vous pourriez m'avoir fait changer d'avis.

— Je n'essayais pas de…

— Je sais. Je suis juste heureuse de comprendre enfin. Et cela rendra cette soirée d'autant plus excitante.

— Ah oui ?

Elle posa sa serviette sur la table et le gratifia d'un large sourire.

— Absolument. Finissez votre dîner, et tout vous sera révélé.

James laissa son regard se promener sur la douce courbe de son cou et les rondeurs tentantes de ses seins, espérant de façon éhontée que ces révélations seraient nombreuses et variées.

Olivia but une grande gorgée de vin. James était particulièrement beau ce soir-là. Sa force nerveuse et son charme bourru étaient les mêmes que toujours, mais il y avait aussi quelque chose de différent en lui. Un trait que durant toutes les années où elle l'avait connu et aimé elle ne lui avait jamais vu – de la vulnérabilité.

Pour une fois, il avait cessé d'être Averill – séduisant avoué, pugiliste renommé et explorateur intrépide – et était juste... James. James qui s'inquiétait pour sa famille et s'interrogeait sur son avenir, comme tous les simples mortels.

Et cette franchise – l'honnêteté qu'elle avait vue dans ses magnifiques yeux verts – lui avait fait flageoler les genoux. Même si elle était assise. Elle n'aurait jamais pu soutenir cette conversation debout.

Mais la soirée ne faisait que commencer.

Pleine d'impatience, elle dit :

— Je pensais que nous ferions encore un peu de dessin ce soir – si vous n'avez pas d'objections.

— Aucune. Dois-je vous donner votre matériel ? Mettre nos chaises en position ?

— Pas tout de suite. Nous allons nous y prendre un peu différemment, cette fois.

Il s'immobilisa, sa fourchette à mi-chemin de sa bouche.

— Différemment ?

Elle hocha la tête.

— Nous renversons les rôles. Je serai le modèle, et vous serez l'artiste.

— Pardon ?

Elle souleva le bord de la nappe et attrapa dessous le grand sac qu'elle y avait placé, puis le posa sur ses genoux.

— Je vais juste avoir besoin de votre aide pour m'installer, dit-elle comme si elle ne l'avait pas entendu.

— Olivia, je ne sais pas dessiner.

— Placez votre chaise près de la fenêtre, comme ce matin, et aidez-moi à aller jusque-là.

— Il n'y a pas plus éloigné d'un artiste que moi. Je pourrais essayer de vous décrire par des mots, je pourrais utiliser toutes sortes de chiffres et de mesures pour tenter de capturer votre essence, mais dessiner est hors de question.

Elle battit des cils d'une manière appuyée, puis laissa éclater son déplaisir.

— James, nous savons tous les deux que je ne me résume pas à des mots ou des chiffres. Et si vous pensez que je vous laisserai approcher de moi avec un mètre, vous vous trompez grandement. En outre, vous n'avez même pas essayé de dessiner. Comment pouvez-vous vous dire archéologue si vous n'avez pas avec vous un petit calepin que vous sortez de votre poche pour dessiner vos trouvailles ?

— J'enregistre mes observations, dit-il fermement. Je ne fais pas de croquis.

Olivia redressa le dos.

— Je ne suis pas un objet poussiéreux et inerte enfoui sur les rives du Nil. Je suis la fille que vous connaissez depuis dix ans et la femme que vous avez récemment embrassée. Et vous allez me dessiner.

James la dévisagea pendant plusieurs secondes. Sapristi. Il était impossible de lui résister.

— Très bien. Mais je vous ai prévenue. Le résultat ne sera pas joli.

Juste ciel. Elle n'avait pas prévu de résistance dès le début. Le défi était encore à venir.

Tandis qu'il arrangeait les chaises comme elle l'avait demandé, elle admira le jeu subtil de ses muscles sous sa redingote. Un soupir dut lui échapper.

Il leva les yeux.

— Avez-vous dit quelque chose ?

— Hmm ? Non. C'est parfait. Maintenant, si cela ne vous fait rien de m'aider à marcher jusqu'à la chaise près de la fen… Oh !

James cueillit Olivia et son sac et la serra contre son torse. *Le mur dur et chaud* de son torse.

Elle passa un bras autour de son cou – parce qu'elle pensait que cela pourrait l'aider si elle le soulageait un peu de son poids. Cela n'avait rien à voir avec le désir de sentir sous ses doigts les douces boucles de sa nuque ou les muscles noués de son cou, bien sûr.

Il ne bougea pas et se contenta de rester debout, à la tenir et la regarder dans les yeux comme s'il voulait lui dire quelque chose. Quelque chose de tendre et d'émouvant.

C'était ridicule, bien sûr. Mais c'était le fantasme qu'elle nourrissait depuis ses douze ans ou presque. Pas étonnant qu'elle voie dans les profondeurs de ses yeux verts des choses qui n'y étaient pas vraiment.

Puis le regard de James se posa sur sa bouche et s'y attarda.

Le cœur d'Olivia se mit à tambouriner, parce qu'on ne pouvait pas se tromper sur ce regard-là. Il avait envie de l'embrasser.

Coïncidence, elle désirait l'embrasser aussi.

Il paraissait légèrement essoufflé, et elle choisit de croire que c'était une conséquence de sa vive envie d'elle… et non de l'effort qu'il faisait pour la tenir.

Même si aucun d'eux ne parlait, Olivia pouvait sentir contre elle les battements frénétiques du cœur de James.

Les lèvres de ce dernier s'écartèrent, et sans réfléchir elle leva un doigt et se mit à les dessiner, savourant chaque courbe sensuelle et goûtant la rondeur de sa lèvre inférieure.

Il émit un son étranglé, ferma les yeux un instant puis mordilla son doigt, en prenant le bout entre ses dents.

Elle inspira vivement, mais ne retira pas son doigt lorsqu'il le prit davantage dans sa bouche – si chaude et si dévoyée – et le suça jusqu'à ce que la pointe de ses seins se durcisse et que son corps fourmille de la tête aux pieds.

Lorsqu'il lâcha enfin son doigt, elle prit le visage de James entre ses mains et pressa ses lèvres sur les siennes, soupirant en retrouvant son goût suave et familier.

Il lui rendit son baiser, mais pas avec la même force débridée qu'avant. Cette fois, il se contint, lui donnant seulement autant qu'elle donnait, résistant à son désir et à l'escalade naturelle de la passion qui se produisait chaque fois qu'ils se touchaient.

Et, même si c'était aussi bien ainsi, elle aspirait à plus.

Le baiser se réduisit à un simple frémissement avant qu'elle n'y mette fin, à regret. James frotta son front contre le sien et murmura son nom avec une telle douceur que, si elle s'appesantissait dessus, elle pourrait facilement fondre en larmes.

Avec une jovialité feinte, elle dit :

— Aussi agréable qu'ait été cette distraction, vous retardez la surprise. Et j'ai encore besoin de votre aide pour deux ou trois choses. D'abord, vous pouvez m'installer sur la chaise.

Et peut-être qu'alors elle prierait pour avoir les idées claires.

Il la déposa sur le siège de bois, mais garda les bras autour d'elle un instant de plus – comme s'il était réticent à la lâcher.

— Que puis-je faire d'autre ?

— Prenez la courtepointe du lit et tenez-la devant moi – comme un rideau.

Il plissa le front d'une façon adorable.

— Je ne comprends pas.

Ignorant le vrai sens de sa question, elle répondit :

— Vous tenez simplement un bord et laissez pendre le reste…

— Non, je veux dire : pourquoi voulez-vous que je fasse cela ?

— Ah. Cela fait partie de la surprise. Tenez la couverture au-dessus de vos yeux. Vous ne devez pas essayer de regarder.

Stoïque, il fit ce qu'elle demandait, en marmonnant seulement un peu à voix basse. Une fois que la courtepointe pendit entre eux, Olivia prit une grande inspiration et commença sa transformation.

D'abord, elle sortit les bras des petites manches ballon de sa robe. Elle avait demandé à Hildy de laisser les lacets un peu plus lâches, ce soir-là. Malgré tout, elle dut faire des contorsions pour libérer ses bras. Quand ce fut fait, elle glissa les manches dans le corselet de sa robe afin qu'elles soient invisibles. Elle se sentait déjà très audacieuse.

Elle jeta un coup d'œil vers le haut pour s'assurer que James ne trichait pas. Satisfaite, elle passa à ses cheveux. Elle ôta quelques épingles à l'arrière, laissant tomber une grande partie de ses boucles sur ses épaules nues. Puis elle ouvrit le sac et se mit à fouiller dedans, ce qui fit tinter quelques objets.

James bougea les pieds.

— Au nom du ciel, que faites-vous ?

— Patience, roucoula-t-elle. L'attente en vaudra la peine.

À moins qu'elle ne finisse par paraître sotte et ridicule, mais il ne servait à rien de s'attarder sur cette possibilité.

Elle trouva enfin la couronne qu'elle avait façonnée en entourant un diadème d'un ruban de soie dorée et la posa avec soin sur sa tête. Ensuite vint son collier exotique, qui n'était en fait qu'une chaîne en or à laquelle étaient accrochées plusieurs plumes et boucles d'oreilles, mais lorsqu'elle l'avait étudié dans le miroir cet après-midi-là il avait presque paru égyptien. Elle fixa de longs pendants d'oreilles à ses lobes et ajouta un dernier bijou – un large bracelet qui ceignait de façon parfaite le haut de son bras.

Il ne lui restait qu'un détail à régler. Elle sortit du sac un peu de khôl et un miroir à main. Même si ses mains tremblaient, elle réussit à appliquer une fine ligne noire sur chaque paupière et sous chaque œil.

Voilà.

Olivia vérifia son reflet. C'était aussi proche de Cléopâtre que possible – du moins dans ces circonstances. Elle avait fouillé dans ses malles toute la journée pour mettre au point ce costume, en espérant qu'il tirerait à James l'un de ses sourires lents et secrets qui lui échauffaient le sang et lui coupaient étrangement le souffle.

Elle voulait cette soirée avec lui – une soirée dont elle se souviendrait toujours. Il était le seul homme qu'elle aimerait jamais, et elle désirait une nuit de passion dans ses bras, même si cela signifiait qu'elle renoncerait à sa chance d'épouser un gentleman respectable. Elle connaissait les risques que cela impliquait, mais elle avait déjà tant risqué. Et, par bonheur, ils étaient à des miles de Londres et des regards critiques de la haute société.

James valait tous les risques. Elle avait rêvé de lui pendant dix longues années, et, si elle ne saisissait pas cette chance d'être avec lui ce soir, tous ses rêves lui glisseraient entre les doigts comme le sable du Sahara.

— Vous avez bientôt fini ?

— Quoi, vos bras se fatiguent ?

Mais sa taquinerie n'était qu'une tactique pour retarder le dénouement. Et s'il la trouvait ridicule et vulgaire ? Il avait une telle passion pour l'Égypte ancienne, et elle ne voulait pas qu'il pense qu'elle la banalisait en la réduisant à une célèbre reine. Elle voulait juste qu'il la voie sous un autre éclairage. Pas comme la petite sœur de son meilleur ami, ou comme une demoiselle en péril qui avait besoin d'être sauvée, mais comme une femme. Et – Dieu le veuille – une femme désirable.

Elle poussa le sac sous sa chaise, rejeta les épaules en arrière et prit une grande inspiration.

— Vous pouvez abaisser la couverture.

Les bras de James tombèrent sur ses côtés, et la courtepointe s'affala à ses pieds. Il ouvrit la bouche comme pour dire quelque chose, puis se figea. Et cligna par deux fois des paupières.

Tandis que son regard la parcourait, le cœur d'Olivia tambourinait dans sa poitrine. Mais elle garda le menton haut et attendit sa réaction – un signe de ce qu'il pensait.

— Vous avez l'air si…

Elle haussa un sourcil.

— … si… je ne sais pas.

Il se laissa tomber à genoux et scruta son visage comme s'il pouvait y trouver l'adjectif adéquat.

— Étonnante ? offrit-elle pour l'aider.

Et avec espoir.

— Juste ciel, oui.

Ainsi, il était content. Et son expression affamée indiquait qu'il était plus que légèrement affecté par le tableau qu'elle lui offrait. Une bouffée de soulagement encouragea Olivia à aller plus loin.

— Exotique et séduisante ?

— Olivia.

Il prononça son nom comme un avertissement.

Qu'elle ignora.

Elle se pencha en avant, lui offrant une vue sans entrave sur son décolleté, et demanda :

— Est-ce que mon costume vous plaît ?

Ses yeux descendirent sur le collier en or qui brillait sur la rondeur de ses seins, et il déglutit avec peine.

— À quel homme ne plairait-il pas ?

— Je me moque de ce que les autres hommes pensent. Ceci est juste pour vous.

— Olivia, répéta-t-il, la voix rauque. Je fais beaucoup, beaucoup d'efforts pour vous résister. Mais vous rendez la chose quasiment impossible.

Bon. Alors son plan avait marché. La nervosité qu'elle avait ressentie plus tôt s'évapora. N'ayant jamais été aussi sûre de ce qu'elle voulait, elle s'avança sur la chaise et passa les bras autour de son cou, l'attirant plus près.

— En cet instant, vous avez le choix entre deux possibilités.

— J'écoute.

— Soit vous pouvez aller chercher les feuilles et me dessiner…

— Soit ?

— Vous pouvez me séduire.

17

L'âge de pierre : *1) Une période préhistorique où des outils en pierre étaient largement utilisés. 2) Une époque très lointaine, comme dans la phrase : « L'amour d'Olivia pour James remontait en gros à l'âge de pierre. »*

La mâchoire de James lui en tomba. *La séduire ?*

— Vous ne devriez pas dire des choses pareilles, Olivia.

— Je suis certaine que Cléopâtre demandait ce qu'elle voulait. Pourquoi ne le ferais-je pas ?

— Il n'y a rien de mal à demander ce que vous voulez, mais…

— Bon, eh bien, je veux ceci.

Elle prit le visage de James entre ses mains et l'embrassa comme si elle était vraiment Cléopâtre. Et, avec toute l'habileté et l'assurance de l'illustre reine, elle le mit à genoux.

Elle fusionna sa bouche avec la sienne, l'explorant de sa langue, puis tira doucement sur sa lèvre inférieure avec ses dents. Il gémit contre sa bouche et céda durant quelques instants au désir – et à elle.

Lorsqu'elle interrompit le baiser, il haletait comme s'il avait disputé trois rounds à son club de boxe.

— Alors qu'est-ce que ce sera ? chuchota-t-elle. Préférez-vous me dessiner… ou me séduire ?

Bonté divine.

— Il ne s'agit pas de ce que je préférerais, parvint-il à articuler. Il s'agit de ce qui est correct.

— Ce que je ressens pour vous est tout à fait correct. Il ne peut pas en être autrement.

Ses yeux bruns imploraient la compréhension de James.

Il avait envie de lui dire qu'il comprenait parfaitement, parce qu'il l'aimait aussi. Ce serait un tel soulagement de mettre son âme à nu devant elle. Mais il y avait le « léger » problème de son expédition, et même si elle avait dit une fois qu'elle l'attendrait le voyage était dangereux. Un quart des participants à la dernière grande expédition n'étaient pas revenus vivants. En outre, il ne lui avait pas encore parlé de la lettre de son père.

— Je ne mérite pas une telle dévotion.

— Je sais.

Elle lui décocha un sourire espiègle et promena un doigt le long de son cou.

— Mais vous l'aurez toujours.

— Olivia, je tiens beaucoup à vous.

Il pouvait au moins lui dire cela.

— Mais je pense qu'il vaudrait mieux que je prenne l'autre chaise, le papier et les fusains, et que j'essaie de vous dessiner.

Avec un soupir attristé, elle le lâcha. Geste qui aurait probablement dû lui suggérer qu'elle avait d'autres surprises en réserve.

Il se leva, et les yeux d'Olivia s'abaissèrent sur la bosse visible sur le devant de ses culottes. Elle haussa un sourcil et fit une moue charmeuse. Dieu lui vienne en aide !

Après s'être assis en face d'elle, il prit les fournitures de dessin et attendit qu'elle s'installe.

— Que dites-vous de ceci ?

Elle se tourna de côté et le regarda d'un air aguicheur par-dessus son épaule. James tritura le fusain qu'il tenait.

— Très bien.

Il baissa les yeux sur le papier blanc et traça les lignes de la fenêtre derrière elle. Un joli rectangle avec des côtés et des angles droits – pas de courbes appétissantes et distrayantes. Mais lorsqu'il leva les yeux pour vérifier les proportions du rebord, Olivia avait bougé.

— Quelque chose ne va pas ? lui demanda-t-il.

— La pose me paraissait un peu raide et peu naturelle. Essayons autre chose.

— Si vous y tenez…

— Je pense qu'il le faut.

Là-dessus, elle commença à dénouer les lacets sur le côté de sa robe.

— Ne faites pas cela.

— Fiez-vous à moi. Ce sera beaucoup mieux.

Tenant le devant de sa robe contre sa poitrine, elle laissa les côtés s'évaser, exposant des pouces et des pouces de peau lisse et crémeuse sur ses épaules, dans son dos, jusqu'au creux de ses reins. Puis elle tortilla son postérieur comme une sirène malicieuse se préparant à prendre le soleil sur un rocher.

— Qu'en dites-vous ?

Seigneur.

— Ne devriez-vous pas porter un corset sous votre robe ? Ou une camisole ? Quelque chose ?

— Lady Olivia le devrait certainement. Mais je suis Cléopâtre, vous vous rappelez ?

James bougea sur son siège dans un effort pour soulager sa pénible érection. En vain.

— Bien. Mais je dois vous demander de rester immobile.

Sa pose aguicheuse le distrayait de sa tâche – à savoir, dessiner les lames du plancher sous sa chaise.

— Essayez d'imaginer que je suis allongée sur une méridienne en velours, dit-elle d'une voix altérée. Dommage que nous n'en ayons pas une.

James grogna et tenta de se concentrer sur le papier devant lui. Jusqu'ici, il avait croqué la fenêtre et le sol. Ensuite, il dessinerait le petit paysage accroché au mur dans un cadre.

N'importe quoi *sauf* Olivia.

— Comment pouvez-vous me dessiner alors que vous ne me regardez même pas ?

— Je vous regarde, mentit-il.

— Peut-être que le costume est outré.

Il leva les yeux et la vit ôter la couronne dorée de sa tête et le bracelet de son bras.

— Nous avons fini ? demanda-t-il avec espoir.

— Non.

Le regard acéré qui accompagna ce mot le rendit beaucoup plus percutant.

— Nous n'avons pas fini.

Sur ce, elle se redressa et essaya d'atteindre son cou – probablement pour détacher son collier. Lorsqu'elle leva les bras, le devant de sa robe tomba sur sa taille.

Exposant des seins à la pointe rose qui imploraient d'être touchés… et embrassés.

Le papier posé sur les genoux de James voleta par terre, et son cœur se mit à battre trois fois plus vite.

Oh ! il regardait bel et bien, maintenant.

Elle prit son temps pour défaire le collier, puis le laissa tomber dans le sac à côté d'elle. Elle ne fit aucun geste pour se couvrir, mais regarda James bien en face tandis qu'elle relevait ses cheveux avec grâce et les empilait sur sa tête.

— Ceci vous plaît-il ?

— Sapristi, oui.

Sa voix n'était qu'un croassement.

— Ou est-ce mieux ainsi ?

Elle laissa retomber ses lourdes mèches sur ses épaules, fit une jolie moue et arqua le dos.

Au nom du ciel, où avait-elle appris à prendre ces poses aguicheuses ?

Rien de ce qu'elle faisait n'aurait dû le surprendre – et pourtant elle le surprenait constamment.

Elle semblait attendre une réponse, mais qu'il soit damné s'il connaissait la question ! Alors il dit ce qu'il avait à l'esprit :

— Vous êtes une Cléopâtre charmante et exotique, mais je pense que vous êtes encore plus irrésistible en étant vous-même.

Elle battit des cils.

— Vous le pensez vraiment ? Que je suis irrésistible ?

— Absolument.

En vérité, il était impossible de lui résister une seconde de plus.

En deux enjambées il se tint devant elle, la souleva dans ses bras et la déposa en travers du lit. S'allongeant sur elle, il murmura :

— Vous êtes sûre, Olivia ?

— Je rêve de cet instant depuis dix ans. Je ne voudrais pas vous mettre trop de pression, mais vous pourriez peut-être essayer de faire en sorte que l'attente en vaille la peine.

— Je ferai de mon mieux.

Il ferait n'importe quoi pour lui donner du plaisir. Mais, même si l'idée de se perdre en elle était très, très tentante, il n'allait certainement pas risquer de la mettre enceinte maintenant. Pas alors qu'il était sur le point de quitter l'Angleterre. Pas quand il y avait tant de choses non dites entre eux.

Il devrait donc se contenter de faire de cette nuit une nuit dont elle se souviendrait – toujours.

Olivia avait perçu l'instant où James avait capitulé – elle l'avait vu dans ses yeux. Et, même s'il ne l'aimait pas avec le même abandon qu'elle, elle savait, intimement, que cette nuit serait une nuit de plaisir révélateur, à lui faire mollir les genoux. Et elle ne pouvait attendre.

James l'allongea sur le dos et cala ses hanches sur les siennes. Sous son poids, elle s'enfonça dans le matelas, prisonnière consentante, plus que disposée à s'abandonner à lui – et à la passion. Tandis que leurs bouches fusionnaient, il découvrit sa poitrine et saisit un sein nu dans sa main, frottant son téton durci de sa paume.

— Si diablement belle, murmura-t-il, son souffle chaud et humide sur son cou. J'adore tout en vous, Olivia. Ce soir, vous êtes à moi.

— Oui, dit-elle, exultant à ses mots et frémissant sous son toucher. Et vous êtes mien.

Elle repoussa sa redingote sur ses épaules jusqu'à ce qu'il comprenne et ôte le vêtement et le laisse tomber par terre. Il ne portait pas de gilet ; seule une fine chemise en coton séparait sa peau de celle d'Olivia – et elle brûlait de sentir son torse, chaud et dur, pressé contre elle.

Empoignant sa chemise à deux mains, elle la dégagea de ses culottes et glissa les mains dessous, passant les doigts sur les contours virils et ciselés de son buste. Une légère toison bouclée lui picota les paumes, et, même si elle avait imaginé maintes et maintes fois qu'elle passait ses mains sur sa poitrine, la réalité était dix fois meilleure. Peut-être cent.

— Il faut enlever ceci.

Elle saisit le devant de sa chemise et tira fermement.

— Maintenant.

En grognant, James leva à regret la tête de son cou, où il avait semé une traînée de baisers brûlants. Mais lorsqu'il s'assit pour tirer sa chemise par-dessus sa tête, il lui sourit avec tant de tendresse et d'honnêteté, qu'elle sentit son cœur fondre de passion.

La vue de son torse nu lui donna envie de lui sauter dessus, et elle allait le faire quand il dit :

— Votre robe doit disparaître aussi. Tout doit disparaître.

Une chaleur envahit la poitrine et le cou d'Olivia, pas d'embarras, mais de désir.

— Très bien. Mais, si vous insistez pour me dessiner nue, vous ne devez laisser personne d'autre voir ce croquis, plaisanta-t-elle.

Il gronda.

— Ne vous inquiétez pas. Je n'aime pas partager.

Soupirant de bonheur à ses paroles, elle saisit la soie dorée bouchonnée autour de sa taille. Il posa ses grandes mains chaudes sur les siennes, l'arrêtant.

— Laissez-moi faire.

Elle tendit le bras et traça une ligne de son oreille à sa mâchoire.

— Très bien, monsieur Averill. Je m'en remets à vous.

Un éclat délicieux brilla dans ses yeux verts tandis qu'il se levait du lit et se tenait debout devant elle. D'une façon délibérée qui émut profondément Olivia, il fit glisser la soie sur ses hanches et le long de ses cuisses, pouce par pouce. Elle fut enchantée de l'entendre inspirer vivement lorsqu'il constata qu'elle ne portait rien sous sa robe. Elle aurait pu mettre des bas sans le bandage de son pied droit. Comme il semblait stupide de n'en mettre qu'un, elle avait gardé les jambes nues, et maintenant elle s'en félicitait.

Elle s'appuya sur ses coudes et ne tenta pas de se couvrir tandis que le regard appréciateur de James se promenait sur elle. Elle le but elle aussi des yeux, s'émerveillant des fermes à-plats de son ventre et de la largeur de ses épaules.

Il revint sur le lit à côté d'elle, l'attira à lui et l'embrassa avec une intensité qui l'impressionna. Quel bonheur de sentir sa peau contre la sienne – cette intimité aurait presque pu la faire pleurer. Par chaque assaut de sa langue, chaque caresse, il semblait lui dire qu'il la désirait... et peut-être même qu'il tenait à elle. Vraiment. Certes, elle avait rêvé de plus, mais cela suffisait pour le moment.

Et, même s'il ne pouvait pas – ou ne voulait pas – lui dire exactement ce qu'il avait dans le cœur, elle lui dirait ce qu'elle avait dans le sien. Si elle ne le faisait pas, elle le regretterait sûrement le reste de ses jours. Il fallait qu'elle saisisse cette occasion de lui dire ce qu'il représentait pour elle.

Ce serait tellement plus facile de parler de façon cohérente s'il ne la touchait pas partout. Une délicieuse pulsation, hypnotique, était née au creux de sa personne, la laissant avide et le souffle court. Mais elle combattit le désir, juste pour un instant, et interrompit leur baiser passionné.

— James, chuchota-t-elle.

— Oui, ma douce ?

Son cœur se serra.

— Il y a quelque chose que je dois vous dire.

— Vous n'avez pas besoin de dire quoi que ce soit. Contentez-vous de sentir.

— Je le fais, croyez-moi. Mais je me suis avisée que, bien que je vous aie dit que je vous aimais, je ne vous ai pas dit pourquoi.

— Cela n'a pas d'importance. Votre amour est un cadeau. Je ne m'interrogerai jamais sur sa source.

— Laissez-moi vous éclairer quand même. Ce n'est pas à cause de votre physique – même si j'avoue être particulièrement séduite par votre torse. Et ce ne sont pas non plus vos prouesses à la boxe ou votre esprit incisif qui m'attachent à vous. C'est votre intégrité.

— Olivia...

— De grâce, laissez-moi finir. Vous êtes loyal et honorable. Tout le monde vous demande conseil – pas seulement parce que vous êtes fin et intelligent, mais parce que vous savez toujours quelle est la chose juste à faire. Et vous la faites. Je respecte cela, chez vous. Je voulais juste que vous le sachiez.

James s'immobilisa, la regardant au fond des yeux pendant un moment avant de parler.

— Vous m'accordez trop de crédit.

— Non.

Elle s'assit et posa une main sur sa joue.

— C'est vrai.

Et puis, comme l'ambiance était devenue plutôt sérieuse, elle fit glisser sa main le long de son cou et écarta les doigts au milieu de son torse.

— Maintenant que je vous ai où je vous veux, j'ai l'intention d'en profiter au maximum. Considérez-vous comme averti.

L'ombre d'un sourire revint sur le visage de James.

— Entendu.

Satisfaite d'avoir dit ce qu'elle voulait dire, Olivia se pencha en avant et pressa ses lèvres au creux de son cou, sur sa peau chaude, inhalant son odeur familière et entêtante. Puis elle sema des baisers jusqu'à son mamelon plat, le taquinant de sa langue jusqu'à ce qu'il se dresse comme les siens. Pendant tout ce temps, elle promenait les mains sur son corps svelte, ses hanches minces et son postérieur tendu. Le ciel lui vienne en aide. C'était exquis.

— Assez, grommela-t-il en la pressant de nouveau sur le matelas.

Il se fit doux, embrassant avec délicatesse ses lèvres comme si elle était une princesse qu'il avait rencontrée par hasard dans les bois. Ses muscles semblaient frémir du contrôle qu'il exerçait sur lui-même, et il attisait le désir d'Olivia avec lenteur et habileté – faisant naître des sensations délicieuses de chaque coup de dents joueur et de chaque exquise caresse de ses mains.

Il approfondit leur baiser en passant une main sur sa hanche et le long de sa cuisse. Lorsqu'il la glissa entre ses jambes pour caresser sa peau douce, elle s'ouvrit à lui, frissonnant de plaisir anticipé.

— Vous tremblez.

Il plissa le front d'un air soucieux.

— Avez-vous froid ? Êtes-vous nerveuse ?

— Non. C'est juste que j'ai désiré ceci si longtemps. Je ne peux pas croire que je sois réellement ici avec vous.

— C'est plus réel que vous ne le pensez, dit-il d'un ton déluré.

Sur ces mots, il se mit à la toucher intimement, écartant tendrement les replis moites et sensibles de sa féminité et les explorant jusqu'à ce qu'il trouve l'endroit et la pression qui lui donnaient le plus de plaisir. Le désir s'enroulait au creux d'Olivia en une spirale serrée, faisant frémir son ventre. Sentant qu'elle était au bord de quelque chose d'essentiel, elle enfonça les doigts dans les épaules musclées de James et cria son nom.

Il cessa de la caresser – ce qui n'était pas du tout ce qu'elle attendait – et lui sourit, écartant quelques mèches de son visage.

— Voilà mon Olivia. Si belle, si pleine de passion.

Oui. Elle avait été pleine de passion. Mais à présent il parlait, et même si ses paroles étaient très agréables à entendre… Oh ! Dieu. D'un mouvement fluide, James avait glissé du lit et s'était agenouillé à côté. Il l'attira à lui et lui écarta les genoux si bien que sa tête était au niveau de… eh bien, de ses parties les plus intimes. Et elle était assez certaine de savoir ce qu'il comptait faire.

Juste ciel. Elle avait raison.

Il courba la tête, ses cheveux ondulés chatouillant l'intérieur de ses cuisses. Et, comme elle ne pouvait absolument pas rester allongée pendant que quelque chose de si énorme se produisait, elle s'assit et regarda, inscrivant chaque tendre caresse, chaque exquise sensation dans sa mémoire. Les doigts de James pétrissaient ses fesses tandis que sa langue la portait vers de nouveaux sommets. Et, parce que cela lui avait paru très bon quand il l'avait fait, elle se caressa les seins, augmentant encore son plaisir.

Il leva les yeux et la regarda faire, puis gémit contre elle, créant des vibrations qui firent naître une palpitation suave et enivrante au cœur de son être. Cette sensation s'amplifia et lui fondit soudain dessus avec une violente intensité – presque aussi puissante que son amour pour James.

James s'étala sur le lit près d'Olivia et sema des baisers sur son front, la laissant reprendre son souffle.

Il avait besoin de temps pour reprendre le sien, aussi. Elle était tout ce qu'un homme pouvait désirer chez une amante – intelligente, drôle, belle et loyale. Et elle l'aimait.

Elle roula vers lui, ses yeux bruns brillant d'amour, ses joues avivées par la passion.

— J'ai toujours adoré la façon dont je me sens quand je suis avec vous – vivante, libre et en sécurité – mais là… c'était quelque chose de nouveau.

Son torse se gonfla un peu à cette remarque.

— Je suis honoré d'avoir été celui qui vous a initiée au plaisir.

— Cela n'aurait pu être personne d'autre que vous, James.

Même si ses mots le flattaient, il éprouva le besoin d'éclaircir les choses. Par honnêteté.

— Votre corps aurait réagi aux caresses de n'importe quel amant doté d'un minimum d'habileté.

— Mais pas mon cœur. Je ne me fie à personne comme à vous.

La culpabilité étouffait presque James, néanmoins il parvint à articuler :

— En parlant de confiance, il y a quelque chose que vous devriez savoir.

Le moment n'était peut-être pas très bien choisi pour une confession, mais il ne pouvait la laisser continuer à penser qu'il était une sorte de parangon de vertu.

Seulement les doigts coquins d'Olivia descendaient déjà le long de son torse et sur son ventre, suivant la ceinture de ses culottes.

— Nous pouvons parler plus tard, dit-elle. Pour l'instant, nous devons terminer ce que nous avons commencé.

Il ferma les yeux pour résister à la tentation.

— Non. Nous avons pris assez de risques pour aujourd'hui. Nous devons vous habiller et vous rendre présentable avant qu'Hildy ne rentre.

— Elle ne reviendra pas avant deux heures au moins. Et je trouve très injuste que vous me refusiez l'occasion de vous donner du plaisir.

L'extrémité de ses doigts s'enfila dans la ceinture de James et effleura le bout de son sexe.

— Vous ne devriez pas faire cela, la prévint-il.

Mais ils savaient tous les deux qu'il n'en pensait rien.

— N'hésitez pas à m'arrêter.

Elle roula sur lui, alors, posant des baisers sur les à-plats de son ventre et descendant de plus en plus bas jusqu'à ce qu'il comprenne son intention. Sans hésitation, elle tint la base de son sexe et le prit dans sa bouche.

Il devint impossible à James de penser. Il gémit et cria le nom d'Olivia, mais elle était implacable – elle continua jusqu'à ce qu'il croie mourir sous cette exquise torture. Il se refusa à jouir aussi longtemps qu'il put, et même un peu plus. Mais, quand le plaisir le submergea, il releva Olivia et ils s'accrochèrent l'un à l'autre comme s'ils venaient de s'échouer ensemble sur une plage – heureux et épuisés.

Olivia se nicha au creux de son épaule, soupirant comme si elle était sur le point de s'endormir. Lorsqu'il s'excusa en lui demandant un instant, elle tenta de lui retenir le bras, n'ayant pas envie de se priver de son oreiller, ne fût-ce qu'un petit moment. Toutefois, elle fut reconnaissante quand il revint avec un linge humide pour qu'ils se rafraîchissent, et la courtepointe pour lui tenir chaud.

— Nous ne devrions pas traîner trop longtemps au lit, dit-il.

— Je sais. Mais c'est tellement paradisiaque d'être allongée avec vous. Profitons de quelques minutes encore avant que la vraie vie ne refasse intrusion.

Il appuya son menton sur le sommet de sa tête et inhala son parfum féminin, citronné.

— Je ne pense pas que quelques minutes soient trop risquées.

Mais la lumière qui diminuait et la respiration régulière d'Olivia le bercèrent, le plongeant dans une sorte de torpeur. Ses membres devinrent agréablement lourds, et il dériva dans le sommeil, béatement inconscient des ramifications d'une brève sieste, même si elle n'était pas si innocente.

18

Du vacarme dans le couloir, à l'extérieur de la chambre d'Olivia, lui fit ouvrir un œil ensommeillé, mais elle se lova plus près de James. Il avait passé un bras sur ses hanches dans son sommeil, et elle trouvait le poids et la chaleur de son corps délicieusement réconfortants. Elle jeta un coup d'œil à ses lèvres pleines, entrouvertes, et à ses cils sombres, souhaitant conserver cet instant pour toujours dans sa mémoire.

Mais le tintamarre provenant du couloir devint de plus en plus fort, jusqu'à ce qu'il semble retentir juste devant sa porte. Les petits cheveux de sa nuque se dressèrent.

— James, chuchota-t-elle d'un ton pressant.

Il cligna des paupières et lui décocha un sourire nonchalant, à lui faire fondre le cœur.

— Oui, beauté ?

— Entendez-vous cela ?

Bam.

Aussitôt en alerte, il sauta hors du lit, remonta la couverture jusqu'au menton d'Olivia et attrapa ses culottes. On continuait à tambouriner à la porte, avec des grognements de mauvais augure.

— Sapristi !

Il lui lança un regard d'excuse.

— Ils vont casser la porte si je n'ouvre pas.

L'estomac d'Olivia sombra. Au moins, elle était loin de Londres. Personne ne la connaissait ici, hormis Hildy et Terrence. Ils avaient dû rentrer de bonne heure. Elle s'assit, coinça la courtepointe sous ses bras et hocha la tête avec courage.

— Restez là.

James avait enfilé ses culottes et était presque à la porte quand le cadre commença à éclater.

— Attendez ! cria-t-il, mais une seconde plus tard la porte s'ouvrit à la volée, heurtant le mur avec un bruit sourd.

James se plaça face au seuil, protégeant Olivia de l'intrus – au moins momentanément. Elle aperçut de larges épaules et une tête brune qui étaient atrocement familières.

— Huntford ?

La voix de James était incrédule.

Oh ! non. *Owen.* La terreur emplit les veines d'Olivia. Son frère les avait retrouvés. Et son expression indiquait qu'il allait tuer James.

— Espèce de scélérat sournois et intrigant !

Owen décocha un coup de poing qui atteint James en pleine mâchoire. Ce dernier recula en chancelant sous sa force, et le regard d'Olivia croisa celui de son frère.

— Owen ! s'écria-t-elle. Arrête, je t'en prie ! Je vais tout t'expliquer.

Le visage de son frère se déforma de rage, et il serra les poings en parcourant la chambre des yeux. Il vit la table du dîner, si intime, la chemise de James et la robe d'Olivia qui traînaient par terre.

— Pas besoin d'explications, rugit-il. Je peux assembler les pièces moi-même. Averill, vous êtes un homme mort !

James se dressait de toute sa hauteur et faisait face à Owen.

— Vous avez tous les droits d'être en colère...

— « En colère » ne suffit pas à décrire le dixième de ce que je ressens.

— Réglons ceci ailleurs. Vous bouleversez Olivia.

— Ne prononcez pas son nom !

Owen projeta James contre le mur et le frappa à l'estomac.

— Non ! cria Olivia.

Les bras de James pendaient sur ses côtés. Il n'essayait même pas de se défendre, encore moins de riposter. Elle enroula la courtepointe autour d'elle et bondit hors du lit. Quand son pied foulé heurta le sol, une douleur aiguë remonta dans sa jambe, mais elle l'ignora, déterminée à mettre fin à cette folie.

James lui jeta un coup d'œil de côté.

— Votre cheville. Restez en arrière. Tout ira bien.

— Oh ! non, rétorqua Owen en le frappant de nouveau sous les côtes.

Olivia tira sur le bras de son frère, mais il poursuivit son assaut et ne s'arrêta que lorsque James s'affala par terre, gémissant et cherchant son souffle. Elle comprenait que ce dernier ne veuille pas blesser son meilleur ami, mais pourquoi n'avait-il même pas esquivé les coups ?

Enfin, Owen recula et regarda en battant des paupières James dont le nez saignait. Il paraissait abasourdi, comme si c'était lui qui avait pris des coups sur la tête.

— Seigneur, dit-il en se laissant choir sur une chaise.

Olivia s'agenouilla près de James et prit son visage entre ses mains.

— Je suis désolée. Tout est ma faute, dit-elle.

— Non.

Il s'assit, se servant du mur pour se soutenir.

— J'ai mérité cette punition – et même plus. Prenez une de vos robes et, si vous y arrivez, allez vous habiller dans ma chambre. Restez-y jusqu'à ce que j'aie pu parler avec votre frère.

— C'est hors de question. Je ne vous laisse pas seul avec lui.

On ne pouvait pas savoir de quoi Owen serait capable sans témoin dans la pièce.

Owen ferma la porte – ou, plus précisément, la remit en face du cadre – et tira sa chaise jusqu'à l'endroit où James et Olivia étaient assis. Il ne jeta même pas un regard à sa sœur, mais d'une voix dénuée d'émotion il ordonna :

— Mets ta robe. J'ai à traiter avec lui.

— Il ignorait que je le suivrais dans la région des Lacs, plaida Olivia.

— Mais quand il a découvert que tu l'avais fait il n'a pas vu de mal à partager un lit avec toi ?

Elle tiqua au ton froid et dur de son frère. Mais elle savait que c'était seulement pour masquer la déception et la blessure qu'il éprouvait. Elle lui avait menti, avait ignoré toutes les règles de la bienséance.

— Je vais t'obéir. Mais, de grâce, écoute toute l'histoire avant de condamner James. Il est ici seulement parce qu'il voulait me protéger.

Owen souffla.

Les entrailles nouées, Olivia ramassa sa robe et sautilla jusqu'au coin le plus éloigné de la chambre. Owen lui tournait le dos, mais elle écouta avec attention, suspendue à chaque mot.

— Je vous faisais confiance, dit-il.

— Je sais, répondit James. Je suis désolé.

— Est-elle au courant pour la lettre ?

La lettre ? Olivia se figea, tendant l'oreille pour entendre la réponse de James.

— Non, mais…

— L'avez-vous lue ?

— Non !

— Je présume que vous savez comment cette affaire va se terminer.

— Bien sûr. Je vais l'épouser.

Une boule grosse comme un œuf se logea dans la gorge d'Olivia.

— Parce que vous avez été pris sur le fait ! éructa Owen. Je souhaitais mieux pour ma sœur.

— Je sais, dit James d'une voix hachée. Elle mérite mieux.

Le regret et la frustration tournoyaient dans la tête d'Olivia. Son frère et James étaient assis là, à discuter de son avenir comme s'il était déjà décidé. Et elle savait dans son cœur qu'il l'était. Le sort – couplé à son manque de jugement – était intervenu pour exaucer son plus grand souhait.

Sauf qu'elle n'avait jamais, jamais voulu que cela se passe de cette façon.

Elle noua en hâte les lacets de sa robe et boita vers son frère.

— De quelle lettre parles-tu ?

— Pourquoi marches-tu ainsi ? Qu'est-ce que tu as à la jambe ?

— Quelle lettre ? répéta-t-elle.

Elle s'adressa à James.

— C'est celle qui ne cesse de tomber de votre redingote ?

— Je voulais vous le dire…, commença-t-il.

Owen l'interrompit.

— Ce n'est rien. Aucune importance. Tu as de plus gros soucis dans l'immédiat.

— Elle est de votre père, dit James. Il vous l'a écrite avant sa mort.

— Bon sang, Averill ! s'écria Owen.

Olivia eut l'impression que ses poumons s'étaient vidés d'un coup.

— Papa ? Mais… comment ?

Bien qu'elle n'ait jamais été du genre à s'évanouir, à présent un bourdonnement sourd enflait dans ses oreilles et elle chancela. James cria son nom et se leva, mais Owen le cloua au mur d'une main. Pourquoi son frère ne voulait-il pas qu'elle ait cette lettre ? Et pourquoi James l'avait-il tenue cachée ?

Elle alla en titubant jusqu'au pied du lit où la redingote de James était roulée en boule et chercha dans la poche. Elle était là. La lettre… de *son père.*

L'une des choses les plus dures quand elle avait perdu son père avait été le côté subit de sa disparition. D'innombrables fois après sa mort, elle avait souhaité pouvoir lui parler de nouveau – entendre sa voix chaude et râpeuse et voir dans ses yeux son affection indiscutable pour elle. Personne n'avait été aussi proche de lui qu'elle, et personne n'avait ressenti sa perte plus cruellement.

Mais il lui avait écrit une lettre – une lettre qu'Owen *et* James lui avaient cachée.

Indifférente à la douleur dans sa cheville, elle fit volte-face vers la porte.

— Reste là, ordonna Owen.

Mais d'un geste brusque elle tira sur le panneau qui s'abattit avec fracas dans la pièce, manquant de peu la tête de son frère. Elle s'élança comme elle put dans le couloir jusqu'à la chambre de James, claqua la porte derrière elle et la ferma à clé. Elle devait lire cette lettre et personne – ni James, ni Owen, ni le diable lui-même ne l'en empêcherait.

Tandis qu'elle s'affalait sur le lit de James, elle s'efforça de ne pas s'appesantir sur le fait qu'il lui avait caché ce secret. Elle s'efforça de ne pas penser à leur dilemme actuel et à la façon humiliante dont son conte de fées se terminait. Et elle s'efforça en particulier de ne pas se rappeler l'expression désolée de James quand il avait dit : « Je vais l'épouser. »

Bien sûr, elle avait rêvé d'épouser James, mais pas de cette manière. Elle avait souhaité être le désir de son cœur – pas une obligation.

Ses yeux la brûlaient, son nez la piquait, et sa cheville la lançait. On frappa violemment à la porte.

— Olivia, laisse-moi entrer.

La voix étouffée d'Owen venait du couloir. Il ajouta d'un ton plus calme :

— Je t'en prie. Tu ne devrais pas être seule pour lire cette lettre.

Il avait probablement raison. Leur père n'allait pas bien durant les jours qui avaient précédé sa mort – ce qu'il avait écrit pouvait être perturbant. Mais elle avait *besoin* de le lire de ses propres yeux, sans Owen tournant autour d'elle.

— Je ne veux pas de compagnie, merci.

Elle avait besoin de temps et d'espace pour absorber le message de son père. Et, même si elle aurait bien aimé pouvoir s'appuyer sur Rose, Anabelle ou Daphne, c'était quelque chose qu'elle devait faire seule.

— Penses-tu que tu pourrais attendre un peu ? demanda Owen. Tu es à bout, en ce moment.

Elle renifla.

— Peut-être. Mais je ne suis pas aussi délicate que tu sembles le penser.

— J'ai fait ce que je jugeais être dans ton intérêt. Je n'aurais pas dû te cacher cette lettre, je m'en rends bien compte à présent.

Oui. Mais il n'était pas le seul à avoir pris une mauvaise décision. Elle-même en avait pris plusieurs en poursuivant James à travers l'Angleterre.

— J'ai eu tort aussi, reconnut-elle. Je suis navrée pour tous les ennuis que j'ai causés, mais tu n'as plus besoin de me protéger, maintenant.

— Et si je le veux ?

La gorge d'Olivia se serra d'émotion.

— Il est temps que je me débrouille seule.

— Très bien.

Il y avait de la résignation dans la voix d'Owen – et peut-être du respect.

— Mais je serai là si tu as besoin de moi.

Prenant une grande inspiration, elle retourna la lettre ; les mains tremblantes, elle brisa le cachet. Ses yeux se brouillèrent à la vue de l'écriture familière, inégale de son père. Elle put presque entendre sa voix grave et gentille en lisant ses mots.

Ma très chère, bien-aimée Olivia.

J'espère qu'au moment où tu ouvriras cette lettre suffisamment de temps aura passé pour que tu puisses penser à moi sans colère ni dégoût, mais je te demande peut-être trop. J'aurais voulu être un meilleur père pour toi, Rose et Owen, mais j'ai confiance que vous vous en sortirez merveilleusement bien tous les trois, malgré les nombreux défauts de vos parents.

Tu peux t'étonner que j'aie choisi de t'écrire à toi, et non à ton frère aîné ou à ta sœur cadette, et je vais te dire pourquoi. Owen est prompt à se fâcher et lent à pardonner. Je ne lui en tiens pas rigueur – il veut seulement le meilleur pour toi et ta sœur. Rose est plus mûre que son âge, mais si fragile. Toi, Olivia, tu es la plus forte des trois et tu es le lien qui tient notre famille ensemble. Tu es celle qui fait rire ton grand frère et protège ta jeune sœur. Tu es celle à qui je veux confier l'information que je vais te donner.

Vois-tu, ta mère n'est pas la seule à avoir été infidèle durant notre mariage. Je l'ai été aussi. Rebecca – je suppose que tu pourrais l'appeler « ma maîtresse » – travaillait à la bibliothèque de prêt que je fréquentais en ville. Bien qu'elle fût loin d'être aussi belle que ta mère, elle avait un sourire avenant et un esprit vif qui m'ont tout de suite attiré vers elle. Pendant plusieurs mois nous nous sommes rencontrés en secret, et puis un soir où je venais la trouver elle m'a repoussé, disant qu'elle ne voulait plus me voir.

Je me suis efforcé de respecter ses désirs mais, souhaitant désespérément savoir comment elle allait, je l'ai épiée un jour alors qu'elle se rendait à la bibliothèque... et j'ai découvert qu'elle était enceinte. Néanmoins, elle a refusé de me voir. Peu après, elle a quitté la ville et n'est pas revenue jusqu'à l'été où je l'ai aperçue par hasard au parc, portant un petit paquet contre sa poitrine – une petite fille qui n'avait que quelques mois. Elle m'a laissé la regarder et m'a dit qu'elle s'appelait Sophia. Sophia Rolfe. Je ne les ai plus revues, car entre-temps je m'étais réconcilié avec ta mère. J'ai envoyé une somme généreuse à Rebecca chaque année pendant dix-huit ans, afin qu'elles ne manquent de rien. Je me rends compte à présent que l'argent ne suffisait pas.

J'ai appris récemment que Rebecca est tombée malade et qu'elle est morte. J'ai envisagé d'écrire à Sophia et de lui dire qui j'étais, mais j'ai craint qu'elle n'accueille mal la nouvelle que je suis son père, et je ne voulais pas lui compliquer la vie. En tout cas, c'est l'excuse que je me suis donnée.

Je crains, ma chère Olivia, de t'avoir profondément choquée par ce point de ma lettre et je regrette la douleur que cette information peut te causer. J'espère – en me rendant compte que c'est beaucoup te demander – que tu trouveras dans ton cœur l'indulgence de me pardonner.

Peut-être qu'un jour tu rendras visite à Sophia et t'assureras qu'elle va bien. Peut-être lui diras-tu que tu es sa demi-sœur. Peut-être pas. Je joins la dernière adresse de Rebecca ainsi qu'un grossier croquis d'elle portant Sophia. Je l'ai fait de mémoire – après les avoir vues dans le parc ce jour-là.

Je te laisse libre de décider si tu veux ou non partager cette information avec Owen et Rose. Je ne souhaite pas vous causer plus de détresse, mais je ne pouvais pas mourir sans reconnaître Sophia comme ma fille, d'une certaine manière.

Quant à vous trois, je crois honnêtement que vous serez mieux sans moi. Néanmoins, j'aimerais pouvoir être là, ne fût-ce que pour voir la belle jeune femme aimable et généreuse que tu es à coup sûr devenue. Sache que, quoi que tu décides de faire de cette information, je suis fier de toi et je t'aime.

Transmets aussi mon affection à Owen et à Rose.

Papa.

Olivia fixa l'écriture de son père, cherchant un indice, un détail quelconque prouvant que la lettre était un cruel canular, mais elle n'en trouva pas. La missive avait bien été rédigée de sa main.

Elle la laissa glisser de ses doigts et s'en éloigna, se déplaçant vers la tête du lit. Elle souhaitait ne l'avoir jamais lue, pouvoir revenir en arrière et ignorer béatement son existence. Elle s'adossa au panneau de bois et jeta un regard noir et méfiant à la feuille.

— Olivia ? Est-ce que tu vas bien ?

Elle avait oublié qu'Owen était devant sa porte, et l'inquiétude dans sa voix ne fit que lui rendre plus difficile de ne pas pleurer.

— Oui.

Elle ne se fia pas à elle-même pour en dire plus. Comment son père avait-il osé lui faire cela ? Pourquoi avait-il fallu qu'il la charge de ce fardeau ? Il était censé être l'époux fidèle et aimant, le gentleman parfait. Pas un libertin qui se liait avec une employée quelconque !

— Veux-tu me laisser entrer ?

— Non.

Elle regarda la lettre avec dégoût. Comme elle apprécierait de la mettre en pièces et de jeter les morceaux dans le vent. Elle ne pouvait pas laisser Owen la lire. Elle ne voulait pas qu'il se sente aussi mal qu'elle. En outre, elle avait besoin de temps pour réfléchir à la révélation de leur père – sans interférence de son frère bien intentionné, mais trop autoritaire.

— Je suis désolé pour la lettre. Vraiment. Mais, même si tu ne veux pas discuter de son contenu avec moi, nous avons encore à parler d'une question sérieuse – les circonstances hautement inconvenantes dans lesquelles je t'ai trouvée.

Bien qu'il soit de l'autre côté de la porte, elle pouvait imaginer ses sourcils sombres se froncer de réprobation.

Elle attrapa la lettre posée sur le lit, la replia sans soin et la glissa dans son corselet. Puis elle boita jusqu'à la porte et l'ouvrit à la volée.

— Je doute d'être la seule à avoir eu un comportement scandaleux.

Cela le fit taire un instant.

— Au moins, j'ai eu le bon sens de ne pas me faire prendre, marmonna-t-il.

Puis, en faisant une grimace, il demanda :

— Qu'est-ce que c'est que ce noir autour de tes yeux ?

— Ce n'est rien. Owen, à propos de ce soir. Nous n'avons pas…

— Arrête.

Il leva une main.

— Je ne veux pas entendre les détails. Une chose est sûre : cette histoire est allée plus loin qu'un baiser volé sur une terrasse. Tu as déambulé dans la campagne, sans chaperon, pendant des jours – et tu n'es même pas dans le comté où tu disais que tu serais. Sans le billet de Terrence, je n'aurais jamais su où tu étais. Je sais ce que j'ai vu ce soir, et tu sais quelles doivent en être les conséquences, Averill aussi.

Olivia fit signe à son frère d'entrer dans la chambre et alla jusqu'à une chaise en boitant.

— Qu'est-ce que tu as à la jambe ? demanda-t-il de nouveau, en s'asseyant sur le bord du lit face à elle.

— Je te le dirai plus tard. Où est James ?

— Dans l'autre chambre. Il lave le sang de son visage.

Olivia tressaillit, mais elle était heureuse d'avoir quelques instants de plus seule avec Owen. Même s'il était improbable qu'elle puisse le faire changer d'avis, elle devait au moins essayer.

— Je sais que je t'ai déçu et que tu agis par souci pour moi.

— Exactement.

— Tu t'inquiètes pour ma réputation.

— Sapristi, Olivia ! Je m'inquiète pour un tas de choses.

— Considère ce qui suit : personne n'a vu James et moi ensemble, sauf toi. Tu n'en ferais jamais des gorges chaudes…

— Ce n'est pas la question.

— Bien sûr que si. Ce n'est un scandale que si les gens le savent. Et personne ne le sait.

— Tu ne penses pas que l'aubergiste, sa femme, et tous les clients seront au courant avant que la salle commune ne ferme ce soir ?

— Eh bien, si tu n'avais pas enfoncé la porte…

— Arrête, coupa-t-il. Tu t'es mise toi-même dans cette situation.

— Oui. Exactement. C'était ma faute. Et si tu obliges James à m'épouser, tout sera gâché.

Owen se passa les mains dans les cheveux d'un air las.

— Je croyais que tu étais attachée à James.

— Je le suis. Mais je dois admettre que je suis déçue qu'il m'ait caché la lettre.

Owen se passa une main sur le visage.

— Je lui ai demandé de la conserver pour moi. Il me faisait une faveur.

Olivia courba la tête.

— Écoute, nous pouvons parler de la lettre plus tard, dit Owen. Peux-tu honnêtement me dire que te marier avec James te rendrait malheureuse ?

Elle soupira.

— Non, je l'aime. Mais je ne veux pas l'épouser de cette façon.

— Que veux-tu dire par « cette façon » ? Quelle différence font les circonstances ? Vous serez mariés.

— Il part pour une expédition archéologique à la fin de l'été.

— Non.

— Si. Il le faut.

Elle se pencha en avant, soudain au désespoir d'amener son frère à comprendre.

— Je ne veux pas être la raison qui l'empêche de partir. Il m'en voudra pour le reste de ses jours.

— Après ce soir, il a de la chance d'avoir encore des jours à vivre, crois-moi. Peut-être que de le savoir l'aidera à accepter son occasion manquée d'explorer l'Égypte.

— Il s'agit de plus que cela, Owen.

Elle renifla les larmes qui menaçaient.

— Je ne veux pas d'un époux qui ne veut pas de moi. Je ne veux pas d'un mariage froid et vide comme celui de nos parents. Je voulais un amour comme le tien et celui d'Anabelle.

À la mention de son adorable épouse, les plis autour des yeux d'Owen s'adoucirent.

— Je comprends que tu sois chavirée. Tu as eu une journée éprouvante. Mais qu'une chose soit bien claire : Averill t'épousera. Ce que vous ferez de ce mariage, eh bien… cela dépendra de vous. Et, au risque de paraître insensible, je ne m'en soucie pas vraiment. Tout ce que je sais, c'est que, dès que je pourrai l'arranger, vous vous tiendrez tous les deux devant un pasteur pour échanger vos vœux.

— Je t'en prie…

— Ne t'oppose pas à moi là-dessus, Olivia, dit-il calmement, mais fermement. Tu ne gagneras pas. Tu ne feras que nous épuiser tous les deux.

À ces mots, toute envie de se battre la quitta. Enfin, presque.

— Très bien, j'épouserai James. Mais seulement si tu lui permets de faire cette expédition après.

— Ce n'est pas une façon de commencer un mariage.

Elle était d'accord, et la seule idée de lui dire au revoir pour deux ans lui serrait le cœur. Elle imaginait très bien les murmures de la haute société quand elle apprendrait qu'elle avait été abandonnée par son mari peu après leur mariage. Mais elle ne pouvait pas être la cause de l'effondrement du rêve de James.

— Ce ne sont pas des fiançailles ordinaires, et ce ne sera pas un mariage ordinaire. Je veux que James parte.

Owen la dévisagea intensément pendant un moment.

— Très bien. Une fois que vous serez mariés, je n'interférerai pas. Je ne l'empêcherai pas de partir. Mais j'aurai une moins bonne opinion de lui s'il le fait.

L'avenir dont elle avait rêvé – son mariage avec James – était sur le point de se réaliser. Et elle avait l'impression que rien n'allait.

— À présent, si tu ne veux pas me parler de la lettre de notre père, dis-moi au moins ce qui est arrivé à ton pied, demanda Owen.

Il semblait ridicule de parler de quelque chose d'aussi banal que son pied quand son esprit se colletait avec le fait que son frère les avait découverts nus dans un lit, James et elle, et la nouvelle qu'elle avait une demi-sœur vivant quelque part en Angleterre. Mais Owen ne serait pas satisfait tant qu'il n'aurait pas eu toute l'histoire.

— C'est arrivé il y a deux ou trois jours. J'étais…

— Pardonnez l'interruption.

James se tenait sur le seuil, entièrement habillé et l'air tout à fait respectable – si l'on exceptait le bleu qui se formait déjà sous son œil gauche. Il se racla la gorge et regarda au-delà d'Owen, fixant Olivia, ses yeux verts pleins de tristesse et de résignation.

— Olivia, commença-t-il. Puis-je vous dire un mot ?

Elle eut envie de le secouer. Moins d'une heure plus tôt, ils riaient, s'embrassaient, parlaient – et se donnaient un plaisir indescriptible. Et maintenant ils se tenaient chacun à un bout de la chambre, comme de simples connaissances dans un dîner guindé. L'expression distante et vide de son visage brisa presque le cœur d'Olivia.

— Bien sûr. Owen, voudrais-tu nous accorder un moment, s'il te plaît ?

Il souffla.

— Quoi qu'Averill ait à te dire, il peut le dire devant moi.

— Mais..., protesta-t-elle.

— C'est bon. Votre frère devrait entendre ceci, aussi.

James marcha vers elle et se tint avec raideur devant sa chaise.

— Je veux que vous sachiez que, bien que j'aie conscience de ne pas avoir agi honorablement, je vous respecte et vous admire beaucoup. Je suis profondément désolé d'avoir profité de vous...

— Vous n'avez rien fait de tel. Je...

— Non. Je ne me suis pas conduit en gentleman.

Il l'implora du regard de le laisser finir.

— Je ne peux pas défaire ce que j'ai fait, mais je peux essayer de l'arranger.

Tandis qu'il se mettait sur un genou, Owen marmonna quelque chose d'inintelligible et leur tourna le dos. Et, dans sa tête, Olivia criait : « Non, non, non. De grâce, ne le faites pas ainsi. » Même s'il était visiblement sincère, cela ressemblait à une parodie de son rêve – une demande en mariage venant du fond du cœur, par laquelle il proclamait son amour pour elle et l'emportait dans un tourbillon.

James lui prit la main et la tint comme s'il saluait sa grand-mère.

— Vous me feriez un grand honneur, dit-il, si vous acceptiez de devenir mon épouse.

Il la regarda d'un air d'attente, comme s'ils étaient tous les deux des acteurs et qu'il attendait qu'elle récite sa réplique. Il n'y avait pas de passion dans sa proposition, pas de bonheur. C'était un homme vaincu qui faisait son devoir – rien de plus.

— Nous devrions peut-être tous prendre une bonne nuit de sommeil, dit Olivia. Nous pourrons en parler davantage demain.

Les épaules de James s'affaissèrent ; il lui lâcha la main et commença à se relever.

— Restez là, ordonna Owen, avant de dire à Olivia : C'était une demande en mariage parfaitement correcte, et je veux t'entendre l'accepter.

— Très bien, répondit-elle à personne en particulier, parce que de toute évidence ce qu'elle disait ou pensait n'avait pas beaucoup de poids. J'accepte.

Owen haussa les sourcils tandis que James se relevait, grimaçant comme s'il avait une côte meurtrie ou cassée.

— Ce n'était pas la demande en mariage la plus émouvante qu'il m'ait été donné de voir, dit-il.

Il jeta un coup d'œil à Olivia.

— Ni l'acceptation la plus gracieuse. Mais je suppose que cela devra faire l'affaire.

Un bruit de pas résonna dans le couloir, suivi par une exclamation étouffée.

— Lady Olivia ?

Flûte. Elle en avait presque oublié Hildy.

— Je suis là ! cria-t-elle.

La soubrette apparut sur le seuil, brandissant une béquille dans chaque main d'un air triomphal.

— Regardez ce que j'ai… Oh ! mon Dieu. Bonsoir, Votre Grâce.

Ses joues s'empourprèrent tandis qu'elle faisait la révérence à Owen, sans lâcher les béquilles.

Olivia se demanda distraitement si quelqu'un d'autre – peut-être le cocher ou l'aubergiste – allait se présenter dans la chambre avant la fin de la soirée. Et elle brûlait qu'elle se termine.

— Merci, Hildy. Pourquoi n'allez-vous pas dans notre chambre ? Je vous y rejoindrai aussi vite que possible et vous expliquerai tout.

Trop heureuse d'être congédiée, la soubrette détala.

Avec une bonne dose d'exaspération, Owen dit :

— Je dois encore avoir l'explication de ta blessure, mais au point où nous en sommes je pense que cela peut attendre demain. Même si cela va à l'encontre de mon jugement, et avant que nous nous retirions tous dans nos chambres *séparées*, je vais vous accorder deux minutes en tête à tête – pas plus. Je resterai dans le couloir.

Dieu merci, Owen montrait un peu de compassion. Olivia avait désespérément besoin d'un signe de James lui indiquant que les choses allaient bien se passer entre eux, qu'il ne voyait pas le mariage avec elle comme l'équivalent d'une sentence de prison à vie dans l'Old Bailey.

Owen leur décocha à tous les deux un sévère regard d'avertissement avant de passer la porte.

Olivia sauta sur ses pieds malgré sa cheville qui la lançait et jeta ses bras autour du cou de James.

— Êtes-vous blessé ?

Il se dégagea doucement de son étreinte et s'éloigna à une distance respectable.

— Je serai meurtri un jour ou deux. Ce n'est rien.

— Je n'ai jamais eu l'intention d'en arriver là. Je suis tellement désolée.

— Je suis désolé aussi.

— Peut-être y a-t-il un moyen…, commença-t-elle.

— Non, j'ai donné ma parole à Owen. Nous pouvons aussi bien nous résigner à cette situation. Je ferai de mon mieux pour vous rendre heureuse.

— Je le sais.

Mais elle ne pouvait imaginer être heureuse quand James, si visiblement, ne l'était pas.

— Avez-vous lu la lettre de votre père ?

Au rappel de la lettre qu'il lui avait cachée, elle détourna les yeux.

— Oui. J'ai beaucoup à réfléchir.

— Si je peux faire quoi que ce soit…

— Je ne pense pas.

— Alors je devrais vous laisser vous reposer. Les choses paraîtront meilleures demain matin.

Et avec un sourire triste il s'en alla.

Il n'y eut pas de baiser, passionné ou autre, pas de regard ni de mot affectueux, pas d'humour ni de charme. Juste un vague espoir que les choses sembleraient meilleures le lendemain.

C'était peut-être vrai, car elles ne pouvaient pas devenir pires.

19

Restaurer : *1) L'action de nettoyer et rénover un objet pour tenter de lui restituer son aspect d'origine. 2) Rétablir, comme dans : « Il avait trahi la confiance qu'elle avait en lui, et maintenant il ferait n'importe quoi en son pouvoir pour la restaurer. »*

James regimbait quand on lui donnait des ordres. Et, depuis que Huntford avait fait irruption dans la chambre d'Olivia la veille au soir, il n'avait cessé de lui en donner, lui disant que faire et quand le faire. Le pire, dans l'histoire, c'était que Huntford l'épargnait, et que James le savait.

Aussi, lorsqu'il fut convoqué dans la salle à manger privée de l'auberge pour prendre le petit déjeuner à 9 heures, il ne s'y opposa pas, même si cela l'ulcérait. Olivia et Huntford l'attendaient, et ni l'un ni l'autre ne semblait avoir beaucoup dormi. Il avait probablement des cernes sous les yeux, lui aussi, mais ils étaient éclipsés par l'énorme bleu qu'il avait sur la joue.

L'humeur était sombre, et James supposa qu'ils déploraient la mort d'une amitié – celle entre lui et Huntford. Il avait l'impression que tout un pan de son histoire – et de son avenir – avait soudain disparu. Il avait ressenti un vide similaire à la perte de son chien, un aimable bâtard nommé Hermès, quelques années plus tôt. Mais là, c'était pire. Ce qui arrivait était sa faute. Et, si Huntford lui décochait des regards cinglants dans les décennies à venir, ce ne serait que justice.

— Bonjour, dit-il avant d'adresser une courbette polie à Olivia.

Il remarqua ses béquilles neuves appuyées dans le coin.

— Bonjour.

Elle tritura un morceau de jambon de sa fourchette.

— Remplissez-vous une assiette.

Huntford désigna la table derrière lui, chargée de plats d'œufs, de toasts, de jambon et de fruits.

— Ensuite nous parlerons.

James se servit du café et s'assit à côté d'Olivia, s'attirant un regard cuisant de son frère.

— De quoi aimeriez-vous discuter ?

Huntford posa sa fourchette.

— J'ai décidé que le mariage aura lieu à Haven Bridge, où il y aura beaucoup moins de ragots qu'en ville. Nous pourrons dire que votre oncle infirme souhaitait vous voir marié et que vous lui avez volontiers fait ce plaisir.

— Toute une histoire, dit James.

L'ironie de la chose, c'était que son oncle Humphrey prendrait probablement un grand plaisir à assister à la cérémonie, en effet. James se tourna vers Olivia.

— Est-ce qu'un petit mariage à Haven Bridge vous conviendrait ?

Huntford croisa les bras d'un geste impatient ; James l'ignora.

— Oui, répondit-elle doucement. Je suppose que l'endroit n'est pas très important pour moi.

— Parfait, dit Huntford. Je prendrai…

— Attendez, coupa James.

Voir Olivia si peu concernée par son propre mariage le déstabilisait.

— Si l'endroit n'a pas d'importance pour vous, qu'est-ce qui en a ?

— J'aimerais que ma sœur et mes amies proches soient là, mais nous sommes si loin de la maison…

— En effet, intervint Huntford. C'est tout l'intérêt de la chose.

— Nous pourrions peut-être faire en sorte qu'elles viennent, suggéra James.

Olivia s'anima un peu, mais son frère décréta :

— Moins il y aura de personnes pour y assister, mieux ce sera. Moi, bien sûr, je serai là pour voir de mes propres yeux que l'union a bien lieu. Tout à l'heure, je vous escorterai tous les deux jusqu'à Haven Bridge et veillerai à ce qu'Olivia s'installe à l'auberge. Averill, vous resterez chez votre oncle – ou où vous voudrez, à condition que ce ne soit pas la même auberge. J'ai l'intention de passer l'après-midi à voir le pasteur et à organiser la publication des bans.

James lança un coup d'œil à Olivia. Son visage était presque aussi pâle que la simple robe blanche qu'elle portait – une différence frappante avec la riche toilette dorée dont elle s'était dépouillée la nuit dernière. Son sang s'échauffa au souvenir d'Olivia délaçant avec audace sa robe pour lui et exposant une peau soyeuse et délectable. Bonté divine. Il secoua la tête et se ressaisit, heureux que le frère de celle-ci ne puisse pas lire dans ses pensées.

Huntford continuait à parler.

— J'ai des affaires à traiter à Londres – sans parler de voir mon épouse et ma fille – alors je repartirai ce soir. Mais soyez sans crainte : je serai de retour à Haven Bridge dans trois semaines, avant que les heureuses épousailles n'aient lieu.

— Apparemment, tu as tout planifié, dit Olivia d'un ton sec.

— Pas tout à fait. J'hésite – pour des raisons évidentes – à vous laisser tous les deux dans le même village alors que vous n'avez que ta soubrette comme chaperon, niais je ne vois pas comment l'éviter. Quoi qu'il en soit, votre sort est déjà scellé. Vous pourriez aussi bien mettre ce temps à profit pour préparer votre mariage – et votre avenir.

Olivia jeta une œillade à James, et il vit la méfiance dans ses yeux. L'adoration, la confiance qui les habitaient la veille avaient disparu. En lui cachant la lettre, il avait détruit la haute opinion qu'elle avait de lui. Alors qu'elle le prenait autrefois pour un modèle d'intégrité, elle doutait maintenant de ses intentions. Et qui pouvait l'en blâmer ?

Trois semaines jusqu'au mariage. C'était le temps qu'il avait pour essayer d'arranger les choses avec Olivia.

Pour l'aider à retrouver son étincelle.

Plus tard cet après-midi-là, James fut de retour dans les pittoresques collines d'Haven Bridge. Il alla chercher ses affaires à l'auberge, prit congé d'Olivia sous le regard observateur de son frère et se rendit à cheval chez son oncle Humphrey. Il frappa à la porte du cottage, mais n'eut pas de réponse. Alors il essaya la poignée, vit que ce n'était pas fermé à clé et entra.

— Mon oncle, êtes-vous là ?

Il serpenta entre des piles de livres et deux chats endormis, et suivit les ronflements sonores qui venaient du cabinet de travail.

Dans son sommeil, oncle Humphrey paraissait plus âgé et plus frêle. Lorsqu'il était réveillé, il avait un esprit incisif et une intelligence qui rendaient facile d'oublier qu'il avait près de quatre-vingts ans. Ce n'était pas le cas maintenant. L'un des chats remua, s'étira et sauta sur la jambe de son maître, ce qui le réveilla. Il battit plusieurs fois des paupières, regarda James et dit :

— Je me demandais où tu étais passé.

Comme s'il était parfaitement normal de se réveiller et de découvrir que quelqu'un était entré chez vous sans s'annoncer.

— Qu'est-il arrivé à ton visage ?

James toucha sa joue contusionnée.

— J'ai pris un coup de poing.

— Toi ?

Humphrey fronça ses sourcils blancs, incrédule.

— Tu n'es pas celui qui reçoit, d'habitude.

— Je le méritais.

— Oh.

Le vieil homme hocha la tête d'un air pensif.

— Comment va-t-elle ?

— Qui ?

— La jeune fille. Celle que tu poursuivais.

— Je ne poursuivais pas du tout lady Olivia, je tâchais de l'escorter en toute sécurité chez sa tante.

— Je vois.

Mais Humphrey dit cela d'un ton qui suggérait qu'il savait très bien pourquoi son neveu avait quitté Haven Bridge sans prévenir. Et il avait probablement raison, sapristi.

— Nous sommes fiancés, annonça platement James.

— Comment ? Félicitations, mon garçon ! Je pense que cette nouvelle mérite un verre. Sers-nous un scotch à chacun, veux-tu ?

— Entendu.

James alla jusqu'au buffet.

— Mais je ne suis pas sûr que cela doive être célébré. Son frère, le duc, nous force à nous marier.

— Ah. Eh bien, des fiançailles sont une occasion spéciale quelles que soient leurs circonstances.

James versa le scotch dans deux verres et en tendit un à son oncle.

Humphrey caressa le chat, qui s'était installé entre sa hanche et le bras de son fauteuil, puis se poussa sur la droite pour lui laisser plus de place. Il but son whisky en silence pendant une minute avant de poser la question qui hantait James depuis la veille au soir – et peut-être même avant.

— Et qu'est-ce que cela signifie pour ton expédition ?

Si quelqu'un pouvait comprendre le dilemme de James, c'était bien son oncle. Il partageait sa passion des antiquités et des fouilles et était peut-être même encore plus enthousiaste que lui à propos de ce voyage.

— Je veux toujours partir.

— Lady Olivia a-t-elle des objections ?

— Je n'ai pas eu l'occasion d'en discuter avec elle. Mais je peux imaginer qu'elle ne sera pas folle de joie à la perspective de me voir quitter le pays quelques jours seulement après notre mariage.

Il jeta un coup d'œil à Humphrey, espérant l'entendre dire qu'il serait un sot d'envisager de laisser passer l'occasion d'une vie, à savoir explorer les ruines d'une civilisation antique avec une équipe qualifiée et respectée.

— Tu as une décision difficile à prendre.

— Que feriez-vous, vous ?

Le vieil homme prit une longue inspiration sifflante et ferma les yeux. Il resta ainsi pendant peut-être une minute – assez longtemps pour que James se demande s'il avait repris sa sieste. Mais alors il toussa, ouvrit les yeux et dit :

— Emmène-la pique-niquer.

James secoua la tête. Peut-être que son oncle n'avait plus l'esprit aussi vif qu'autrefois, finalement.

— Non, je voulais dire pour l'expédition. Resteriez-vous ici, ou partiriez-vous ?

— Je ne peux pas répondre à cela. Je ne suis pas à ta place. Mais je me souviens que, chaque fois que ta tante Dorothy et moi avions besoin de démêler un problème, nous prenions un panier de nourriture, faisions une longue marche et passions un moment ensemble. Tu pourrais y trouver un éclaircissement, une nouvelle perspective. Le pire qui pourrait t'arriver, c'est de passer la journée avec une jolie fille.

James se caressa le menton. Ce n'était pas exactement le genre de sage conseil qu'il recherchait, mais il supposait qu'un pique-nique ne pourrait pas faire de mal.

— Elle est jolie, n'est-ce pas ?

Les yeux embrumés d'Humphrey pétillèrent de gaieté.

— Très. Presque aussi jolie que tante Dorothy.

— Ah. Alors tu es un homme chanceux, vraiment.

Peut-être que son oncle avait raison. Il se rappela le petit déjeuner impromptu qu'il avait partagé avec Olivia dans son endroit préféré sur la colline, avant qu'elle ne se foule la cheville. Il offrait peut-être le plus beau panorama possible d'Haven Bridge… mais il n'était absolument pas accessible avec des béquilles.

Comme s'il avait lu dans ses pensées, Humphrey reprit :

— Prenez des chevaux et allez dans le nord-ouest de ma propriété, là où la rivière coule dans les bois. Cet endroit a quelque chose de spécial – de presque magique.

— Magique ? Comme avec des fées et des elfes ?

Son oncle ignora sa question.

— Je n'y suis pas allé depuis des années, mais j'ai toujours suspecté que c'était un lieu sacré. Promets-moi que tu iras. Avec ta jolie fiancée.

James haussa les épaules. Il avait environ trois semaines à remplir avant le mariage.

— Certainement.

Un peu tard, il se rappela un détail : le fait qu'il avait besoin de se loger.

— J'ai une autre faveur à vous demander, mon oncle. Cela vous ennuierait-il si je restais chez vous les prochaines semaines ?

— Pas du tout. Pourvu que tu me resserves du scotch.

Le vieil homme tendit son verre avec un sourire en biais.

James le servit, ôta une pile de livres du fauteuil en face du sien et s'assit.

— Parlez-moi davantage des terres qui bordent la rivière.

Olivia était de nouveau installée dans une chambre de l'auberge Le Fifre et la Grenouille, à Haven Bridge. Owen était parti la veille au soir, et, même s'il s'était retenu de la sermonner une dernière fois, elle avait vu la déception dans ses yeux – ce qui était bien pire que sa colère.

Elle se déplaçait dans la pièce avec ses béquilles, comme un oiseau voletant dans une cage trop petite. Elle pouvait traverser la chambre en quatre longues enjambées, mais ses bras fatigués lui faisaient mal. Hildy ne s'était pas privée de lui faire remarquer qu'elle ne serait pas aussi endolorie si elle restait au même endroit disons… plus de dix minutes, mais Olivia ne pouvait endiguer son agitation.

Dans une tentative méritoire pour la distraire, la soubrette fouilla dans sa malle.

— Nous devons trouver une robe convenable pour votre mariage. Peut-être celle de soie rose ?

Olivia haussa les épaules.

— Elle peut aller.

Si ces fiançailles avaient été celles de ses rêves, sa belle-sœur Anabelle lui aurait confectionné avec amour une robe magnifique. Daphne, de son côté, l'aurait taquinée et lui aurait offert des conseils osés pour la nuit de noces. Comme elles lui manquaient – sans parler de Rose et de son soutien tranquille et solide.

— Elle est simple et élégante, continua Hildy avec entrain. Et j'empilerai des boucles sur votre tête et passerai un ruban dans vos cheveux, comme vous aimez.

Un coup frappé à la porte les fit sursauter toutes les deux. Hildy laissa tomber la robe et se précipita pour ouvrir.

— Monsieur Averill. Bonjour.

James se tenait sur le seuil, beau à couper le souffle dans une redingote rouille, des culottes fauves et des bottes. Ses cheveux cendrés étaient décoiffés d'une manière charmante par le vent, et la chaleur de ses yeux verts fit manquer un battement au cœur d'Olivia.

Pourtant, il y avait de la gêne et de la distance entre eux. Cela venait peut-être de cette demande en mariage guindée – ce n'était pas la faute de James, mais c'était néanmoins très embarrassant. Ou alors c'était l'histoire de la lettre de son père.

James savait combien elle était proche de son père, et à quel point sa mort l'avait affectée. Cependant, après tout ce que qu'ils avaient partagé – des conversations intimes, des baisers troublants, et davantage –, il lui avait caché la lettre. Owen avait tout expliqué, après, comment l'avoué de leur père lui avait transmis le billet et comment il avait hésité à le lui remettre. Il avait essayé d'absoudre James de tout blâme, disant qu'il s'était juste efforcé d'être un bon ami, serviable et dévoué.

Mais Olivia avait pensé que sa relation avec James était importante aussi. Aurait-elle toujours la deuxième place derrière Owen aux yeux de son futur époux ? Elle n'aurait su le dire.

— Pardonnez-moi de venir de si bonne heure, dit-il. Mais la journée promet d'être splendide, et je me demandais, lady Olivia, si vous aimeriez vous joindre à moi pour un pique-nique.

Olivia haussa un sourcil et jeta un regard éloquent à ses béquilles. Même si elle brûlait d'échapper à sa chambre, la seule pensée de parcourir des sentiers de terre pleins d'ornières lui faisait mal aux bras.

— J'ai bien peur de ne pas pouvoir aller très loin.

— Vous n'auriez pas beaucoup à marcher. J'ai amené un deuxième cheval, et nous pouvons chevaucher jusqu'à notre destination – un petit endroit tranquille situé sur les terres de mon oncle Humphrey. Je n'y suis jamais allé moi-même, mais il dit que la rivière est si claire et si fraîche que l'on ne peut résister à tremper ses orteils dedans.

— Je ne pourrais tremper qu'un pied…

Elle se rendait bien compte qu'elle avait l'air d'une adolescente maussade, mais il s'agissait de protéger son cœur, qui avait enduré à peu près toute la souffrance qu'il pouvait supporter. Aussi tentant que soit ce pique-nique, elle ne pouvait se laisser devenir trop proche de James. Plus ils passeraient de temps ensemble, plus douloureux ce serait quand il partirait pour l'Égypte.

— Je me suis arrêté à la boulangerie pour acheter des petits pains briochés…

Pas les petits pains ! Oh ! il était futé – *très* futé. Elle soupira.

— Je suppose que le grand air et le soleil seraient les bienvenus.

— Même si ma compagnie ne l'est pas ?

Le sourire contrit de James indiquait qu'il savait qu'il n'était pas dans ses bonnes grâces – mais qu'il aimerait y revenir.

— Je ne sous-entendais pas une chose pareille. Hildy, vous viendrez avec nous, n'est-ce pas ?

— Euh, je ne suis pas douée pour monter, milady. Pourrai-je marcher à côté de vous ?

James secoua la tête.

— C'est probablement à trois ou quatre miles à travers champs. Trop loin.

Comme cela tombait bien.

— Bon, puisque nous sommes fiancés, maintenant, je suppose que c'est sans importance, dit Olivia. Hildy, voudriez-vous me donner mon bonnet et mon ombrelle, je vous prie ?

Quelques minutes plus tard, James la hissait sur une docile jument baie tachetée de blanc.

— Comment trouvez-vous la selle ? Êtes-vous bien ?

— Tout à fait.

Olivia avait oublié combien elle aimait la vue du haut d'un cheval, et le sentiment de liberté que procurait l'équitation. Elle était impatiente d'arriver dans un champ ouvert et de voir à quelle vitesse sa monture pouvait aller.

James attacha les béquilles à l'arrière de sa selle et sauta agilement sur son hongre rouan.

Il prit les devants le long de la rue principale du village, passant devant de minuscules échoppes et la place centrale. La route contournait un cimetière bien entretenu et, plus haut sur la colline, une église pittoresque. L'église dans laquelle ils pourraient très bien être mariés sous peu.

Tandis que sa jument dépassait l'édifice en trottant, le regard d'Olivia s'attarda sur les murs en pierre, la porte voûtée et les fleurs des champs jaunes qui bordaient l'allée en brique conduisant au perron. Ce décor champêtre n'était pas si différent de ses rêves.

James ne parut pas remarquer l'église. Ses yeux étaient fixés sur les montagnes verdoyantes, le profond lac argenté et le ciel d'azur sans nuages. La brise chaude lui ébouriffait les cheveux et le soleil y allumait des reflets dorés, ce qui altérait un peu le souffle d'Olivia. Au bout d'un mile environ, il s'arrêta et désigna un champ d'herbes hautes.

— Nous allons vers l'ouest – vers la ligne des arbres. Nous pouvons garder cette allure, si vous voulez, ou…

Avant qu'il ne puisse finir sa phrase, Olivia lui décocha un large sourire et mit sa jument au galop. Le vent fouetta son bonnet, l'arrachant de sa tête et libérant de longues mèches de leurs épingles.

James chevauchait plusieurs longueurs derrière elle. Même s'il aurait sûrement pu la rattraper à tout moment, il lui donnait de l'espace et la laissait savourer l'excitation de galoper dans l'herbe et de voir les arbres s'élever à sa rencontre.

Une longue rivière serpentait à la lisière des bois, et Olivia tira sur sa bride, reprenant son souffle tandis que la jument vagabondait au bord de l'eau. James la rejoignit et démonta, encourageant son cheval à boire. Puis il leva les yeux vers elle et dit :

— Vous sembliez être redevenue vous-même, à l'instant. Cela m'a plu.

Elle haussa un sourcil. C'était peut-être la chevauchée exaltante, la brise chaude ou le paysage luxuriant. Quoi qu'il en soit, son cœur lui paraissait bel et bien plus léger.

James marcha le long de la rivière, guidant les deux chevaux à l'ombre des arbres, puis il promena les yeux sur ce qui les entourait.

— Oncle Humphrey avait raison – c'est un endroit magnifique. Laissez-moi étaler une couverture, et je vous aiderai à descendre.

Il détacha leurs provisions de l'arrière de leurs selles et tendit à Olivia une ombrelle en dentelle bleue et blanche. Elle l'ouvrit, et de son perchoir sur la jument elle admira la vue pendant que James commençait à installer le pique-nique.

Ses muscles jouèrent sous sa redingote tandis qu'il déroulait la grande couverture et la faisait claquer avant de la laisser flotter jusqu'au sol – moitié à l'ombre, moitié au soleil. Il appuya les béquilles contre un arbre et mit un sac à l'ombre. Olivia espéra qu'il contenait les petits pains chauds promis – rien que d'y penser, elle en avait l'eau à la bouche.

Ensuite il s'approcha, lui tendant les bras. Elle se laissa glisser de sa selle d'amazone et passa un bras autour de son cou pendant qu'il l'attrapait aisément. Il glissa un bras sous ses genoux et alla jusqu'à la couverture. Une fois qu'il l'eut déposée à l'ombre sur le doux quilt en coton, elle ferma son ombrelle, la mit de côté et ôta son bonnet. La journée était chaude, et elle se disait que cela ne l'ennuierait pas du tout si James enlevait sa redingote. Et même sa chemise, tant qu'on y était.

Il s'occupa des chevaux, les abreuvant et leur donnant quelques pommes avant de les attacher à un buisson à quelques mètres de là. Il s'arrêta au bord de la rivière pour se laver les mains et les agita pour les sécher, puis il rejoignit Olivia sur la couverture, étendant ses longues jambes musclées devant lui.

Ils commencèrent leur repas par du vin qu'il versa d'un bidon dans de rustiques gobelets en fer-blanc, et il parut meilleur à Olivia que tout ce qu'elle avait bu dans des verres en cristal.

— Pour le premier plat, dit-il, nous pouvons manger des sandwichs ou des petits pains. Dites ce que vous préférez.

Enfin, une décision facile.

— Les pains briochés.

Il y en avait quatre, et quand Olivia en eut mangé deux – ils étaient aussi délicieux que dans son souvenir – elle décida de renoncer aux autres plats, au moins pour le moment. Alors que James lui resservait du vin, il dit :

— Je pense que nous devrions parler.

Olivia regarda les yeux verts auxquels elle s'était fiée autrefois… et qu'elle adorait toujours.

— Je suis d'accord. Par quoi voulez-vous commencer ?

— La lettre de votre père.

— Je ne parlerai pas de son contenu avec vous.

— Je comprends. Je ne vous pousserai pas à me révéler ce qu'il disait, si vous ne le voulez pas. Toutefois, je ne pense pas que nous devrions garder des secrets l'un pour l'autre.

Ah, il ne voulait plus avoir de secrets ? *Maintenant.* Elle ravala cette remarque, ferma les yeux et écouta le gargouillis apaisant de la rivière.

— Je comptais vous parler de la lettre ce soir-là – le soir où votre frère nous a trouvés. J'étais sur le point de le faire, mais vous étiez si… si attirante. Vous pouvez être une sacrée distraction, vous savez. Je ne m'attends pas à ce que vous me croyiez, et peut-être que cela ne fait pas de différence, de toute façon, mais j'avais décidé malgré l'avis de votre frère que vous deviez être mise au courant.

Olivia regarda ses épaules affaissées et son visage tourmenté. Oui, elle le croyait. En outre, elle était transportée de savoir qu'elle l'avait distrait par sa beauté.

— J'aurais dû vous parler de cette lettre plus tôt – je souhaitais le faire –, mais je ne voulais pas non plus trahir votre frère. Je n'aurais jamais dû être impliqué dans vos affaires de famille, de toute manière. Je suis désolé.

— Est-ce pour cela que vous êtes venu voir mon frère le lendemain du bal des Easton ? À cause de cette lettre ?

James hocha lentement la tête.

— Voulez-vous savoir à quel point je suis sotte ?

— Vous n'êtes pas sotte.

— J'ai pensé que vous étiez venu demander ma main à Owen.

— Oh ! Olivia. Je suis désolé, répéta-t-il.

— Je pense que c'est moi qui devrais être désolée. Je n'aurais jamais dû vous embrasser sur la terrasse. C'est ce qui a déclenché toute cette série d'événements malencontreux – de votre rixe à mon entorse, jusqu'à l'essieu de la voiture et ma disgrâce. Tout cela aurait pu être évité, si seulement je m'étais retenue de vous embrasser.

James s'allongea sur le côté et s'appuya sur un coude.

— Je ne regrette pas que vous m'ayez embrassé. Et je me souviens très bien de vous avoir rendu votre baiser. Et de l'avoir apprécié.

Elle essaya de ne pas le regarder dans les yeux, ces yeux si séduisants – elle essaya vraiment –, mais elle n'avait jamais pu résister à leur attrait, plus puissant que la marée. Quelque chose de chaud prit essor dans son ventre, et cela fit presque fondre sa résolution de garder ses distances. Presque.

— Nous avons tous les deux commis des erreurs, et maintenant nous devons en supporter les conséquences, dit-elle. Mais vous n'avez pas besoin de manquer votre exploration des ruines égyptiennes – pas alors que vous avez attendu si longtemps cette occasion. Je veux que vous y alliez.

Elle parvint à prononcer ces mots sans le moindre tremblement dans la voix. Il était impératif qu'il croie que le voir partir peu après leur mariage et vivre dans la solitude pendant deux ans lui convenait parfaitement.

Il s'assit.

— Vous en êtes certaine ? La haute société va trouver cela bizarre.

— Ce n'est pas une bonne raison de renoncer à vos rêves. Vous avez la chance de partir pour une aventure qui se présente seulement une fois dans une vie. Pourquoi vous plieriez-vous aux conventions ?

— Je ne voudrais pas que vous soyez tournée en ridicule. Je suis attaché à vous.

Olivia ravala le nœud qui se formait dans sa gorge. Il était attaché à elle, mais ne parlait pas d'amour. Rassemblant tous ses talents de comédienne et tout son courage, elle dit :

— Je vous suis attachée aussi. Et cela ne changera pas parce que vous passerez deux ans à l'étranger. Nous pourrons commencer notre vie ensemble quand vous rentrerez.

— Vous êtes très généreuse, Olivia.

Elle haussa les épaules comme si c'était une broutille.

— Ce n'est pas comme si j'étais habituée à la vie de femme mariée. Peu de choses changeraient pour moi, je suppose. Je pourrais m'installer chez vous, où je serais près de mon frère et de ma sœur et pourrais aller les voir quand je voudrais. Je passerais le reste de mon temps à faire un peu de décoration et à apprendre à connaître votre personnel.

— Je n'ai pas beaucoup de domestiques – juste une gouvernante, une cuisinière et une soubrette.

— Je peux engager des personnes supplémentaires si cela semble nécessaire.

Elle se félicita de paraître si prosaïque pour discuter de ces questions banales, alors qu'en elle-même son cœur se brisait.

— Je peux m'occuper des affaires de la maison pendant votre absence – je peux même aller rendre visite à votre mère et à votre frère.

— Non, je préférerais que vous ne le fassiez pas.

— Très bien, dit-elle d'un ton détaché, faisant comme si sa réponse coupante ne la blessait pas du tout.

— Je ne sais que dire. Après les événements de ces derniers jours, je n'aurais jamais pensé que vous m'encourageriez à partir pour mon expédition comme prévu.

Il eut un sourire prudent, et Olivia sut qu'elle faisait ce qu'il fallait.

— Je ne vois pas de raison que notre mariage change vos plans. Beaucoup d'époux passent du temps séparés.

Il contempla la splendide journée d'été, une expression pensive sur son beau visage. Après quelques instants de silence, il se tourna vers elle.

— Je veux que vous sachiez combien cela signifie pour moi. Merci.

En hésitant, il tendit le bras et prit sa joue dans sa main, puis se pencha et pressa ses lèvres sur les siennes.

Il l'embrassa d'une manière si tendre, si suave, que cela fit presque mal à Olivia. Son corps réclamait davantage – sa langue dans sa bouche, ses mains sur sa peau, son corps moulé contre le sien –, mais ils contrôlèrent tous les deux leur passion. Elle savoura son goût de cannelle, la brise chaude qui taquinait ses boucles sur sa nuque et le simple fait que, pour le moment au moins, ils étaient ensemble.

Il mit fin au baiser sans prévenir et leva les yeux vers les feuilles qui bruissaient au-dessus d'eux.

— Si vous voulez bien m'excuser quelques instants, je vais faire une courte promenade pour me dégourdir les jambes. Avez-vous besoin de quelque chose avant que je m'en aille ?

Elle posa brièvement un doigt sur ses lèvres, qui la picotaient encore de leur baiser, et secoua la tête.

— Sentez-vous libre d'explorer. Tout ira bien pour moi.

Elle pouvait profiter d'un moment pour se ressaisir, elle aussi.

James lui décocha un sourire reconnaissant, prit son sac et partit vers la rivière. Il la franchit d'un bond et la suivit sur l'autre rive. Olivia le regarda s'éloigner et, lorsqu'elle ne put plus le voir, elle s'allongea sur la couverture et se mit à sangloter.

20

Un unique et chaste baiser avec Olivia avait rendu James dur comme le roc. Il avait eu envie de couler une main sous ses jupes et de la caresser jusqu'à ce qu'elle gémisse de plaisir. Il avait eu envie de la dépouiller de ses habits et de poser des fleurs des champs sur son ventre. Il avait eu envie de s'enfouir en elle et de la faire sienne une fois pour toutes, pour toujours.

Mais, s'il allait en Égypte, il ne pouvait pas la séduire. Même s'ils seraient bientôt mari et femme. Il ne pouvait pas prendre le risque de la mettre enceinte.

Alors il avait pris son sac, qui contenait quelques outils de fouilles, et s'était éloigné, espérant que son désir se refroidirait. Il suivit la rivière qui serpentait, restant près de son cours pour le cas où Olivia aurait besoin de lui.

Il s'arrêta à un tournant où la rive descendait progressivement dans l'eau, ôta sa redingote et releva ses manches de chemise. Le courant nonchalant passait sur des pierres et des branches, trop faible pour emporter autre chose que des feuilles et des brindilles. Il se pencha et s'aspergea le visage, laissant des gouttes fraîches couler le long de son cou.

Il ne s'était pas attendu à ce qu'Olivia l'encourage à partir pour son expédition à la fin de l'été. La plupart des jeunes mariées réclameraient à cor et à cri le temps et l'attention de leur époux. Mais elle lui faisait un présent. Un présent inestimable.

Tandis que cette réalité le frappait, son regard parcourut machinalement le paysage et s'arrêta sur la paroi de terre compacte devant lui. Plusieurs pierres sortaient de la berge argileuse, et quelque chose dans leur disposition lui parut étrange. Elles semblaient espacées trop régulièrement pour avoir été déposées au hasard par la rivière, alors il fouilla dans son sac, prit une petite pioche et se mit à entamer le sol.

Le travail n'était pas pénible, et le bruit régulier du métal s'enfonçant dans l'argile lui fournissait une distraction bienvenue. Il se concentra sur un mètre de berge, creusant pas plus de quelques pouces carrés de terre à la fois. Bientôt, il eut les mains terreuses et la sueur fit briller ses bras. Même s'il ne trouva rien d'autre qu'une série de pierres grosses comme le poing, la façon dont elles étaient alignées suggérait qu'elles avaient pu constituer une sorte de lisière.

Il vérifia la position du soleil dans le ciel – il lui était arrivé de perdre la notion du temps lorsqu'il fouillait – et remit ses affaires dans son sac. Tandis qu'il se lavait dans la rivière, il projetait déjà de revenir dans cet endroit et de continuer à creuser. Sa tête était pleine de questions au sujet des pierres – et de qui avait pu habiter autrefois ce lieu idyllique au bord de la rivière.

D'une manière assez étrange, il était impatient de partager sa découverte – aussi maigre soit-elle – avec Olivia.

Il se hâta de retourner vers l'arbre où il l'avait laissée. À quelques mètres de là, il aperçut la couverture étalée à l'ombre.

Et personne dessus.

Son cœur se mit à battre plus fort, et il força l'allure, courant à petites foulées tandis qu'il scrutait les environs à sa recherche. Une robe rose gansée de blanc ressortirait sûrement dans la verdure. Et ce fut ce qui arriva.

Il s'arrêta quand il la vit. Elle était assise sur un grand rocher plat, sa jupe remontée jusqu'aux genoux, et trempait ses orteils dans l'eau. Penchée en avant pour regarder la rivière, elle lui offrait une vision aguichante de ses seins au-dessus du décolleté arrondi de sa robe. Ses béquilles gisaient dans l'herbe derrière elle, abandonnées.

Elle ne le vit pas tout de suite, et il ne voulut pas la surprendre en l'appelant. Mais juste à ce moment-là elle leva les yeux, sourit et agita la main, ce qui le réchauffa tout au fond de lui.

Il la rejoignit sur le rocher, quitta ses bottes et plongea les pieds dans l'eau froide à côté d'elle.

— N'est-ce pas paradisiaque ? demanda-t-elle. Je me sens toute rafraîchie.

— Vous n'avez plus votre bandage.

Elle haussa le menton.

— Je l'ai enlevé. Je n'ai pas mal. Enfin… tant que je ne marche pas.

— J'espère que vous ne vous êtes pas ennuyée pendant que j'étais parti.

Elle releva un sourcil.

— Je suis capable de m'amuser toute seule, vous savez.

Il hocha la tête – voulait-elle dire qu'elle saurait s'amuser pendant ses deux années en Égypte ?

— J'ai commencé à fouiller un peu plus loin au bord de la rivière.

Elle ouvrit de grands yeux.

— Avez-vous trouvé quelque chose ?

— Pas encore. Mais cela pourrait être prometteur.

— Je ne voudrais pas vous retenir. Je suis contente de rester ici, si vous voulez y retourner.

— Non, répondit-il vivement. Je préférerais passer l'après-midi ici avec vous... à parler.

— Très bien.

Elle l'encouragea d'un sourire.

— De quoi aimeriez-vous discuter ?

— Je pensais que je devrais écrire à ma mère et à mon frère, se surprit-il à dire. Pour les informer de nos fiançailles.

— C'est une charmante idée, dit-elle – et ses yeux bruns se mirent à briller. J'ai hâte de les rencontrer. Pensez-vous qu'ils pourraient assister à notre mariage ?

— Je ne crois pas.

La journée serait déjà assez emplie de tension comme cela. Il ne voulait pas y mêler Ralph. Il ne voulait pas que son frère se sente comme une sorte de paria. En outre, c'était trop loin et le voyage serait difficile pour lui.

— Je comprends, dit-elle d'un ton égal.

— Ma situation familiale est compliquée, avoua James. Vous avez de la chance d'avoir une relation si proche avec votre frère et votre sœur.

— Peut-être. Bien que parfois je trouve l'implication de mon frère dans ma vie extrêmement gênante, déclara-t-elle d'un ton appuyé. Je ne prétends pas connaître les défis que vous avez rencontrés en ayant un frère handicapé. Mais ce que je sais, c'est que la famille est la famille et que c'est un lien qui ne peut être brisé.

Elle avait raison. Et, quelles que soient les excuses qu'il se donnait, leur mariage serait une excellente occasion de présenter son frère à Olivia et à Huntford, au moins.

— La famille est la famille, répéta-t-il. Merci de me le rappeler. J'écrirai à ma mère et à Ralph dès ce soir et je les encouragerai à venir à Haven Bridge.

— Vraiment ?

Elle agita les pieds dans l'eau, visiblement ravie. Comme il s'en rendit soudain compte, il était enchanté par son bonheur – et peut-être par la vue de ses jambes nues.

— Pensez-vous que votre sœur viendra ? demanda-t-il.

Elle leva les yeux vers lui.

— Hmm ?

— Lady Rose. Pensez-vous qu'elle assistera au mariage ?

— Oh ! je l'espère. Mais Owen peut être un tel ours, parfois… Je ne serais pas surprise s'il défendait à Rose, Anabelle et Daphne de venir, juste pour m'embêter.

— Quelque chose me dit que rien ne pourrait les empêcher d'être là.

— Nous avons de la chance d'avoir des frères et sœurs. Je ne sais pas ce que je ferais sans les miens.

Sa voix se fêla un peu sur le dernier mot, et elle eut l'air au bord des larmes.

James posa une main sur la sienne, sur le rocher.

— Qu'est-ce qui ne va pas ?

Elle renifla et prit un moment pour se ressaisir avant de répondre.

— J'aimerais pouvoir quitter Haven Bridge – juste quelques jours.

L'estomac de James se crispa.

— Quoi ? Pourquoi ?

— Pour retourner à Londres. Il y a quelque chose dont je dois m'occuper… quelqu'un que je dois voir.

Il avait envie de lui demander qui, mais si elle avait voulu le lui dire elle l'aurait déjà fait.

— Vous pourriez écrire à votre frère pour le lui demander.

— Non, il n'accepterait jamais que je quitte ce village avant le mariage, et après tout ce que je lui ai fait endurer je ne l'en blâme pas.

— Peut-être que s'il connaissait la raison…

— Je ne peux pas la lui dire – ni à personne. Pas encore.

— Je vois.

Elle n'était visiblement pas prête à lui confier son secret, quel qu'il soit. Et pourquoi le devrait-elle ? Il domina sa déception.

— Est-ce qu'une lettre suffirait ?

— C'est quelque chose qu'il vaudrait mieux faire en personne, répondit-elle d'un air pensif, mais je suppose qu'une lettre serait mieux que rien.

— Apparemment, nous avons tous les deux des lettres à écrire ce soir, dit James. Mais pour l'instant j'ai une suggestion.

— J'écoute.

— Je propose que nous mangions les sandwichs que j'ai apportés et que nous nous reposions un peu avant de rentrer à l'auberge.

Un sourire chassa la mine sérieuse d'Olivia.

— Voilà qui paraît délicieux.

Elle se tourna pour prendre ses béquilles, mais il se leva, la souleva dans ses bras et la fit tournoyer. Elle s'accrocha à ses épaules pendant qu'il la ramenait jusqu'à la couverture et la déposait dessus. Lorsqu'elle eut arrangé ses jupes et ôté son bonnet, il lui tendit un sandwich.

— Allez-vous revenir ici demain pour explorer encore un peu ? demanda-t-elle.

— Oui, sans doute.

— Pensez-vous que vous pourriez me ramener avec vous ? Je promets de ne pas vous distraire. Et je serais heureuse d'apporter notre pique-nique.

Une chaleur se répandit dans la poitrine de James.

— Je serais heureux de votre compagnie demain, avec ou sans sandwichs. Et, même si je suis sûr que votre présence sera une distraction, ce sera une distraction très agréable.

Olivia emplit leurs gobelets de vin et leva le sien.

— À de nouvelles découvertes, dit-elle.

James trinqua avec elle et but, songeant qu'en ce qui concernait sa belle fiancée il y avait beaucoup de choses qu'il brûlait de découvrir.

À l'auberge ce soir-là, Olivia essaya de rédiger une lettre pour Sophia. De nouveau. Elle s'y était déjà mise trois fois, mais tout ce qui restait de ces tentatives était des feuilles froissées qui couvraient son secrétaire. Alors, avant de recommencer, elle réfléchit plusieurs minutes, puis se remit à écrire.

Chère miss Rolfe,

Vous ne me connaissez pas, mais mon défunt père était un ami de votre mère. J'ai cru comprendre qu'elle était décédée depuis plusieurs années, et je suis désolée de votre perte.

J'ai appris récemment qu'il y avait une relation entre nous, et même si je préférerais m'expliquer en personne, je ne suis pas en mesure actuellement d'aller vous voir. Voyez-vous, mon frère aîné m'a découverte dans une situation compromettante avec son meilleur ami, et je me retrouve fiancée à la hâte. Je suis en ce moment dans le petit village d'Haven Bridge, dans la région des Lacs, et dois y rester jusqu'à mon mariage dans trois semaines environ.

Si, par chance, vous pouviez venir ici avant cette date, j'aimerais beaucoup faire votre connaissance et vous donner de plus amples informations que, j'en suis sûre, vous trouverez, intéressantes. Je séjourne à l'auberge du Fifre et de la Grenouille.

Je joins un charmant petit croquis de votre mère vous tenant contre elle lorsque vous n'étiez qu'un bébé. Je n'ai jamais eu le plaisir de la rencontrer, mais il est évident à la façon dont elle vous regarde sur le dessin que vous étiez pour elle le centre du monde.

Je vous remercie de bien vouloir considérer ma requête et de venir me voir à Haven Bridge avant la fin de l'été. Si vous ne pouvez pas le faire – et je comprends certainement qu'un grand nombre de raisons pourraient vous en empêcher –, j'irai vous voir lorsque je rentrerai à Londres.

Bien sincèrement,

Olivia Sherbourne

Voilà. Elle s'était demandé si elle devait inclure la partie sur le scandale, mais avait pensé que Sophia découvrirait la sordide vérité tôt ou tard. Peut-être que la nouvelle s'était répandue jusqu'à Londres et que sa demi-sœur avait déjà entendu parler des histoires au sujet de lady Olivia à la triste notoriété.

Elle sourit avec ironie, car cette pensée ne la troublait pas autant qu'elle l'aurait dû, et de loin. Sur ce, elle plia la lettre et le dessin et les glissa avec soin dans une enveloppe pour les envoyer à Londres par la prochaine malle-poste.

La journée du lendemain fut encore plus chaude que la veille. De nouveau, James et elle se rendirent à cheval à l'endroit sous les arbres, mais Olivia était curieuse de voir ce qui avait retenu l'attention de son fiancé aspirant-archéologue.

— Puis-je vous regarder creuser ?

Il cligna des paupières, surpris.

— Bien sûr. Si cela ne vous fait rien d'être au soleil.

— Je ne me dessécherai pas.

— Très bien. C'est un peu en aval.

Un peu plus loin, Olivia aperçut un vieux cottage dans les bois, à peine visible à travers l'épais feuillage.

— Regardez, dit-elle en pointant du doigt. Une petite maison. Pensez-vous que quelqu'un y vit ?

— Restez ici.

James passa la jambe par-dessus son cheval et sauta à terre avec légèreté.

— Je vais voir.

Il revint moins d'une minute après.

— Ce n'est qu'une cabane. Je suppose qu'elle est abandonnée depuis des années. La maison d'un vieux bûcheron, probablement. Je poserai la question à oncle Humphrey.

Olivia aurait adoré la voir par elle-même si marcher n'avait pas été une telle corvée, pour le moment. Peut-être pourrait-elle le faire lors d'un futur pique-nique…

— Nous sommes presque arrivés, annonça James. Nous allons établir notre camp à la prochaine courbe de la rivière, là-bas.

— Établir notre camp, répéta-t-elle en haussant un sourcil. S'agit-il donc d'une expédition ?

Il se tourna vers elle et fronça les sourcils comme si cette suggestion était une insulte.

— Pas vraiment. C'est juste une agréable sortie d'après-midi.

— C'est tout ?

— Avec une très belle femme, ajouta-t-il.

Olivia rayonna.

— Même si j'apprécie le compliment, je ne suis pas d'accord avec votre conclusion. Nous sommes deux à explorer et nous avons une destination précise à l'esprit. Vous avez dit vous-même que nous allons établir un camp, et j'ai apporté des provisions. Je présume que vous avez pris des outils ?

— Bien sûr.

— Eh bien, alors, que faudrait-il de plus pour que cette sortie compte comme une expédition ?

La belle bouche de James s'incurva lentement en un sourire à faire fondre le cœur.

— Rien. Je suppose que vous êtes disposée à travailler. Tous les membres d'une expédition ont des devoirs, vous savez – des responsabilités vis-à-vis de l'équipe.

— Je suis plus que disposée à faire ma part.

Enfin... à partir du moment où il ne faudrait pas marcher. Et où cela ne salirait pas trop sa robe. Oh ! Ciel !

— Allons-y.

Ils s'arrêtèrent près d'un méandre de la rivière, où la berge semblait haute d'un mètre environ et où une large portion de sable, au pied, descendait doucement vers l'eau. Du haut de son cheval, Olivia vit une douzaine de pierres alignées sur le sable.

— Est-ce ce que vous avez trouvé hier ?

Elle avait espéré quelque chose de plus intéressant – et de préférence brillant.

James démonta et l'aida à descendre. Elle se tint en équilibre près de la jument pendant qu'il prenait ses béquilles.

— Oui, répondit-il, son enthousiasme très disproportionné par rapport à la découverte, de l'opinion d'Olivia – qu'elle reconnaissait bien volontiers comme sans valeur.

— Elles sortaient de la berge, espacées comme je les ai arrangées là.

Il lui tendit les béquilles, et elle les glissa sous ses bras.

— Allons-nous en chercher d'autres, aujourd'hui ?

— Oui. Bien sûr, on ne peut savoir ce que nous trouverons d'autre. Parfois, les découvertes inattendues sont les plus gratifiantes.

Olivia donna des carottes aux chevaux pendant que James étalait la couverture sur la berge herbeuse.

— Si vous allez travailler là en bas, dit-elle en désignant le sable d'un signe de tête, je devrais y être aussi.

Avec un grand sourire, il sauta du haut de la berge et étendit le quilt au bord de la rivière, en le pliant en deux pour qu'il tienne. Puis il fit signe à Olivia de s'approcher, prit ses béquilles, les posa dans l'herbe et lui tendit les bras.

Elle résista à la tentation de se jeter vers lui et glissa dans ses bras. Elle ne put réprimer un soupir tandis que son corps se pressait contre la paroi dure de son torse et descendait le long de son ventre plat. Il prolongea l'étreinte, la faisant descendre pouce par pouce, et son cœur battait presque aussi vite que celui d'Olivia. Quand enfin les pieds de celle-ci touchèrent le sol, elle leva les yeux vers lui – ou plus exactement vers sa bouche – et entrouvrit les lèvres en une invite sensuelle.

Il courba la tête et l'embrassa. Un baiser doux, suave… et frustrant à l'extrême. Elle se colla à lui, laissant ses hanches frotter contre le devant de ses culottes, et fut heureuse de constater qu'il n'était pas insensible à ses charmes. Lorsqu'elle le heurta légèrement, il grogna, prit sa joue dans sa main et interrompit le baiser.

— Ce n'est pas le genre de chose que l'on fait habituellement dans les expéditions, dit-il.

— J'espère bien que non.

Pourtant, elle désirait davantage.

James sauta de nouveau sur la berge pour prendre leurs sacs et l'ombrelle d'Olivia, et puis – ce qui la ravit – il ôta sa redingote. Quand il revint, il se mit tout de suite au travail, creusant de gauche à droite, exposant peu à peu d'autres pierres lisses espacées à intervalles réguliers, comme la veille. Il travaillait avec rapidité, mais avec tant de soin que si une soucoupe à thé avait été enfouie entre deux des pierres Olivia ne doutait pas qu'il l'aurait sortie intacte.

Fascinée par ses gestes vifs et efficaces – sans parler de son postérieur ferme et superbement sculpté –, Olivia se mit à rêvasser à leur avenir. Il allait partir pour deux ans, mais il lui reviendrait. Et alors ils commenceraient leur vie ensemble. Peut-être ne l'aimait-il pas maintenant, mais il existait une chance qu'il l'aime un jour – même s'il n'avait pas choisi de l'épouser de son plein gré.

Et alors qu'elle aurait pu se distraire ainsi toute la journée, en admirant sa chemise fine qui moulait ses épaules et son dos musclés, elle se dit soudain qu'elle pourrait au moins donner l'illusion qu'elle faisait quelque chose d'utile. Aussi prit-elle un carnet et un crayon, ouvrit-elle le carnet à une page blanche et inscrivit-elle la date en haut. Puis elle commença à dessiner les pierres que James déterrait. Par chance, elles étaient le genre de pierres lisses et de même forme qui ne demandaient pas de talent artistique pour les croquer. Elle inclut des notices indiquant la distance approximative entre les pierres, la qualité du sol de la berge et la texture du sable en dessous.

Elle était si absorbée par son travail qu'elle fut surprise par l'ombre qui tomba soudain sur sa page. James se tenait au-dessus d'elle, l'air pensif.

— Qu'est-ce que vous avez là ?

Résistant à l'envie de fermer brusquement son carnet, elle répondit :

— C'est ma contribution à l'expédition – un croquis. Grossier, sans doute, mais un croquis.

Et elle lui tendit le calepin, offrant avec courage ses maigres efforts à ses critiques.

Il contempla les pages couvertes de notes durant plusieurs secondes, puis la regarda, une expression indéchiffrable sur le visage.

— Où avez-vous appris à faire ceci ?

— Où ai-je appris à dessiner un ovale ? demanda-t-elle.

C'était bien loin de Gainsborough.

— À dessiner de cette façon, oui. C'est remarquablement précis. Vous avez représenté les différentes tailles et positions des pierres, au nombre de dix-sept.

— Eh bien, une chance que je n'aie pas dû compter au-delà de vingt, plaisanta-t-elle. Ma précision tend à décliner nettement après ce nombre.

— Je suis sérieux, Olivia. Ce genre de croquis est exactement ce qu'il me fallait. Vous avez même inclus des notes sur le sol et le sable.

Il secoua la tête d'un air stupéfait, comme si elle était une sorte de prodige pour dessiner des pierres. Elle devait reconnaître qu'il était agréable d'être appréciée, de faire quelque chose que James respectait.

— J'ai juste jeté sur le papier quelques informations dont je pensais que vous voudriez vous souvenir, comme l'heure de la journée et la position du soleil, ainsi que la distance approximative entre le site et la lisière des arbres.

Elle avait été assez fière de penser à mentionner ce détail. Peut-être était-elle meilleure en dessin qu'elle ne le croyait, après tout. Le regard de James se posait tour à tour sur la page et sur elle, comme s'il ne pouvait décider ce qui l'enchantait le plus.

— C'est parfait. Puis-je vous l'emprunter ? Je vous le rendrai, bien sûr, mais j'aimerais beaucoup le montrer à mon oncle Humphrey. Votre croquis lui permettra d'explorer le fin fond de ses terres sans quitter le confort de son fauteuil couvert de poils de chats. Je suis certain qu'il aura certaines théories sur l'usage de ces pierres.

Contente plus que de raison que ses gribouillages rudimentaires plaisent assez à James pour les partager avec son oncle, elle déclara d'un ton magnanime :

— Le carnet est à vous.

— Merci, Olivia.

Une pensée lui vint alors, et elle jaillit de sa bouche avant qu'elle ne puisse la retenir.

— Serait-il possible que je vous accompagne dans l'expédition ? C'est-à-dire, je me rends bien compte que je n'ai pas grand-chose à offrir comme…

— *Non*, coupa James d'un ton sans appel, même si ses yeux exprimaient du regret. L'Égypte est dangereuse, et il n'y aura pas de femmes dans le groupe.

— Il faudra bien qu'il y ait une première femme un jour – cela pourrait aussi bien être moi.

— Vous êtes habituée aux matelas moelleux et aux draps de soie. Je ne peux pas vous imaginer parmi des scorpions et des chameaux enragés.

Il marquait un point, mais elle ne se laisserait pas fléchir.

— Je renoncerais à tout luxe pour voyager avec vous, pour être à vos côtés. Et je sais que vous me protégeriez.

James se passa une main dans les cheveux, soupira et la regarda intensément dans les yeux.

— À partir de ce moment, je vous protégerai toujours. De ma propre vie, si nécessaire.

Un frisson délicieux la parcourut.

— Mais l'expédition n'est pas un endroit pour vous. Plusieurs membres du dernier groupe sont morts de maladie et de soif, à cause de la sécheresse…

— James ! Je n'avais pas idée que ce voyage était si dangereux. Je vais être désespérément inquiète pour vous.

Son cœur en tambourinait déjà de terreur.

Il lui prit la main et en caressa le dos de son pouce.

— Je suis solide, et j'ai appris des expériences des équipes qui m'ont précédé. Je serai préparé. Mais je ne voudrais pas vous soumettre à de tels risques.

— Je… je comprends.

Mais la blessure subsistait.

— Je crains que vous ne puissiez pas m'empêcher de m'inquiéter pour vous.

— J'irai bien, dit-il avec une telle assurance qu'elle le crut presque.

— Vous semblez assez invincible, en effet.

Il haussa un sourcil.

— Je le suis. Et, si l'Égypte est hors de question pour vous, il y a plein d'explorations et de fouilles à faire par ici – si cela vous dit de passer ce temps avec moi.

— Bien sûr que oui.

Elle savourerait chaque jour qui leur restait à passer ensemble.

— Et je serai heureuse d'ajouter des croquis de tout autre site que nous explorerons dans le coin.

Dieu lui vienne en aide s'il trouvait un objet à la forme compliquée ! Quoi que ce soit de plus complexe qu'une pierre, et elle serait dépassée.

— Ce serait merveilleux, dit James, qui la regarda en souriant comme s'il le pensait vraiment.

Il s'agenouilla à côté d'elle et posa le carnet sur le quilt.

Puis il ôta sa chemise.

La chaleur avait dû lui monter à la tête, se dit-elle. Ce James torse nu n'était qu'un fantasme – un fantasme qu'elle s'était représenté des centaines de fois durant la dernière décennie.

Mais ce qu'elle avait sous les yeux était plus vivant – plus réel et plus troublant, à lui couper le souffle – que tout fantasme qu'elle avait eu auparavant. Ce qui n'était pas peu dire.

La peau de ses épaules et de sa poitrine était un peu plus claire que celle de son cou, et un film de sueur le faisait briller comme une statue d'Apollon. Ses mamelons étaient plats et plus sombres que les siens, de la couleur d'une pêche mûre. Sa large carrure s'amenuisait en un abdomen musclé et des hanches minces.

Olivia chercha son éventail dans son sac et l'agita. Vigoureusement. Quand elle se fit enfin assez confiance pour parler, elle dit :

— Ah, je crois que vous vous égarez. Vous n'êtes pas dans votre garde-robe, et je ne suis pas votre valet.

Il rit.

— Dieu merci.

Il tamponna le devant de son torse avec sa chemise roulée en boule, puis la lança sur la berge au-dessus d'eux.

Olivia s'éventa plus fort.

— Que faites-vous au juste ?

D'un mouvement fluide, il ôta une botte et la mit de côté.

— Je vais me baigner.

Il quitta l'autre botte et eut un grand sourire.

— Vous devriez venir avec moi.

— Une baignade ? bredouilla-t-elle.

— Il s'agira plutôt de patauger, je pense.

— Nous n'avons plus douze ans, fit-elle remarquer.

Comme si l'un ou l'autre avait besoin qu'on le leur rappelle !

La preuve se tenait devant elle. Six pieds de masculinité. Ciselés, bronzés, virils.

— Vous préférez rôtir sur la berge au lieu de vous rafraîchir ?

Non. Non, elle ne préférait pas. Mais, afin de protéger son cœur vulnérable, elle essayait de maintenir des barrières entre James et elle. Des barrières telles que des vêtements, entre autres.

Comme s'il avait lu dans ses pensées, il ajouta :

— Vous pouvez rester habillée complètement ou en partie, si vous voulez. Ou non.

Elle soupesa l'idée de se mettre nue juste pour voir s'il réagirait d'une façon aussi décontractée qu'il voulait bien le lui faire croire. Mais même elle n'était pas aussi audacieuse.

— Je croyais que c'était une expédition officielle. Se baigner est-il autorisé ?

— Absolument. Et même recommandé.

Elle avait terriblement chaud. Ses boucles étaient ramollies, et sa robe de coton collait à elle comme une seconde peau. À quelques mètres de là, l'eau claire et fraîche lui faisait signe.

— Je suis tout à fait bien ici, mentit-elle.

Il haussa les épaules, comme s'il ignorait que ce geste ferait jouer tous les muscles de son torse, mettant l'eau à la bouche d'Olivia. Qu'il soit damné.

— Comme vous voudrez. Vous pouvez rester ici et admirer la vue.

— Je présume que vous voulez dire les collines et le ciel sans nuages.

Elle agita l'éventail avec une vigueur renouvelée tandis qu'il entrait dans la rivière, puis plongeait dedans, mettant la tête sous l'eau. Il ressortit dans une gerbe d'éclaboussures, dispersant des gouttes fraîches en arcs étincelants autour de lui. Ses cheveux lissés en arrière, il paraissait encore plus viril et peut-être un peu dangereux. Juste ciel, se dit Olivia, la chaleur affectait son aptitude à penser clairement.

— Vous ne pourriez croire combien c'est bon, lança-t-il en s'allongeant sur le dos pour flotter, et en fermant les yeux comme s'il était en proie à la plus totale félicité.

Ses épaules mouillées brillaient au soleil, et ses biceps impressionnants étaient juste visibles au-dessus de l'eau.

Comme elle aurait adoré être dans la rivière avec lui, son corps mouillé près du sien, l'eau clapotant doucement autour d'eux !

Elle bougea les fesses, engourdies par sa longue station assise, et fit comme si le sable dans sa chaussure ne la gênait absolument pas. De la sueur coulait entre ses seins.

— Que sentez-vous, au fond ?

Il ouvrit les yeux et lui jeta un regard perplexe.

— Ce que je sens au fond ?

— Au fond de la rivière.

Elle sourit d'un air innocent, comme si sa question n'avait bien sûr pas pu avoir de double sens.

Il parut réfléchir un instant.

— Juste du sable bien tassé et quelques galets.

— Rien de visqueux ?

— Non, si vous ne comptez pas les anguilles.

Elle frémit.

— Ce n'est pas drôle.

— Si vous venez me rejoindre, je promets de vous protéger de tout ce qui est visqueux. Où est passé votre sens de l'aventure ?

Oh ! il était bien vivant et se portait bien. Et il l'avait déjà mise dans assez d'ennuis.

— Si vous tenez à le savoir, j'ai essayé de le réprimer.

— Et vous y êtes arrivée ?

— Tout à fait.

Certes, cela n'avait duré que quelques jours. Et elle sentait James saper sa volonté comme il creusait la terre avec sa pioche.

— Nous sommes seuls ici, Olivia. Dans quelques courtes semaines, nous serons mariés. Ne soyez pas si obstinée.

Elle souffla.

— Je ne suis *pas* obstinée.

Il flotta plus près, puis fit quelques pas vers le rivage jusqu'à ce que l'eau lui arrive aux genoux. Ses culottes le moulaient, révélant délicieusement chaque pouce de ses hanches, de ses cuisses et euh… de ses parties viriles. Dieu la préserve.

— Alors venez me rejoindre. Je ne veux pas que vous vous évanouissiez à cause de la chaleur.

Elle était sur le point de s'évanouir, c'était vrai – mais pas à cause de la chaleur. Tandis qu'il continuait à marcher vers elle, elle pensa de façon très inconvenante qu'elle aimerait lécher l'eau qui ruisselait sur son torse.

Enfin il se tint au-dessus d'elle, à moitié nu et complètement captivant. Lorsqu'il lui tendit la main, quelques gouttes délicieusement fraîches tombèrent sur son bras.

Elle jeta son éventail de côté, frustrée par son inefficacité, et ôta son bonnet.

Une fille ne pouvait résister qu'à un certain degré de tentation, bonté divine.

Elle allait se baigner.

21

Divinité : *1) Un dieu ou un être suprême, comme Hathor, la déesse égyptienne de la Joie, de la Maternité et de l'Amour. 2) Quelqu'un révéré comme un être extraordinaire, comme dans : « Il émergea de la rivière nu – et sans se rendre compte qu'il ressemblait à une divinité masculine de l'Eau. »*

James avait vu l'instant où Olivia avait capitulé. Quand quelques gouttes d'eau tombèrent sur sa peau, quelque chose dans ses beaux yeux bruns céda au pur plaisir que cela lui donnait.

Maintenant qu'il l'avait convaincue de se baigner avec lui, il était intéressé par les possibilités de cette situation. Elle ôta sa pantoufle et la posa près de son éventail et de son bonnet. Du fond du cœur, il pria que le tas des habits qu'elle enlèverait augmente.

Et il sembla que quelqu'un, dans le ciel, ait écouté sa prière.

Elle releva sa jupe jusqu'à ses genoux, glissa les mains dessous et roula ses bas de soie. Ils échouèrent sur le tas. La bouche de James s'assécha.

Elle saisit la main qu'il lui tendait et se tint face à lui – sur un pied.

— Vu les circonstances, dit-elle, le plus sage serait que j'ôte ma robe. Si je la portais dans la rivière, elle mettrait des heures à sécher.

— Je ne pourrais être plus d'accord. Quitter votre robe est ce qu'il y a de mieux à faire.

Il la gratifia d'un large sourire.

Levant les yeux au ciel, elle sautilla et se tourna en même temps, lui présentant son dos.

Inquiet qu'elle perde l'équilibre, il la prit par les coudes.

— Puis-je vous aider ?

Même s'il essayait en toute bonne foi de se comporter en gentleman, il ne blâma pas Olivia de lui lancer un regard sceptique par-dessus son épaule.

— Non, merci.

Il ne put que la regarder déboutonner sa robe, faire glisser les manches sur ses épaules délectables et sortir de l'étoffe en se tortillant. Elle portait encore sa camisole et son corset par-dessus, mais elle tirait déjà sur les lacets, devant. Quelques instants plus tard, elle jeta le corset sur le tas et lui refit face, sa silhouette aguichante l'enivrant de désir.

Il tira sur l'épaulette en dentelle de sa camisole et haussa un sourcil.

— Êtes-vous sûre de ne pas vouloir ôter ceci, aussi ?

Elle lui répondit par la même mimique.

— Êtes-vous sûr de ne pas vouloir enlever vos culottes ?

— En vérité, cela me plairait.

Il porta les mains à sa ceinture, mais Olivia lui saisit les poignets.

— Laissez tomber. Aidez-moi plutôt à entrer dans la rivière avant que je ne change d'avis.

Il la souleva dans ses bras, surpris de constater combien elle était plus légère sans toutes ces maudites couches de tissus. Sa peau était très chaude contre son torse mouillé, et quelques boucles de cheveux pendaient de son cou, lui chatouillant l'épaule. Plus ils se rapprochaient de l'eau, plus elle s'accrochait à lui – comme si elle voulait éviter de se mouiller aussi longtemps que possible. Mais lorsqu'il eut fait deux pas dans la rivière ses pieds – et son délicieux postérieur – disparurent sous la surface, et elle sursauta.

Elle inspira et enfonça les doigts dans les épaules de James.

— C'est froid !

— Attendez une minute et essayez de vous détendre.

Il relâcha son emprise sur elle, laissant l'eau la porter, et s'enfonça plus profondément dans la rivière jusqu'à ce qu'ils soient bientôt immergés jusqu'à la poitrine.

Olivia soupira et laissa tomber sa tête en arrière, exposant des pouces et des pouces d'un cou crémeux qui réclamait pratiquement d'être embrassé.

— C'est... divin.

En effet. James pouvait penser à plusieurs choses qui seraient encore plus divines, mais pour l'instant l'eau fraîche et la douce pression du corps d'Olivia contre le sien étaient assez. Elle garda un bras autour de son cou et agita l'autre dans l'eau, laissant le faible courant tourbillonner autour d'elle.

— Cela fait des années que je n'avais pas fait ce genre de chose. J'avais oublié ce que je manquais.

Elle s'allongea sur le dos, s'étirant de sorte à être presque à l'horizontale dans l'eau. Sa camisole flottait autour de ses hanches et donnait à James une vue excellente sur des jambes minces et souples. Ses seins ronds pointaient vers le ciel, leurs tétons durcis visibles à travers le coton transparent. Ses boucles châtaines qui flottaient autour de sa tête lui conféraient l'allure d'une nymphe très coquine.

Seigneur. James déglutit avec difficulté. S'il ne mettait pas un peu d'espace entre eux, leur baignade allait se changer en quelque chose d'entièrement différent. Il fit un pas en arrière, et bien qu'Olivia ait les yeux fermés elle sentit tout de suite qu'il avait bougé ; elle leva la tête et passa les bras autour de son cou. Comme si ce n'était pas une torture suffisante, elle noua ses jambes autour de sa taille.

— Où allez-vous ?

— Nulle part. Vous paraissiez si détendue. Je pensais que vous voudriez peut-être que je m'écarte de vous.

— Mais je ne veux pas toucher le fond de la rivière, vous vous souvenez ? Il y a mon pied blessé, bien sûr, et puis je ne suis pas ce qu'on peut appeler une bonne nageuse, et…

— Vous avez peur de rencontrer quelque chose de visqueux.

— Oui.

Elle sourit d'un air coupable et resserra encore ses cuisses, se pressant contre le devant de ses culottes et le rendant presque fou de désir.

Une des brides de sa camisole glissa de son épaule, et le regard de James s'abaissa sur sa peau lisse, presque nacrée. Malgré l'eau froide, son sexe était dur et prêt à l'action.

— Olivia, je…

Il déglutit avec peine de nouveau.

Il voulait lui dire qu'il tenait à elle. Et pas seulement parce qu'elle avait les jambes nouées autour de lui. Il aimait qu'elle veuille rencontrer son frère et que, plus tôt ce matin-là, elle ait glissé en douce quelques fleurs sauvages dans son carnet. Il aimait qu'elle soit prête à faire n'importe quoi pour sa famille et qu'elle soit assez têtue pour sautiller sur un pied à travers un champ à vaches sous la pluie.

Il aimait simplement… être avec elle.

Et il voulait la faire sienne. Maintenant.

Il regarda ses yeux bruns, assombris par le désir, et son cœur se serra dans sa poitrine.

— Il y a une chose que je dois vous dire, déclara-t-il.

— Oui ?

Elle se tortilla plus près, jusqu'à ce que leur souffle se mêle dans l'air entre eux, et elle fixa sa bouche. Comme si elle voulait qu'il l'embrasse. Du bout d'un doigt frais, elle traça de petits cercles sur sa nuque.

— Eh bien, cette chose, c'est que…

Elle pressa des lèvres chaudes sur le côté de son cou et le suça légèrement, puis passa les mains avec avidité dans son dos et le long de ses côtés jusqu'à ce qu'il ait l'impression que ses genoux flageolaient. Il savait qu'il devrait l'arrêter et lui dire ce qu'il ressentait pour elle. Mais d'autres parties de son corps étaient aux commandes en cet instant. Il était incapable de les brider.

Alors il glissa les mains sous ses fesses et l'attira plus près, lui faisant sentir son érection et la façon parfaite dont leurs corps s'accordaient.

Toute la passion qu'ils avaient refoulée explosa soudain, et le contrôle qu'ils exerçaient sur eux-mêmes céda comme une digue qui aurait été rafistolée trop souvent. Olivia glissa les doigts dans les cheveux mouillés de James et sa langue entre ses lèvres. Il coula une main dans sa camisole et caressa ses seins en continuant à se balancer contre elle, les poussant tous les deux à une frénésie désespérée qui les laissa à bout de souffle et étourdis.

C'était si bon d'être avec elle. La serrant contre lui, il marcha jusqu'à la berge et la déposa avec précaution sur le quilt. Sa camisole était plaquée sur ses jambes et son buste, et la légère brise d'été la fit frissonner. Avant qu'il puisse lui suggérer d'ôter le vêtement trempé, elle le fit, le tirant par-dessus sa tête en un geste fluide. Elle le jeta sur le tas de vêtement à côté et s'appuya sur ses coudes avec un sourire entendu et déluré.

Bonté divine, il était dans les ennuis jusqu'au cou !

Et il n'aurait pas voulu qu'il en soit autrement.

Il ne détacha pas les yeux d'elle pendant qu'il s'affairait à défaire le devant de ses culottes. Ses cheveux sombres et mouillés sur son épaule, ses joues avivées, les globes parfaits de ses seins et ses longues jambes lisses lui affolaient le cœur. Même s'il vivait jusqu'à quatre-vingt-dix ans, il se rappellerait toujours la façon dont elle le regardait à ce moment-là, pleine d'attente, de confiance et d'amour.

Enfin, il ôta ses culottes et s'allongea à côté d'elle sur le quilt. Peau contre peau, ils s'explorèrent l'un l'autre, savourant chaque petit soupir et chaque gémissement. Olivia l'enfourcha et dessina les contours de son torse. Lorsqu'elle commença à semer des baisers le long de son ventre, il l'arrêta et la fit rouler sur le dos.

— À mon tour.

Il la toucha intimement entre les jambes, l'observant avec intensité pour voir ce qui lui plaisait. Lorsqu'elle ferma les yeux et se cambra, il abaissa la tête et la taquina de sa langue jusqu'à ce qu'elle atteigne le sommet du plaisir et crie d'extase.

Pendant qu'ils reprenaient leur souffle, ils restèrent allongés côte à côte sur la berge. Juste devant leurs pieds, l'eau passait en gargouillant, léchant doucement les pierres du rivage. Le soleil étincelait au-dessus d'eux et réchauffait leur corps. Cela aurait dû être une scène tranquille, relaxante, mais James était si agité qu'il ne voyait pas la beauté de la nature.

— Être allongé nu dehors paraît si coquin et si dévoyé, dit Olivia. J'avoue que cela me plaît.

Elle se pencha sur lui et l'embrassa à pleine bouche, laissant ses seins nus frotter contre son torse. Tandis qu'elle se délectait du goût de ses baisers, elle abaissa une main et lui caressa le sexe, gémissant doucement contre sa bouche comme si le toucher lui procurait autant de plaisir qu'à lui.

Ce dont il doutait grandement. Il n'y avait rien d'hésitant ni de timide dans la façon dont elle le touchait. Ou dans la façon dont elle faisait quoi que ce soit.

Olivia avait toujours été le genre de femme qui savait ce qu'elle voulait, et James avait beaucoup, beaucoup de chance que, pour une raison inconnue, elle le veuille lui.

Le problème, c'était que, si elle continuait à l'embrasser et à le caresser avec un abandon aussi délicieux, ils auraient fini de faire l'amour avant d'avoir commencé pour de bon.

Alors il lui prit les poignets dans une main et les cloua au sol au-dessus de sa tête. Il ferma les yeux et se concentra pour respirer d'une manière régulière pendant cinq secondes, espérant recouvrer un semblant de contrôle.

Lorsqu'il les rouvrit, Olivia lui lança un sourire coquin.

— Je ne vous ai pas fait mal, n'est-ce pas ?

— Non, beauté. Vous m'avez enchanté.

— Eh bien, c'était terriblement facile.

— Je le pense, Olivia.

— Je sais. Je ressens la même chose. Je veux être avec vous. Maintenant.

Le sang de James bourdonna dans ses veines, et son pouls résonna dans ses oreilles. Il se plaça entre ses jambes et embrassa la douce colonne de son cou tandis qu'il se coulait lentement en elle. Elle inspira profondément pendant que son corps s'étirait pour le recevoir.

— Je suis désolé si je vous cause de l'inconfort, dit-il, le souffle court, en détestant l'idée de lui faire mal.

— Ne le soyez pas.

Elle prit son visage entre ses mains.

— C'est ce que je voulais, ce dont j'ai rêvé pendant si longtemps.

Il ne contrôla pas le désir brut, puissant et brûlant qu'il éprouvait. Aguicheuse, sensuelle et délicieuse, Olivia était à lui.

Il se berça contre elle, lentement au début, la laissant s'habituer à lui. Mais, lorsqu'elle haussa ses hanches et noua les jambes autour de sa taille, il laissa son instinct l'emporter. La barrière de sa virginité franchie, il donna des coups plus forts, se perdant dans l'odeur suave de son cou, dans le goût salé de sa peau.

Juste ciel, comme c'était bon !

Il aurait voulu faire durer ce moment toute la journée. Sapristi, il aurait été heureux s'il avait pu tenir plus de quelques minutes. Mais il ne le put pas. Il atteint rapidement l'extase, répétant sans cesse son nom.

Elle passa ses bras autour de lui et enfouit son visage dans son épaule tandis qu'il reprenait son souffle. Dans toute sa vie, il n'avait jamais été aussi heureux. Même s'il aurait aimé rester ainsi jusqu'au soir, il se rendait compte cependant que ce n'était peut-être pas la position la plus confortable pour Olivia. Et il pouvait déjà sentir le soleil lui brûler les fesses.

Alors il se retira avec précaution, et s'appuya sur un coude à côté d'elle.

Elle était superbe à voir. Ses cheveux étaient une masse de boucles mouillées, en désordre, et ses lèvres étaient gonflées de leurs baisers. Mais là, sur sa joue, il y avait la trace brillante d'une larme.

Il fut aussitôt alarmé.

— Qu'est-ce qui ne va pas ?

— Rien. C'est-à-dire, je ne sais pas. J'ai juste été submergée par toutes sortes de sensations.

Elle essuya la larme, et James chercha par réflexe son mouchoir, avant de se rappeler qu'il était nu.

— Je suis désolé, répéta-t-il.

— De quoi vous excusez-vous ?

Il eut l'impression d'avoir aggravé les choses, d'une certaine manière.

— De vous avoir bouleversée. Attendez, laissez-moi prendre quelque chose pour vous couvrir.

Le quilt n'était pas assez grand pour l'enrouler autour d'elle, alors il prit sa robe sur le tas de vêtements et la drapa sur Olivia.

En reniflant, elle s'assit et la serra contre sa poitrine.

— Merci.

Et puis, comme elle clignait des paupières au soleil, il attrapa son ombrelle, l'ouvrit et la lui tendit.

Olivia leva les yeux vers lui, battit des cils et éclata de rire.

— Qu'y a-t-il ? demanda-t-il en regardant d'un côté à l'autre.

— C'est très gentil à vous… – *elle hoqueta en riant* – mais c'est juste que je n'ai jamais… – *un autre hoquet.*

— Jamais quoi ?

Elle essuya les larmes de ses yeux.

— Jamais vu un homme nu tenir une ombrelle en dentelle.

— D'accord. La voilà.

Il lui tendit l'ombrelle. Il avait de la chance de ne pas manquer d'assurance au sujet de son corps, se dit-il, amusé – et en plus il adorait le son du rire d'Olivia.

Soudain plus grave, il attrapa ses culottes et les tordit au-dessus de la rivière avant de les enfiler, collantes et raides. Il était temps pour Olivia et lui d'avoir une conversation sérieuse à propos de leur avenir – et pour cela il vaudrait probablement mieux qu'il soit plus ou moins habillé.

Ils avaient fait l'amour, et cela changeait tout. Il pourrait y avoir un bébé. Et, si c'était le cas, il ne devrait pas être en Égypte quand l'enfant naîtrait. Comme d'anciennes ruines dans une tempête de sable, le rêve de sa vie s'écroulait.

— Aimeriez-vous boire ?

— Peut-être dans un moment.

Elle pencha la tête de côté.

— Je me rends bien compte que je suis une vraie fontaine, mais vous semblez avoir quelque chose d'autre à l'esprit.

— J'aimerais que nous parlions. Voyez-vous, j'ai pris une décision au sujet de l'expédition.

— Ah oui ?

— Je ne pars pas.

Elle fronça les sourcils.

— Bien sûr que si,

Pourquoi le contredisait-elle ?

— Non. Je reste en Angleterre, avec vous.

— C'est ridicule, James. Cette expédition est votre rêve. Vous seriez stupide de renoncer à la chance d'y aller.

Il était d'accord avec elle – à un certain niveau. Comme il souhaitait ne pas avoir à choisir !

— Vous méritez un époux qui reste à votre côté.

— Eh bien, naturellement, vous vous sentez obligé de me dire cela après… après ce que nous venons de faire. Vous vous comportez en gentleman.

— Non, sapristi. Je n'en suis pas un.

— Vous devez reconnaître que le moment que vous avez choisi est suspect.

— Qu'importe le moment ? J'ai pris conscience que ma place est avec vous.

— Avant ou après m'avoir vue enlever ma camisole ?

— Après, je pense.

Elle hocha la tête de façon marquée, comme pour dire : « C'est bien ce que je pensais. »

Olivia prit une grande inspiration. « J'ai pris conscience que ma place est avec vous. » Ce n'était pas tout à fait une déclaration d'amour, mais c'en était près. C'étaient les mots qu'elle avait brûlé d'entendre, et cependant… ils tombaient très mal. Elle l'avait aimé durant dix longues et exaspérantes années. Il aurait pu choisir n'importe quel moment au cours de ces dix ans pour lui rendre son affection. La septième année aurait été parfaitement acceptable, par exemple. Ou la neuvième. Mais c'était seulement *après* qu'on les avait surpris au lit ensemble, forcés à se fiancer, et qu'ils avaient fait l'amour que les sentiments de James avaient rattrapé les siens.

Maintenant, alors qu'elle s'était rendu compte qu'elle ne voulait pas être la raison qui le ferait rester.

C'était son sens de l'honneur qui le poussait à agir ainsi. En outre, s'il savait combien il lui manquerait, ou combien elle s'inquiéterait pour sa sécurité, il renoncerait de toute façon à sa place dans l'expédition. Il mettrait stoïquement de côté ses propres ambitions et resterait près d'elle – pour elle. Il dirait qu'il se moquait de l'expédition, qu'elle lui épargnait deux ans de mauvaise nourriture et de conditions de vie primitives.

Donc, si elle voulait vraiment qu'il aille en Égypte, elle devait le convaincre qu'elle était indifférente, même si elle en était loin.

Elle rassembla tous ses talents de comédienne et s'efforça de ne pas regarder son torse nu, parce que le voir produisait le même effet sur sa capacité à prendre des décisions que boire trois verres de vin d'un coup. Elle s'efforça aussi d'ignorer le fait qu'elle était nue. La façon dont le regard ardent de James se promenait sur ses bras et ses jambes suggérait qu'il avait du mal à ignorer qu'elle n'était pas habillée. Une rougeur gagna son cou. Comme il lui caressait le dos de la main, tout son bras la picota.

— Je pensais que c'était ce que vous vouliez, dit-il.

Elle haussa les épaules.

— Je pense que j'ai grandi durant les dernières semaines. J'ai appris que je ne peux pas lier tous mes espoirs et mes rêves à une personne extérieure. Il faut que je puisse compter sur moi-même et que je sois bien dans ma propre peau.

Un petit sourire coquin éclaira le visage de James.

— J'adore la façon dont vous êtes dans votre peau.

Juste ciel ! L'écoutait-il, oui ou non ?

— Je ne prétendrai pas que je ne tiens pas à vous, dit-elle, parce que j'y tiens. Je pense simplement que, vu la façon dont nous nous sommes fiancés, passer un certain temps séparés pourrait être une bonne chose pour nous. Vous pourriez partir pour votre expédition et fouiller autant que vous le voudriez. Je pourrais passer du temps avec ma famille et faire connaissance avec la vôtre. Nous aurions tous les deux le temps de nous habituer à l'idée d'être mariés. Après tout, nous allons passer le reste de notre vie ensemble.

— Vous avez besoin de temps pour vous adapter ?

— Bien sûr. Je n'ai encore jamais eu d'époux.

— Je n'ai jamais eu d'épouse non plus. Mais je pense que nous nous conviendrons très bien.

Une boule de la taille d'une des maudites pierres de James se logea dans la gorge d'Olivia, et ses yeux se mirent à la brûler. *C'est le moment d'être forte, Olivia. Forte et convaincante.* Elle lui retira sa main.

— Je n'aurais jamais deviné que vous étiez aussi sentimental, James. Vous savez, l'une des choses que j'ai toujours admirées en vous est votre nature logique, votre faculté d'analyse.

— Je croyais que ce côté vous irritait, justement.

— Il m'a peut-être frustrée, à l'occasion, mais je respecte la façon dont vous prenez vos décisions d'une manière si réfléchie, sans céder à l'émotion ou à l'impulsivité.

— Mais vous êtes l'une des personnes les plus impulsives que je connaisse !

— Justement ! C'est pourquoi j'ai besoin d'un époux qui soit stable, qui indique le cap.

— Qu'essayez-vous de dire, Olivia ?

— Que vous avez projeté ce voyage en Égypte pendant des mois – non, des années – et que vous ne devriez pas laisser un mariage impromptu affecter ces plans. Partez pour votre expédition. Explorez comme vous avez toujours eu envie de le faire.

Il la dévisagea comme s'il ne pouvait en croire ses oreilles.

— Il pourrait y avoir un bébé, dit-il.

Juste ciel, elle n'y avait pas pensé. Elle fit quelques rapides calculs.

— Je ne crois pas.

Elle garda un ton léger.

— Mais j'en serai certaine dans la semaine.

— Je vois.

Il se passa les doigts dans les cheveux et noua les mains sur sa nuque. Olivia dut détourner les yeux, car la vue de ses bras pliés lui tournait la tête.

— Si vous étiez enceinte, dit-il, je ne vous quitterais jamais.

C'était gentil. Mais elle supposa que cela impliquait le contraire : si elle n'était pas enceinte, il partirait.

— Tout ce que je suggère, reprit-elle, c'est que, alors que nous n'avons pas eu le choix de nous fiancer, nous en avons un en ce qui concerne le reste de notre vie.

— Vous avez raison. C'est à nous d'en décider.

Ses yeux verts devinrent brûlants tandis qu'il repoussait une boucle derrière l'oreille d'Olivia.

— En attendant, je sais ce que j'aimerais faire en cette minute précise.

Elle déglutit avec quelque difficulté. Il ne l'aimait peut-être pas avec la même férocité qu'elle, mais on ne pouvait nier la chaleur intense qui existait entre eux. L'expression affamée et en même temps étonnamment tendre de James la fit fondre comme du chocolat.

— Qu'est-ce que cela pourrait bien être ?

Lentement, il écarta sa robe d'elle. Tandis que son regard la parcourait, il inspira.

— J'avoue que j'ai envie de faire toutes sortes de choses coquines avec vous. Mais, d'abord, je pense que vous aimeriez peut-être vous baigner de nouveau pour vous rafraîchir, avant de déjeuner. Qu'en dites-vous ?

Son sourire fit bourdonner tout le corps d'Olivia, et, quand ses yeux se posèrent sur ses seins et plus bas, elle se sentit comme une pêche mûre qu'il était sur le point de cueillir.

— Cela semble… divin.

Il la souleva avec facilité et la ramena dans la rivière, où l'eau lui chatouilla d'abord les orteils, puis les fesses, et enfin la poitrine. Elle noua les jambes autour de lui et dessina la ligne de sa mâchoire, savourant le contact rêche de sa barbe naissante sous son doigt. Il l'embrassa avec suavité et passa ses grandes mains dans son dos tandis que le courant, frais et doux, apaisait la légère irritation entre ses cuisses. Une palpitation insistante naquit en cet endroit, et elle l'attira plus près, enfonçant ses ongles dans son dos et tirant sur ses cheveux.

— Seigneur, Olivia.

Il courba la tête, prit un téton dans sa bouche et le suça jusqu'à ce qu'elle se tortille de plaisir. Et, lorsqu'il glissa une main entre eux pour la toucher, elle fut perdue.

— Je vous veux, murmura-t-elle. S'il vous plaît.

Elle se frotta contre lui, contente de le trouver excité, car en dépit de ses airs bravaches elle avait en fait une très vague idée de la façon dont ces choses-là fonctionnaient. Elle savait, en revanche, que ses culottes représentaient un empêchement et elle entreprit d'y remédier. Elle tira sur le devant jusqu'à ce que quelque chose cède, et James rit contre sa bouche – un son si délicieux qu'elle eut envie de le dévorer.

— Je pense que vous venez de donner un de mes boutons aux poissons.

— Chut. Je ne veux pas penser aux poissons pour l'instant. Aidez-moi.

Il avait les paupières lourdes, et son sourire était à faire flageoler les genoux d'Olivia tandis qu'il la satisfaisait, déboutonnant ses culottes jusqu'à ce quelle puisse enfin saisir son sexe, lisse et oh oui, si rigide contre son ventre.

— Est-ce que nous pouvons le faire ici ? demanda-t-elle.

Il marmonna quelque chose qui aurait pu être un juron, une prière d'action de grâce ou les deux.

— Oui. Êtes-vous sûre d'être prête, si tôt après…

Juste ciel, oui, elle était prête. Elle ne pouvait peut-être pas lui dire qu'elle l'aimait toujours désespérément ou qu'elle détestait la pensée de passer les deux premières années de leur mariage sans lui. Mais elle pouvait l'aimer avec son corps. Elle pouvait forger un souvenir qu'ils mettraient tous les deux de côté et garderaient pour les nuits où des milliers de miles les sépareraient.

— Je suis prête.

D'une main sur sa hanche, il la guida plus bas, jusqu'à ce qu'il soit en place pour la pénétrer.

— Nous allons aller lentement, cette fois.

Elle avait dû faire la moue, car il rit tout bas.

— Faites-moi confiance.

Elle aurait dû savoir qu'elle pouvait se fier à lui.

Il entra en elle, puis la laissa prendre l'initiative pour donner le rythme. Le soleil brillait sur leur tête, et l'eau baisait leur peau tandis qu'elle bougeait sur lui, poussant puis le prenant plus profondément, encore et encore jusqu'à ce que ses jambes soient nouées autour de lui et qu'elle appelle en gémissant le genre de jouissance qu'elle avait déjà connu.

— Doucement, ma chérie.

Prenant ses fesses dans ses mains, il donna des assauts rapides et forts, accroissant la friction entre eux jusqu'à ce que la suave pulsation se répande dans les membres d'Olivia et tambourine dans ses oreilles. Être avec James ne ressemblait à rien de ce qu'elle avait imaginé. Parce que jamais de sa vie elle n'aurait pu concevoir quelque chose de si brut, de si puissant, de si merveilleux. Elle arqua le dos et cria en s'abandonnant à la marée qui la submergeait, le plaisir la pénétrant jusqu'aux os avant de se dissiper lentement en quelque chose de calme et d'apaisant.

Son beau visage crispé par la concentration, James posa son front contre le sien.

— Tenez bon, dit-il d'une voix essoufflée.

Olivia rassembla le peu de force qui lui restait et, lorsqu'il se remit à bouger en elle, elle lui rendit coup pour coup. Elle prit sa lèvre inférieure dans sa bouche et passa les doigts sur son torse et son ventre, en le griffant. Il étouffa une exclamation et tous les muscles de son corps se tendirent tandis qu'il criait son nom – et jouissait en elle, de nouveau.

22

Une heure plus tard, James et Olivia somnolaient, entièrement nus, à l'ombre d'un grand chêne. Il avait déplacé la couverture à cet endroit, essoré leurs vêtements et les avait étendus au soleil pour qu'ils sèchent. Ils avaient bu du vin dans des gobelets en fer-blanc et dévoré le pain et le fromage qu'ils avaient apportés, ainsi que des pommes juteuses.

Comblés et repus, ils s'étaient allongés sur le dos et avaient contemplé les vertes frondaisons au-dessus d'eux. Puis James entremêla ses doigts à ceux d'Olivia, lui baisa le dos de la main, la pressa sur sa poitrine et sombra dans le sommeil.

Elle dut faire la même chose.

Lorsqu'elle s'éveilla, il était habillé et rangeait ses outils dans son sac. Elle s'aperçut que ses cheveux étaient tout emmêlés sur le côté de sa tête et elle craignait d'avoir bavé un peu sur le quilt. Soudain gênée, elle s'assit et ramena ses genoux contre elle.

— Bonjour, beauté, dit-il sans la moindre trace d'ironie.

Comme elle l'aimait pour cela !

— C'est l'après-midi. Et je suis sûre que j'ai l'air d'une traînée.

— Une adorable traînée.

Il ramassa sa camisole, la fit claquer pour la débarrasser de brins d'herbe et de pollen et la lui jeta.

Elle l'enfila prestement par-dessus sa tête, soupirant d'aise quand le coton imprégné de soleil réchauffa sa peau. Pendant que James ramassait le reste de ses habits, elle passa les doigts dans ses boucles en désordre. Ce serait un miracle si elle parvenait à les dompter en un semblant de chignon respectable, mais elle avait du mal à s'en soucier. En particulier alors que l'après-midi avait été si délicieux et si… instructif.

Ses vêtements lui parurent étroits et serrés après quelques heures de béatitude sans contrainte, mais il fallait bien les remettre avant que James et elle ne regagnent Haven Bridge. Lorsqu'elle se fut habillée et eut arrangé ses cheveux de son mieux, elle glissa ses béquilles sous ses bras et suivit James vers les chevaux.

— Attendez.

Il s'arrêta, le front plissé.

— Je pense que je vais prendre un échantillon du sol de la berge – quelque chose à rapporter à Humphrey, avec votre croquis. Voulez-vous m'excuser un instant ?

— Je viens avec vous.

Il l'aida à parcourir la petite distance jusqu'à la rivière, et Olivia l'observa de la berge tandis qu'il sautait avec légèreté sur le sable. Il ôta son sac de son épaule, en sortit une petite bourse à lacet coulissant et s'accroupit près des pierres qu'il avait déterrées. Il venait de mettre une poignée de terre dans la bourse et nouait le lacet quand quelque chose brilla au soleil derrière lui. Olivia battit des cils pour s'assurer qu'elle ne rêvait pas. Mais non, là, dans le sable, un bout de métal étincelait.

— James, je crois que vous venez de déterrer quelque chose.

Il baissa les yeux sur l'endroit où il avait creusé.

— Une autre pierre ?

— Je ne pense pas. Ça brille.

Elle se glissa jusqu'au bord de l'herbe et tendit le doigt.

— Là.

Il s'accroupit de nouveau et passa les doigts sur le sol récemment fouillé.

— Ah, je l'ai.

Il se releva, lui fit face et ouvrit sa paume, révélant une petite motte de terre. Il l'écarta avec délicatesse et fit apparaître une fine bague en métal.

— Incroyable, murmura-t-il, en s'approchant pour qu'elle puisse voir.

— Oh ! dit-elle, s'efforçant de paraître aussi impressionnée, même s'il était difficile d'apprécier l'anneau recouvert de terre.

James le nettoya sur la manche de sa redingote, le rinça avec soin dans la rivière et le frotta de nouveau pour le sécher. La voix sourde d'émerveillement, il dit :

— Je crois que c'est de l'or, Olivia. Et probablement de l'or très, très ancien.

Son visage était plein d'excitation, et elle pouvait presque voir son esprit fonctionner à toute allure, imaginant les histoires possibles de la bague, qui avait pu la porter… Et, en cet instant, elle comprit vraiment sa passion. Il s'agissait moins de trouver la gloire ou la fortune que de toucher un morceau du passé.

— Voulez-vous me donner le carnet ? demanda-t-elle. Je peux ajouter quelques notes et indiquer où…

— Non.

Il sauta dans l'herbe et lui tendit l'anneau.

— Voyons s'il vous va.

À présent, l'or étincelait dans sa paume comme s'il pouvait provenir de chez un grand bijoutier de Bond Street. Olivia hésita un instant, puis déglutit et tendit sa main droite – vu que porter un anneau à la main gauche avant son mariage pourrait porter malheur. Même ainsi, ses traîtres de doigts tremblèrent.

La main de James était ferme, et il ne put réprimer un large sourire en enfilant la bague à son doigt.

— Elle est parfaite, dit-il dans un souffle, passant son pouce sur le dos de sa main tandis qu'ils admiraient la bague ensemble. Elle est à vous, Olivia. Je veux que vous l'ayez.

— Ne devriez-vous pas la donner à votre oncle ? Ce sont ses terres.

— Il voudrait que vous l'ayez, j'en suis sûr.

— Mais… mais vous ne l'avez même pas encore étudiée de près. Nous ignorons à qui elle appartenait. Peut-être qu'un malheureux promeneur l'a laissée tomber et qu'il reviendra la chercher.

James rit.

— Sept cents ans trop tard.

Les cheveux d'Olivia se dressèrent sur sa nuque. Comme il était étrange de porter un objet qui avait pu être fabriqué au Moyen Âge.

— Elle est aussi ancienne ?

— C'est très possible. Humphrey m'a raconté des histoires, et il a longtemps pensé qu'il y avait autrefois un monastère ou une église quelque part au bord de la rivière, datant du XIIe siècle.

Juste ciel.

— Raison de plus pour que je ne puisse pas la garder.

Elle essaya de l'enlever, mais elle se coinça à son articulation. James prit sa main entre les siennes.

— Si vous ne l'aviez pas vue, elle aurait été emportée par les prochaines fortes pluies et déposée au fond de la rivière, pour ne pas être découverte avant sept cents autres années, peut-être.

Olivia ouvrit la bouche pour protester, mais il secoua la tête, porta sa main à ses lèvres et la baisa avec douceur. D'une façon presque révérencieuse.

— De toutes les personnes qui sont venues ici, je pense que vous étiez destinée à la trouver. Vous. Et, de tous les jours où vous auriez pu la trouver, je pense que vous étiez destinée à la trouver aujourd'hui, une date qui, dans mon esprit au moins, a été très spéciale.

Une sorte de picotement chaud naquit dans le ventre d'Olivia. On aurait presque dit que son fiancé si logique, pragmatique, scientifique, qui aimait les chiffres, croyait au destin.

— Elle est spéciale, en effet.

— Alors c'est réglé. La bague est à vous. Je vous achèterai quand même une alliance, ajouta-t-il, mais vous et moi saurons que cet anneau symbolise notre merveilleux après-midi au bord de la rivière.

— Et dedans, précisa-t-elle d'un air malicieux. Ne l'oubliez pas.

La bouche de James s'incurva en un sourire coquin.

— Comme si je le pouvais.

Il prit son visage dans ses mains et l'embrassa avec autant de vénération que s'ils étaient dans une église.

Cela aurait pu être le plus beau moment de la vie d'Olivia – si elle n'avait pas su que son bonheur s'achèverait brutalement quand James partirait pour l'Égypte dans quelques courtes semaines.

— Oncle Humphrey, j'aimerais vous présenter ma fiancée, lady Olivia.

James évita un chat qui surgissait de la pièce, et Olivia heurta une étrange sculpture posée sur une table basse, la rattrapant juste avant qu'elle ne tombe.

— Enfin !

Le vieil homme saisit les bras de son fauteuil pour s'en extraire, mais Olivia l'arrêta.

— Je vous en prie, ne vous levez pas. C'est un plaisir de vous rencontrer, monsieur Crompton.

Elle sourit et inclina la tête.

— Pff, nous allons être de la même famille. Vous devez m'appeler oncle Humphrey.

Les yeux larmoyants mais aimables du vieillard se rivèrent sur Olivia, se plissant aux coins.

— Cela fait des jours que je demande à James de vous amener. Je sais que cette maison n'est pas exactement Carlton House, mais je n'ai pas oublié mon rôle d'hôte. Je pense que nous pouvons réussir à servir du thé. Euh, n'est-ce pas, James ?

Avant que ce dernier puisse répondre, Olivia ôta une pile de livres d'un sofa, la posa par terre et s'assit en face d'Humphrey.

— Merci, mais je ne suis pas venue prendre le thé, je voulais simplement bavarder avec vous. Et, bien que je ne sois jamais entrée dans Carlton House, je suspecte que même si je l'avais fait, je préférerais votre cottage, avec des livres et des curiosités partout.

Le vieil homme approuva d'un signe de tête.

— Comment va votre cheville ? Où sont passées vos béquilles ?

James souffla.

— Excellente question, mon oncle. Elle devrait…

— J'ai décidé d'en faire du petit bois, coupa Olivia. Et ma cheville va beaucoup mieux, merci.

— Content de l'entendre. Aucune jeune mariée ne devrait avoir à remonter l'allée d'une église avec des béquilles, si elle peut l'éviter.

— Je suis d'accord, dit Olivia, heureuse d'avoir trouvé un allié. Et vous, comment vous sentez-vous ?

Il écarta sa question d'un geste de sa main noueuse.

— Je me fatigue aisément. Qu'attendriez-vous d'autre d'un homme de mon âge ? Mais je serai à l'église le jour où James et vous vous marierez. Je ne manquerais cela pour rien au monde.

— J'en suis heureuse.

James tendit le bouquet de fleurs des champs qu'Olivia avait cueillies en venant au cottage.

— Mon oncle, c'est de la part d'Olivia. Je vais voir si je peux trouver un vase.

— Vas-y, mais ne prends pas le vase africain en argile – il est du XVe siècle et il fuit. Oh ! et ne prends pas non plus le vase grec avec Orphée dessus. Les chats ont déjà cassé le même.

James leva les yeux au ciel et se dirigea vers le fond de la maison.

— Je trouverai bien quelque chose.

— Parfait, déclara Humphrey en le regardant s'éloigner. Maintenant, nous pouvons parler librement. Il faut que je jette un coup d'œil à cette bague. Puis-je ?

Il tendit la main.

— Bien sûr. De toute façon, elle vous appartient.

Il rit tout bas.

— Je n'en ai pas besoin, et vous l'avez trouvée.

Olivia tira sur l'anneau, mais il ne voulut pas bouger.

— Mon doigt doit être un peu gonflé, dit-elle d'un ton d'excuse.

— Peu importe, laissez-moi voir votre main.

Olivia se mit debout devant lui et tendit sa main, se sentant assez gênée lorsqu'il prit une loupe sur la table à côté de lui pour examiner la bague.

— Elle est très ordinaire.

— Mais belle dans sa simplicité, remarqua Olivia, éprouvant le besoin de la défendre.

— Oh ! certes.

Les yeux d'Humphrey ne quittaient pas l'anneau en or.

— Elle est un peu biseautée sur les bords. Porte-t-elle une inscription quelconque ?

Olivia fronça les sourcils. Elle n'avait pas ôté la bague depuis le jour où ils l'avaient trouvée – près d'une semaine plus tôt.

— Je ne sais pas. Il pourrait y avoir quelque chose à l'intérieur, oui.

Les sourcils du vieil homme remontèrent sur son front ridé.

— Je suis surpris que James n'ait pas vérifié.

— À propos de James, dit Olivia en jetant un coup d'œil vers la porte par où il était sorti, je sais qu'il a hérité de vous sa passion des antiquités et des fouilles. Puis-je vous poser une question personnelle ?

Humphrey posa la loupe et joignit les doigts.

— Certainement, ma chère. Allez-y.

— Avez-vous déjà participé à une grande expédition ?

— Non.

Une expression nostalgique se peignit sur son visage ridé.

— Je le souhaitais, bien sûr. J'aspirais à l'aventure, à l'excitation de découvrir les secrets du passé.

— Qu'est-ce qui vous a empêché de partir ?

— Des responsabilités m'ont retenu ici pendant de nombreuses années. Ensuite, ma santé m'a interdit de voyager. Alors je dois me contenter de livres et des récits d'autres personnes. Je regrette de ne pas être parti quand j'étais jeune et capable, mais ce n'est pas une tragédie.

Sauf que sa mine peinée suggérait le contraire.

Olivia s'en était doutée. Pourtant, même ainsi, son cœur se serra.

— James envisage de laisser sa place dans l'expédition, et je ne veux pas qu'il le fasse. C'est son rêve et l'occasion d'une vie. Il *doit* se rendre en Égypte.

— C'est généreux de votre part de lui donner votre bénédiction et vos encouragements. Mais, qu'il y aille ou non, c'est sa décision.

Il joignit de nouveau le bout de ses doigts et secoua la tête d'un air pensif.

— En tout cas, je ne l'envie pas d'avoir à choisir.

— À quoi ressemblera cette expédition, pour lui ? Est-ce très dangereux ?

— Cela peut l'être. La région où il voyagera est bien loin des côtes civilisées de l'Angleterre. D'autres groupes ont souffert du manque d'eau et de nourriture, de maladies et de nuées d'horribles insectes.

Humphrey dut voir qu'elle était alarmée, car il se hâta d'ajouter :

— Mais l'équipe de James sera bien préparée, et il est loin d'être un Anglais ordinaire élevé dans du coton. Il peut se défendre contre n'importe quoi.

Voilà qui la réconfortait un peu.

— Voudriez-vous m'aider ?

Sous le coup d'une impulsion, elle tendit le bras et prit la main du vieil homme.

— Voudriez-vous le raisonner ? Le convaincre d'y aller ? Je peux voir combien vous êtes triste de ne jamais avoir eu cette chance, et je ne veux pas qu'il ressente la même chose. Je ne veux pas qu'il gaspille cette occasion pour moi.

— Ma jeune dame, si j'ai appris quelque chose au cours de mes presque quatre-vingts ans, c'est que la logique ne pèse pas lourd face à l'amour.

Elle secoua la tête.

— Je ne pense pas que l'amour fasse partie de cette équation. James vous a-t-il dit que mon frère nous force à nous marier ?

Humphrey fronça un sourcil.

— Cela ne fait guère de différence.

Oh ! mais si. Pour elle, au moins.

— Il n'a pas eu le choix.

— Nous avons toujours le choix, ma chère.

— Oui, répondit-elle, pensive. Oui, c'est vrai.

Regardant Humphrey dans les yeux, ses vieux yeux aimables, elle ajouta :

— S'il vous plaît, promettez-moi que vous l'encouragerez à partir – quoi qu'il advienne, je sais que dans son cœur il a toujours envie de se rendre en Égypte. Il doit participer à cette expédition.

Le vieil homme ouvrit la bouche pour répondre, mais James entra dans la pièce à ce moment-là.

— Et voilà !

Il présenta fièrement les fleurs qu'il avait mises dans un pichet. De l'eau coulait sur les côtés, et plusieurs tiges présentaient des angles bizarres... James chercha du regard un endroit plat et dégagé où poser le bouquet.

— Est-ce que je le mets sur la cheminée ? demanda Olivia.

Elle prit les fleurs et tenta de les arranger avant de placer le pichet hors d'atteinte des chats. Elle espéra qu'Humphrey comprendrait qu'elle ne voulait pas continuer à parler de l'expédition devant James.

— Lady Olivia, dit le vieil homme, je dois vous complimenter sur vos excellents croquis. J'ai l'impression d'être avec vous au bord de la rivière. Un endroit idyllique, n'est-ce pas ?

Une rougeur soudaine envahit son cou, et elle acquiesça sans rien dire. James et elle l'avaient trouvé idyllique, en effet.

— Allez-vous y retourner aujourd'hui ? demanda le vieillard.

James décocha un sourire entendu à Olivia.

— Il reste beaucoup de choses à explorer.

Dieu du ciel. Si elle espérait encourager James à la quitter, il fallait qu'elle cesse de passer autant de temps avec lui.

— De fait, je dois rentrer à l'auberge, dit-elle. Je suis terriblement en retard dans ma correspondance.

C'était vrai – elle était *toujours* en retard dans sa correspondance.

— Permettez-moi de vous raccompagner, offrit James.

— Ce n'est pas la peine. Restez et profitez de la compagnie de votre oncle.

Se tournant vers Humphrey, elle dit :

— Merci d'avoir partagé avec moi votre sagesse et votre perspicacité, Humphrey. Il est aisé de voir pourquoi vous êtes l'oncle préféré de James.

— Et il est aisé de voir pourquoi il vous a choisie comme sa fiancée, répondit-il en insistant légèrement sur le mot « choisie ».

— Je serai heureuse de vous revoir bientôt.

Olivia prit une de ses mains et la serra affectueusement.

Mais, alors qu'elle voulait se dégager, il retint ses doigts avec une force étonnante. Ses yeux étaient vitreux et sa bouche béait légèrement, comme s'il était étourdi.

James vint se placer à côté d'elle.

— Allez-vous bien, oncle Humphrey ?

— Quoi ? Oh ! oui, j'ai juste eu une impression étrange – cela m'arrive parfois, vous savez.

Il regarda Olivia comme s'il connaissait tous ses secrets, et dit d'une voix tremblante :

— C'est la bague. Vous étiez destinée à l'avoir. Il est important que vous le sachiez.

— Je comprends, mentit-elle, parce que cela semblait être ce qu'il voulait entendre.

— Très bien.

Il la lâcha, appuya la tète à son fauteuil et ferma les yeux comme s'il était très las.

James sourit et porta un doigt à ses lèvres, puis accompagna Olivia jusqu'à la porte d'entrée. Il se pencha pour l'embrasser, mais elle feignit de ne pas le remarquer.

— Votre oncle est un vrai trésor. Merci de me l'avoir présenté.

— Êtes-vous sûre que je ne peux pas vous convaincre de venir à la rivière avec moi ?

Elle secoua la tête et commença à franchir la porte.

— J'ai de la correspondance à faire.

— Oui, vous l'avez mentionné. Est-ce que quelque chose vous trouble ?

— Bien sûr que non.

Elle ne le regarda pas.

— J'ai juste négligé certaines choses et, bien que j'aie grandement euh… apprécié nos après-midi à la rivière, je ne peux pas y gaspiller toutes mes journées.

L'expression blessée qui passa sur le visage de James lui donna envie de jeter les bras autour de lui, mais elle ne pouvait céder à la faiblesse. C'était pour lui qu'elle agissait ainsi.

Il se ressaisit presque aussitôt et sourit.

— Je me rends bien compte que je ne peux pas exiger votre attention complète tout le temps. Même si j'aimerais le pouvoir.

— J'apprécie votre compréhension.

Il fronça les sourcils.

— Si vous aviez un souci, vous me le diriez, n'est-ce pas ?

— Oui. De fait, il y a quelque chose que vous devriez savoir.

Sapristi, c'était difficile.

— Vous vous inquiétiez la semaine dernière, après notre… euh…

— Après avoir fait l'amour ?

— Oui. Vous craigniez que je puisse être…

— Enceinte ?

Une émotion qui ressemblait à de l'espoir brilla dans les yeux de James. Elle hocha la tête.

— Je ne le suis pas. Je tenais à vous tranquilliser.

— Ce n'était pas exactement que je le craignais, Olivia. Je…

Il sembla vouloir en dire plus, mais il pinça les lèvres.

— J'ai pensé, poursuivit-elle, qu'il serait prudent de remettre toute autre… relation physique… à après notre mariage.

Et après son retour d'Égypte.

— Cela ne me fait rien d'attendre, Olivia, bien sûr. Ce ne sera que dans un peu plus d'une semaine.

En effet. Owen reviendrait à Haven Bridge avec la licence de mariage d'un jour à l'autre, maintenant.

— Mais nous pouvons toujours passer du temps ensemble, n'est-ce pas ?

Comme elle brûlait de dire oui – qu'elle serait heureuse de passer tous les instants avec lui de maintenant jusqu'à l'éternité, la nuit comme le jour, à faire tout ce qu'il aimait, à fouiller, à dessiner, ou à faire l'amour !

— Je ne pense pas que nous le devrions. Cela porte malheur que la fiancée voie son futur époux avant le mariage.

— Superstitions.

— Je ne vois pas de raison de tenter le sort.

Il tendit le bras comme s'il voulait l'attirer à lui, l'embrasser jusqu'à ce qu'elle soit chaude et consentante, et mettre fin à cette absurdité. Elle recula.

James plissa le front.

— Est-ce que quelque chose s'est produit ? Oncle Humphrey n'a rien dit pour vous mettre mal à l'aise, n'est-ce pas ?

— Non, répondit-elle vivement. Pas du tout. Je suis sûre que la plupart des futures mariées se sentent un peu anxieuses durant les jours qui précèdent leurs noces.

La façon dont les mensonges lui venaient plus vite et plus aisément, maintenant, était remarquable.

— Très bien.

Il se frotta la nuque.

— Mais vous redeviendrez l'Olivia que je connais tout de suite après le mariage, j'espère.

— J'en suis certaine.

Elle fit un signe de main et partit dans l'allée sans un regard en arrière – pour que James ne la voie pas pleurer.

23

Hiéroglyphes : *1) Ancienne écriture picturale égyptienne remontant à 3 000 ans avant Jésus-Christ. 2) Écriture indéchiffrable, comme dans la phrase : « La lettre hâtivement griffonnée d'Olivia était à peu près aussi lisible que des hiéroglyphes. »*

Olivia avait pensé qu'elle rentrerait à l'auberge, réfléchirait à ce qu'Humphrey lui avait dit, et considérerait comment persuader au mieux James d'aller en Égypte. Mais, à l'instant où elle ouvrit la porte de sa chambre, Hildy la tira à l'intérieur, jeta un coup d'œil nerveux dans le couloir et referma.

— Une jeune femme est venue. Elle vous cherchait, milady.

Olivia prit une inspiration. Elle avait presque renoncé à espérer que Sophia répondrait à sa lettre. Rétrospectivement, son invitation à venir la rencontrer dans ce village isolé lui avait paru stupide au mieux et présomptueuse au pire.

— Qui était-ce ? demanda-t-elle.

— Une certaine miss Sophia Rolfe.

Son cœur s'emballa. Sa demi-sœur était bien ici.

— Était-elle seule ?

— Oui. Je lui ai dit que vous étiez sortie. Elle a dit qu'elle avait pris une chambre ici pour la nuit et qu'elle vous attendrait en bas dans la salle commune.

Olivia ôta son bonnet et le tendit à la soubrette.

— De quoi a-t-elle l'air ?

Hildy pencha la tête de côté, pensive.

— Elle a de bonnes manières, mais sa robe a vu des jours meilleurs. Je ne crois pas qu'elle fréquente les mêmes cercles que vous et lady Rose. La connaissez-vous ?

— J'ai entendu parler d'elle, mais nous ne nous sommes jamais rencontrées.

— C'est bizarre.

Hildy fronça les sourcils.

— Pourquoi viendrait-elle vous trouver ?

— Je lui ai écrit. Nous avons plus en commun que ce que vous pourriez suspecter.

Olivia vérifia son reflet dans le miroir au-dessus de la table de toilette, prit une grande inspiration et passa ses mains moites sur le devant de sa jupe. Maintenant que le moment était venu de rencontrer Sophia face à face, elle se dit qu'elle aurait dû réfléchir à la meilleure façon de lui présenter les faits.

— Cet entretien prendra probablement un moment.

— Dois-je venir avec vous ?

— Non, merci, Hildy.

Quand la soubrette se mit à se tordre les mains, Olivia lui pressa affectueusement le poignet.

— Il n'y a pas de quoi s'inquiéter.

— Vous avez déjà beaucoup marché aujourd'hui. Pourquoi n'irais-je pas chercher miss Rolfe et ne vous ferais-je pas monter le dîner ici, pour toutes les deux ?

— Je ne quitterai pas l'auberge, c'est promis.

Et, avant que sa soubrette ne puisse protester davantage, Olivia fit un petit signe de la main et s'échappa.

Il n'y avait pas beaucoup de monde dans la salle commune, et elle n'eut pas de mal à repérer Sophia. Elle était assise seule à une table dans un coin, des boucles sombres sortant d'un bonnet de paille. Elle penchait la tête sur un livre, et le verre de bière posé devant elle paraissait intact. Olivia s'approcha et s'éclaircit doucement la gorge.

— Miss Rolfe ?

Des yeux bleus, étonnamment pâles, la regardèrent et battirent des cils.

— Oui. Vous devez être lady Olivia. Je vous en prie, asseyez-vous.

Olivia se glissa sur la chaise en face d'elle et, ayant décidé en descendant que la meilleure façon d'agir serait de révéler la vérité au plus vite, au lieu de faire durer inutilement les choses, elle commença à se lancer dans son explication.

— Merci d'être venue. Je suis sûre que vous êtes curieuse de savoir pourquoi je vous ai…

Juste ciel. Elle s'arrêta, la gorge serrée et les pensées éparpillées.

L'expression sereine de Sophia – de ses yeux aimables à sa bouche patiente – était l'exacte réplique de celle de son père.

— Allez-vous bien ?

De fins sourcils sombres se nouèrent avec inquiétude.

Olivia détourna les yeux jusqu'à ce qu'elle soit relativement sûre de ne pas fondre en larmes.

— Oui, je vous prie de m'excuser. C'est juste que je ne m'attendais pas…

Sophia ouvrit le livre et posa le croquis de sa mère la portant sur la table entre elles. Avec la lèvre inférieure qui tremblait, elle demanda :

— Où avez-vous eu ceci ?

Olivia déglutit avec peine.

— Je le tiens de votre père.

Sophia se redressa, une lueur de colère traversant son visage.

— Vous le connaissez ?

Olivia hocha la tête.

— Je crains qu'il ne soit mort il y a quelques années. Mais, oui, je l'ai connu. Il… il était mon père aussi.

Le bout des doigts pressé sur ses tempes, Sophia dit :

— Mais votre père était…

— Le duc de Huntford.

— Non. Cela ne se peut pas. Ma mère m'a dit que mon père était un client de la bibliothèque de prêt.

— Il l'était.

— S'il était duc, elle l'aurait sûrement mentionné.

— À moins que le duc en question n'ait été marié.

Sophia se couvrit la bouche de sa main, qu'elle laissa ensuite retomber sur ses genoux.

— Quel âge avez-vous ? demanda-t-elle.

— Vingt-deux ans.

— J'en ai vingt-trois. Ainsi nous sommes…

— Sœurs.

Demi-sœurs pour être plus précise, mais ce n'était guère le moment de couper les cheveux en quatre.

— Pardonnez-moi, j'ai… j'ai besoin d'un moment pour… assimiler ceci.

— Bien sûr, murmura Olivia.

À vrai dire, elles pourraient toutes les deux avoir besoin d'un peu plus qu'un moment.

— Comment êtes-vous entrée en possession de ce dessin ?

— C'est une très longue histoire, et je vous dirai tout ce que je sais, ce qui risque d'être fort peu, à vos yeux. Mais d'abord je pense que je vais aller parler à l'aubergiste et demander que notre dîner soit servi dans la salle à manger privée.

Et ainsi, revigorée par un repas copieux et quelques verres de vin, Olivia raconta la terrible vérité sur le suicide de leur père, la lettre qu'il lui avait laissée et le peu qu'elle savait sur sa liaison avec la mère de Sophia.

Sophia expliqua qu'à la mort de sa mère elle avait reçu une somme assez substantielle que son père avait versée pour son entretien et son éducation, et que sa mère avait été trop entêtée pour dépenser. Sophia avait investi la majeure partie de l'argent dans la bibliothèque, qui était l'héritage de sa mère et son moyen de gagner sa vie.

Il était impossible de ne pas aimer Sophia – en dehors du fait qu'elle était très jolie, avait une silhouette d'une minceur enviable et une grande intelligence. Elle écoutait tout avec calme et, à son tour, relatait les quelques détails qu'elle avait glanés de sa mère. Ensemble, elles commencèrent à rassembler les pièces de leur vie.

Sophia termina la tourte – comment pouvait-elle être aussi mince ? – et posa sa fourchette.

— Parlez-moi de votre frère et de votre sœur.

— Ils sont les vôtres aussi. Si vous pouvez rester quelques jours, vous les rencontrerez. Rose est silencieuse et sage – comme une âme ancienne dans le corps d'une jeune femme. Owen est farouchement protecteur. Mais, depuis qu'il a épousé Anabelle, il est moins enclin à se montrer maussade et à gronder.

— Dans votre lettre, vous disiez qu'Owen vous a découverte dans une situation compromettante ?

— Oui. Dans une autre auberge. Il a enfoncé la porte de la chambre où je me trouvais.

— Cela a dû être terrifiant.

— Il y a certaines choses qu'une sœur n'a pas envie que son frère voie – des choses qu'il n'était pas particulièrement content de voir non plus, j'imagine.

— Et maintenant vous et… James, c'est cela ? devez vous marier. En êtes-vous affligée ?

Olivia fut reconnaissante que Sophia ne suppose pas d'emblée qu'elle avait espéré être surprise, pour se faire épouser. Bien sûr, elle comprenait qu'on puisse le penser, étant donné qu'elle avait poursuivi James jusque dans la région des Lacs. Néanmoins, un peu de loyauté venant d'une sœur faisait du bien.

— Pendant des années, j'ai rêvé d'épouser James. Et, maintenant que c'est sur le point d'arriver, je voudrais pouvoir l'empêcher.

— Vous ne l'aimez pas ?

Olivia fit une pause, débattant de ce qu'elle devait révéler à cette relative étrangère – même si elle faisait partie de la famille. Mais son besoin de se confier à quelqu'un l'emporta.

— Je l'aime plus que je ne l'aurais cru possible.

— Alors pourquoi ne souhaitez-vous pas l'épouser ?

Les narines de Sophia frémirent légèrement.

— Est-ce sa position ? N'est-il pas assez riche ?

— Non ! Je ne me soucie pas de ces choses-là.

Du soulagement passa dans les yeux pâles de la jeune femme.

— Mais je ne veux pas qu'il se marie par devoir, et je ne veux pas qu'il reste en Angleterre avec moi alors qu'il souhaiterait participer à des fouilles en Égypte. Quand il sera vieux et contemplera sa vie passée, je ne veux pas être son plus grand regret. Il mérite cette chance de poursuivre son rêve. Tout le monde la mérite.

— Ah, je vois. Je suppose que vous ne pourriez pas convaincre Owen de repousser le mariage jusqu'au retour de James de son expédition ?

— Non. Je crois que les seules circonstances qui l'amèneraient à annuler le mariage seraient la mort de James, ou la mienne.

Olivia soupira.

— James est tout aussi déterminé à se marier dans les plus brefs délais – à ses yeux, l'honneur l'exige.

— Tout cela est très bien, mais vous devriez avoir votre mot à dire, aussi.

— Owen dirait que j'ai renoncé à ce droit le soir où je me suis mise au lit avec James. Je suis coincée.

— À moins…

Les oreilles d'Olivia se dressèrent.

— À moins que quoi ?

— À moins que vous ne veniez pas au mariage.

— Je ne pourrais jamais faire faux bond à James au pied de l'autel ! Ce serait, je ne sais pas… trop radical. Et cruel.

— Peut-être. Mais, s'il croyait vraiment que vous ne voulez pas l'épouser, il pourrait se sentir libre de partir pour son expédition. D'après moi, il y a toujours des choix.

Intéressant. Oncle Humphrey avait dit quelque chose de semblable.

— Et chaque choix a ses conséquences, dit Olivia, plus pour elle-même que pour Sophia.

Sa demi-sœur avait raison. Elle avait toujours pris son propre destin en charge et, même si cette tendance lui causait souvent des problèmes, au moins elle prenait ses propres décisions. Elle se leva et se mit à arpenter la petite salle à manger privée.

— Si je devais m'enfuir avant mon mariage, commença-t-elle lentement, il faudrait que l'organisation soit parfaite. J'aurais besoin d'un délai de plusieurs heures – davantage, de préférence – afin de prendre de l'avance.

— Je suis d'accord. Vous devriez partir tôt un soir et voyager durant la nuit.

L'attitude détachée et pragmatique de Sophia était à la fois impressionnante et un peu effrayante.

— Il me faudrait un endroit secret et sûr où me cacher, continua Olivia. James se mettrait à ma recherche, ainsi qu'Owen, j'en suis certaine ou presque.

Sophia considéra cet élément en tapotant la table d'un doigt fin.

— Cela pose un problème – surtout en ce qui concerne votre fiancé. S'il parcourait tout le pays à votre recherche, il manquerait son expédition de toute façon.

— C'est vrai, et ce serait une double tragédie. Il faudrait que je lui fasse croire que je ne veux pas l'épouser.

Elle pressa un doigt sur ses lèvres et ajouta :

— Je ne suis pas certaine d'être une aussi bonne comédienne.

— Si vous doutez de votre capacité à le convaincre en personne, vous pourriez lui laisser un billet.

— Cela paraît si… lâche.

— Oui. Mais vous le feriez pour lui.

Olivia hocha la tête.

— En effet. L'autre avantage de laisser un billet, c'est que je pourrais assurer à ma famille que je serais en sécurité. Je détesterais qu'ils s'inquiètent pour rien.

C'était à coup sûr un plan écervelé – mais ce ne serait pas son premier. Ni, très probablement, son dernier.

— Il va falloir que j'y réfléchisse, mais merci de m'avoir indiqué votre façon de voir. Après le choc que je vous ai causé aujourd'hui, je devrais vous réconforter. À la place, c'est vous qui me conseillez.

— Je pense simplement que nous, les femmes, nous méritons d'avoir le choix quand il s'agit de décider de notre avenir, et je suis prête à vous aider de toutes les façons que je pourrai.

— Vous êtes très aimable, Sophia. Heureusement, je n'ai pas besoin de prendre une décision ce soir.

— En effet. La journée a été longue et nous…

La porte de la salle à manger s'ouvrit en coup de vent, laissant entrer le bruit de la salle commune, et les deux femmes étouffèrent une exclamation quand la large carrure d'Owen s'inscrivit sur le seuil.

Son frère avait vraiment un don étrange pour arriver quand il ne fallait pas.

— Je l'ai, dit-il en sortant une feuille pliée de sa poche de poitrine et en en tapotant sa paume.

— Bonsoir à toi aussi, lui rétorqua Olivia, pincée. Je présume qu'il s'agit de la licence spéciale ?

— Oui. Tu te marieras dans trois jours.

L'estomac d'Olivia sombra. *Trois jours.*

Le regard d'Owen tomba sur Sophia, et il plissa les paupières comme si quelque chose en elle lui paraissait vaguement familier.

— Nous sommes-nous déjà rencontrés ?

Sophia se tourna vers Olivia, qui rassembla ses esprits et répondit :

— Mon frère semble avoir oublié ses manières. Permettez-moi de vous le présenter – Owen Sherbourne, duc de Huntford.

Owen s'inclina et regarda sa sœur d'un air d'attente. Sophia avait les doigts crispés sur le dossier de sa chaise.

Bon…, se dit Olivia. Il ne servait à rien de repousser l'inévitable.

— Owen, permets-moi de te présenter miss Sophia Rolfe. Notre sœur.

24

Le lendemain soir, James entra dans la salle commune de l'auberge, s'assit sur le tabouret voisin de celui de Huntford et posa un coude sur le comptoir. Le duc regardait droit devant lui, mais sa mâchoire tressaillait – il *savait* que James était là. La poignée de fermiers et de marchands qui discutaient aux tables derrière eux offrait un certain réconfort à ce dernier. Si Huntford le tuait, au moins il y aurait des témoins.

— Bon retour à Haven Bridge, Huntford.

James fit un signe de tête à l'aubergiste qui se mit à lui remplir un verre de bière.

— Ce ne serait pas la première destination que je choisirais, répondit le duc, mais je dois dire que le village a un certain charme. Je suppose que l'arrivée de ma famille va doubler la population.

— Ils sont nombreux à venir, donc ?

Huntford haussa les épaules.

— J'ai dû louer deux cottages au bord de la route pour loger tout le monde. Ils devraient arriver demain. Je les ai informés que le mariage aura lieu dimanche matin qu'ils soient là ou pas – et ce ne sont pas des paroles en l'air.

James se caressa le menton.

— Ma mère projette d'arriver demain aussi.

Il fallait espérer que Ralph ferait également le voyage.

— Anabelle est irritée contre moi, continua Huntford. Elle dit qu'Olivia doit avoir une robe de mariée convenable et qu'elle est la seule à pouvoir la créer. Elle est probablement en train de coudre dans la voiture, pendant que nous parlons.

— C'est très gentil de sa part.

Anabelle n'était pas une duchesse courante.

Les yeux du duc s'adoucirent.

— Elle ferait n'importe quoi pour Olivia.

— Comme moi.

Huntford lui jeta un coup d'œil de côté.

— Je le pense, dit James. Je reconnais qu'il y a un mois, le mariage était la chose la plus éloignée qui soit de mon esprit. Mais plus je passe de temps avec Olivia, plus je me rends compte de la chance que j'ai.

James marqua une pause avant de reprendre :

— Il y a autre chose que vous devriez savoir.

Le regard noir du duc le prévint qu'il n'était pas d'humeur à entendre de mauvaises nouvelles.

— J'ai annulé mon voyage en Égypte.

À regret, James avait écrit dans l'après-midi une lettre à l'organisateur de l'expédition, pour qu'il ait le temps d'offrir sa place à quelqu'un d'autre. Choisir entre Olivia et le voyage n'avait pas été une décision difficile – il savait que c'était la chose à faire. Mais il était encore en train de s'ajuster à l'idée qu'un chapitre de sa vie s'était refermé avant même d'avoir commencé.

— Bien.

Huntford hocha la tête d'un air approbateur.

— Vous avez pris la bonne décision, même si Olivia n'en a pas conscience. Qui sait ? Peut-être trouverez-vous le temps de faire ce genre de voyage… plus tard.

— Absolument, dit James avec toute l'assurance qu'il n'éprouvait pas.

Ils savaient tous les deux que cette occasion avait été sa chance. Sa tentative d'aventure lui avait glissé entre les doigts.

Huntford grogna, et ils restèrent assis en silence pendant un moment – comme si les quelques phrases qu'ils avaient prononcées avaient épuisé leur réserve de mots dans l'immédiat. Et cependant les choses allaient mieux entre eux, pensa James. Pas tout à fait aussi bien qu'avant, mais Huntford se dégelait.

Enfin, ce dernier dit :

— Je vois que votre œil est guéri. En gros.

Il avala une longue gorgée de bière et fit claquer son verre sur le comptoir.

— J'aurais dû frapper plus fort.

James souffla.

— Si vous l'aviez fait, vous iriez à des funérailles au lieu d'un mariage.

Huntford haussa un sourcil.

— Exactement.

Il termina son verre et ajouta :

— La cheville d'Olivia semble aller mieux, elle aussi.

— En effet.

Mais James s'inquiétait que quelque chose d'autre que sa cheville ne la tourmente. Elle avait paru distante la dernière fois qu'il l'avait vue – et il suspectait que ce n'était pas dû qu'à la nervosité prénuptiale.

— Comment va-t-elle, elle ? demanda-t-il.

— Aussi bien que l'on peut s'y attendre. C'est un choc, bien sûr.

James acquiesça, même s'il pensait que le choc de leurs fiançailles subites aurait dû s'estomper, maintenant – surtout après les après-midi qu'ils avaient passés ensemble au bord de la rivière.

— Elle semble s'y faire mieux que moi, reprit Huntford, mais après tout elle a eu un peu plus de temps pour s'habituer à l'idée.

— De m'épouser ?

— Non. Que nous avons une autre sœur.

James faillit s'étrangler avec sa bière.

— Quoi ?

— Ah. Elle ne vous l'a pas dit. Elle considérait cela comme une affaire de famille, je suppose.

Mais Olivia et lui allaient être *une famille* – du moins le début d'une famille.

— Une autre sœur Sherbourne ?

— Oui. Et elle est ici.

Bonté divine. Pas étonnant qu'Olivia se soit conduite d'une manière si étrange.

— Est-ce que cela a quelque chose à voir avec la lettre de votre père ?

— Oui. Payez-nous une autre tournée, et je vous dirai tout.

James écouta pendant que Huntford lui racontait ce qu'il savait de la lettre et de sa nouvelle demi-sœur. Il imagina Olivia lisant la lettre pour la première fois. La famille était tout pour elle, et la révélation de son père avait dû ébranler son univers.

— Il faut que je la voie, dit-il. Il faut que je parle à Olivia.

— Je les ai invitées à dîner avec nous, Sophia et elle – d'après Hildy elles ont refusé.

— N'est-ce pas curieux ?

— Elles discutent probablement d'affaires de femmes, dit Huntford. Et font connaissance.

Mais James n'en était pas sûr du tout. Il consulta sa montre de gousset.

— Je devrais retourner chez mon oncle Humphrey. Sa gouvernante âgée pourrait avoir besoin d'aide pour ranger les pièces principales en prévision de la visite de ma famille. Nous perdons la bataille contre les livres et les chats.

— Votre famille ? Qui vient en dehors de votre mère ?

— Mon frère, j'espère – Ralph.

— Attendez. Vous avez un frère ? Pourquoi ne l'avez-vous jamais mentionné ?

James hésita.

— Ralph est handicapé, et je crains de ne pas avoir été un très bon frère pour lui. Mais cela va changer.

Huntford hocha la tête d'un air pensif.

— J'ai hâte de le rencontrer.

— Et je suis impatient de vous le présenter.

James descendit de son tabouret.

— Quand vous verrez Olivia, voudriez-vous lui dire que j'aimerais passer quelques instants avec elle demain ?

— Je peux le faire, répondit Huntford sans s'engager. Mais les futures mariées ont d'étranges idées sur le fait de voir leur fiancé la veille du mariage. Après dimanche, vous aurez plein de temps à passer ensemble.

— Exact.

James se demanda s'il pourrait escalader le mur sous la fenêtre d'Olivia, la nuit venue.

— Encore une chose, Averill.

James regarda Huntford dans les yeux.

— Ne songez même pas à tenter une visite dans la chambre de ma sœur à minuit.

Sapristi.

— L'idée ne m'a jamais traversé l'esprit, mentit James.

Le lendemain matin, Owen transféra Olivia et Sophia de l'auberge dans l'un des cottages qu'il avait loués, Olivia devait partager une chambre avec leur nouvelle sœur, étant donné que celle-ci n'avait encore rencontré personne d'autre. Owen, Anabelle et leur délicieuse fille Elizabeth prendraient la deuxième chambre. La troisième serait pour Rose et la sœur d'Anabelle, Daphne. Son époux, Benjamin, ne pouvait pas venir. L'autre cottage était pour tante Eustace et quelques autres grands-tantes qui avaient eu vent du mariage et tenaient à venir en dépit de leur goutte, leurs problèmes digestifs et autres tracasseries.

Ce serait sympathique, c'était sûr, et Olivia était réchauffée par l'affluence de soutiens familiaux, mais la culpabilité la rongeait de l'intérieur. Ils venaient tous pour assister à son mariage.

Un mariage qui, elle l'avait récemment décidé, n'aurait pas lieu.

Le cocher déposa les sacs de Sophia et d'Olivia dans leur chambre, et l'aimable femme qu'Owen avait engagée pour servir de gouvernante ouvrit une fenêtre afin de laisser entrer la brise.

— Faites-moi savoir si vous avez besoin de quoi que ce soit, mes chères, dit-elle. Le déjeuner sera prêt dans une heure environ.

Tandis qu'elle s'esquivait, Olivia se laissa choir sur le bord du lit ; Sophia ferma la porte et s'assit sur une chaise en face d'elle.

— Nous devons faire vite, dit Olivia. Le reste de la famille – rien que des femmes – va arriver sous peu, et nous n'aurons plus un instant de paix. Elles vont vous poser des questions sans fin – j'espère que vous y êtes préparée –, mais je sais que vous leur plairez autant que vous plaisez à Owen et à moi.

De fait, après s'être remis du choc de découvrir qu'il avait une autre sœur, Owen avait immédiatement pris Sophia sous son aile. Il ne s'était pas complètement fait à l'idée que leur père avait été infidèle – il était tellement plus facile de faire porter tout le blâme à leur mère qui les avait quittés. Mais, même si Sophia était la preuve vivante des écarts de leur père, il était pour ainsi dire impossible de ne pas l'aimer. Ses manières franches et la grâce avec laquelle elle avait accepté les nouvelles concernant son père – et eux – avaient rapidement conquis Owen et Olivia.

Et maintenant Sophia était la plus grande alliée d'Olivia dans sa tentative d'assurer que James parte pour son expédition.

— Je m'attends à une rafale de questions, et je suis sûre d'en avoir beaucoup pour elles aussi.

Sophia ôta ses gants usés. Olivia nota de tête de lui en acheter des neufs.

— Mais cela va jouer à notre avantage, reprit Sophia. S'il y a une chose capable de distraire la famille de vos préparatifs de mariage, c'est bien la révélation que vous avez une demi-sœur. À vrai dire, si je ne savais pas que vous voulez empêcher le mariage d'avoir lieu, je me sentirais très mal à l'aise de causer pareille agitation en un moment pareil.

— Sottises. Nous sommes enchantés de vous connaître enfin et regrettons de ne pas vous avoir rencontrée bien plus tôt. Mais ce que vous dites est très juste. Le fait de vous avoir ici détournera l'attention de moi, et me fournira je l'espère une occasion de m'esquiver peu après le dîner. Si je peux arriver à Sutterside d'ici la tombée de la nuit, je pourrai être dans la diligence tôt dans la matinée.

— Êtes-vous sûre de ne pas vouloir me dire où vous allez ? Si quelque chose d'inattendu ou de malheureux devait arriver, il me semble que quelqu'un devrait savoir où vous êtes.

C'était drôle, Olivia se rappelait James lui disant quelque chose de très similaire.

— Non, moins vous serez impliquée, mieux ce sera. Je vous demande déjà trop.

— Ils vont vous donner la chasse dès qu'ils s'apercevront que vous avez disparu.

— Sans aucun doute. Mais j'ai seulement besoin de les éviter pendant une semaine – assez longtemps pour que James croie que je ne veux pas l'épouser et parvienne à la conclusion qu'il doit partir pour son expédition. Son oncle Humphrey fera sa part pour le convaincre. Lorsque je saurai qu'il est parti, je reviendrai à Londres et affronterai le courroux de mon frère.

Sophia frémit.

— Ce sera terrible.

— Je sais. Je regrette le souci que je vais lui causer, ainsi qu'à Rose. J'espère que mon billet allégera un peu leurs craintes. Et, dans leur intérêt, j'espère que mes escapades estivales ne finiront pas par alimenter les torchons à ragots.

— De nouveau, il se peut que ma présence détourne un peu les commérages de vous.

— Oh ! je suis désolée.

Olivia tendit la main et tapota celle de Sophia.

— Je souhaite que vous n'ayez pas à subir des choses déplaisantes. Les gazettes à scandales peuvent être si cruelles.

Sophia haussa les épaules.

— J'attends cela avec assez d'impatience. À présent, vous devriez préparer un petit sac à emporter avec vous. Vous aurez besoin d'argent, de vêtements de rechange et de quelques affaires.

— Oui. Et il faut encore que je rédige le billet.

Ce serait la partie la plus difficile de l'histoire – convaincre James qu'elle ne voulait pas l'épouser afin qu'il se sente vraiment libre de partir pour son expédition.

— Je devrais peut-être vous laisser un moment – vous donner le temps de rassembler vos idées. Je pensais sortir me promener, de toute façon.

Olivia se leva et, prise d'une impulsion, enlaça sa sœur.

— Merci, Sophia. Je suis tellement contente que vous ayez fait le voyage jusqu'ici. Vous avez toutes les raisons d'être amère et emplie de rancœur pour la façon dont papa vous a traitées, votre mère et vous, et pourtant vous ne l'êtes pas.

— À mon avis, cela ne ferait de bien à aucun d'entre nous. Je n'ai peut-être pas été élevée comme la fille d'un duc, mais je ne peux guère me plaindre. Et je dois avouer que j'ai toujours souhaité avoir des frères et sœurs. Je ne m'attendais pas à en avoir à vingt-trois ans, mais je suppose que mieux vaut tard que jamais.

Sophia rendit son étreinte à Olivia, puis lui indiqua fermement la direction du secrétaire sous la fenêtre.

— Bonne chance pour écrire votre billet.

Alors qu'Olivia allait ouvrir le tiroir, elle regarda par hasard par la fenêtre. James remontait l'allée à grands pas. La détermination se lisait sur son beau visage. Le cœur battant, elle se mit de côté et s'adossa au mur.

— Qu'y a-t-il ? demanda Sophia.

— James est ici. Je ne peux pas le voir.

Elle sentait déjà sa résolution se fendiller.

Sophia tira les rideaux d'un coup sec.

— Je vais lui dire que vous vous reposez.

— Je ne lui ai même pas encore parlé de vous, dit Olivia d'un ton coupable. Je voulais vous rencontrer d'abord. Mais peut-être qu'Owen l'a fait.

— Je me présenterai moi-même. Ne vous inquiétez pas.

La cloche retentit, et Sophia décocha à Olivia un sourire rassurant.

— Préparez votre sac. Écrivez la lettre. Je m'occupe du reste.

Olivia colla l'oreille à la porte close et laissa la belle voix grave de James s'insinuer sous sa peau. Elle ne put distinguer leurs paroles, mais elle perçut sa déception en apprenant qu'elle ne voulait pas le voir. Quand la porte se referma, elle courut jusqu'à la fenêtre et glissa un œil entre les rideaux. Les mains sur les hanches et la tête basse, James s'éloignait du cottage. Lorsqu'il rejoignit son cheval, attaché à la palissade, il leva les yeux droit vers la fenêtre où elle se tenait.

Sûre que le rideau la cachait, Olivia resta là, immobile, tandis qu'il enfourchait son hongre et s'en allait.

Si son plan marchait comme prévu, c'était la dernière fois qu'elle le voyait – pendant au moins deux ans.

Elle s'assit au secrétaire et soupesa la meilleure façon – et la plus convaincante – de dire adieu.

25

Sacrifice, sacrifier : *1) L'acte de mettre une personne ou un animal à mort comme offrande à une divinité. 2) Renoncer à quelque chose au profit de quelqu'un d'autre, comme dans : « Il sacrifierait n'importe quoi pour rendre Olivia heureuse – et pour la faire sienne. »*

Tandis que James rentrait du cottage où Olivia résidait, une seule question occupait son esprit : « Par tous les diables, que se passe-t-il ? »

Il n'était peut-être pas particulièrement versé dans l'interprétation des codes sociaux, mais il était certain qu'Olivia ne se reposait pas, comme il venait de se l'entendre dire.

Il en était sûr jusque dans la moelle de ses os.

Ce qui signifiait qu'elle l'évitait par colère, crainte ou… pour un autre motif.

Ce soir il la verrait coûte que coûte et redresserait les choses – afin que, lorsqu'ils prononceraient leurs vœux à l'église le lendemain, il n'y ait ni hésitation ni regret.

Lorsqu'il arriva chez son oncle, une calèche était garée dehors et un domestique déchargeait des sacs – ceux de sa mère et de Ralph.

James n'avait pas mesuré jusqu'à cette minute combien ils lui avaient manqué. Personne ne le connaissait comme eux. Ils savaient que sa peur du vide l'avait empêché de grimper aux arbres, quand il était jeune garçon, et qu'il s'était débattu avec chaque maudite leçon de français qu'on lui imposait. Ils connaissaient la douleur d'être abandonné par un époux et un père qui ne pouvait pas accepter le handicap de son fils cadet. Ils connaissaient aussi le côté agréable et reposant des dîners à la table de la cuisine en plein hiver, devant un poêle chaud.

Il remonta l'allée en quelques bonds et entra dans le cottage.

— Maman ? appela-t-il.

— James !

Elle apparut dans la petite entrée et jeta ses doux bras autour de lui.

— Bonté divine, dit-elle en essuyant une larme, tu es plus beau que jamais.

— Et vous êtes plus jolie que jamais, répondit-il en le pensant.

Les yeux verts de sa mère pétillèrent, et si ses cheveux étaient un peu plus gris que châtains cela lui allait bien.

— Où est Ralph ?

— I… ici.

La mâchoire et le cou de son frère avaient forci au cours des derniers mois. Ralph vint vers lui en boitant, et James alla à sa rencontre, l'étreignant farouchement.

— Ouh là ! fit Ralph en riant. Peux… peux pas respirer.

James lui donna une tape fraternelle sur l'épaule et haussa un sourcil.

— Tu es devenu costaud. Pour un peu, je penserais que tu t'es entraîné à la lutte.

Ralph haussa les épaules et rougit sous le compliment.

— Je… je suis allé marcher.

Il parlait lentement, en se concentrant.

— J'ai… j'ai essayé d'aider à la maison.

— Il est d'une grande aide, intervint leur mère. L'hiver dernier, il a rentré du bois.

— Oui, je p… peux porter du b… bois. Il faut juste ne p… pas me demander de porter du t… thé.

Tandis qu'il tendait une main tremblante pour montrer le défi que des liquides brûlants représenteraient, son visage s'éclaira d'un grand sourire qui fit fondre le cœur de James et lui remonta le moral.

— Cela fait trop longtemps, dit-il. Et je suis impatient de vous présenter à tout le monde.

— Tout le monde ? répéta sa mère, incrédule. Nous ne pensions pas que beaucoup de gens viendraient, étant donné… euh…

— Les circonstances scandaleuses de mon mariage ? la taquina James.

Elle rougit à son tour.

— Que se passe-t-il là-bas ? appela Humphrey de son cabinet de travail. Si c'est une sorte de fieffée réunion, venez la tenir ici, afin que je puisse y assister de mon fauteuil.

La mère de James haussa les sourcils.

— Mon frère est toujours aussi acariâtre, je vois. Il paraissait si paisible quand il dormait.

— C'est trompeur, acquiesça James. Passons dans le cabinet de travail et voyons si nous pouvons trouver un siège parmi les collections de statuettes, de livres et de chats. J'ai beaucoup à vous dire.

Sa mère prit ses deux fils par le bras.

— Nous sommes impatients de rencontrer lady Olivia.

— Vous allez l'adorer, dit James. Le contraire est impossible.

Olivia avait juste fini d'écrire sa lettre, quand deux voitures s'arrêtèrent devant le cottage.

Lorsque les membres féminins de sa famille commencèrent à en sortir, elle ne tenta même pas de retenir ses larmes.

Elles étaient venues de si loin – juste pour être présentes et la soutenir lors de ce qui aurait dû être le jour le plus heureux de sa vie. Elle espérait qu'elles lui pardonneraient quand elles constateraient qu'elles étaient venues pour rien jusque dans la région des Lacs.

Elle dévala l'escalier pour se jeter dans les bras de Rose. En riant, sa sœur dit :

— Je crois que c'est la première fois que nous avons été séparées aussi longtemps… mais je suppose que je dois m'y habituer, maintenant que tu vas te marier. Je suis si heureuse pour toi, Liv !

Anabelle et Daphne se joignirent aux embrassades, chacune offrant ses félicitations et ses meilleurs vœux.

— Ne craignez rien, dit Anabelle. Même en étant prévenue de justesse – *elle lança à Olivia un regard gentiment réprobateur derrière ses lunettes* – j'ai réussi à vous créer une robe superbe.

— Elle est vraiment à couper le souffle, confirma Daphne. J'avoue que je suis un peu jalouse.

Elle souriait, des boucles dorées encadrant ses joues roses. L'idée qu'elle soit jalouse d'Olivia était absurde.

— Comment va Benjamin ? demanda Olivia. J'espère qu'il se sent mieux.

Les yeux de Daphne se firent rêveurs.

— Oui. Il voulait venir, mais il suit un nouveau traitement pour sa jambe. Il dure plusieurs semaines, et j'ai jugé qu'il ne devait pas s'arrêter au milieu.

— J'ai des remords de vous avoir éloignée de lui.

— Oh ! il ira bien. Et je n'aurais manqué votre mariage pour rien au monde.

Se sentant très mal à l'aise, Olivia se tourna vers Anabelle.

— Où est Lizzie ? Cela fait un mois que je ne l'ai pas tenue dans mes bras – j'espère qu'elle n'a pas oublié sa tante Liv.

— Vous n'êtes pas facile à oublier, dit gentiment Anabelle. Et elle est avec Owen. Ah, les voilà.

Nichée dans les bras de son père, le bébé ressemblait à une poupée.

— Tu leur as dit au sujet de Sophia ? demanda Owen.

Olivia leva les yeux au ciel devant le manque de tact qui caractérisait son frère – ce n'était pas comme si elles avaient eu le temps d'avoir une *vraie* conversation.

— Non. Elle est allée se promener.

— Qui est Sophia ? demanda Rose.

— Notre sœur.

Les femmes étouffèrent une exclamation, et Olivia les fit passer dans le salon.

— Installez-vous, et je vais demander à Mme Simpson de nous apporter du thé. Puis Owen et moi – *elle lança un regard sévère à son frère* – vous expliquerons tout.

Olivia parla de la lettre de leur père, et vit toute une gamme d'émotions passer sur le visage de Rose : la blessure que celui-ci n'ait écrit qu'à sa sœur ; le choc que le père qu'elle vénérait ait été infidèle ; et finalement l'impatience de rencontrer Sophia et de l'accueillir dans la famille.

C'était une chance que Sophia soit sortie quand le reste de leur clan était arrivé ; son absence fournit à tout le monde quelques minutes pour s'adapter à la nouvelle – ou au moins commencer à le faire. Olivia avait eu plus de temps pour s'y ajuster, pour réécrire dans sa tête la brève histoire familiale qu'elle avait toujours crue vraie. À présent, elle voyait les autres s'engager dans la même bataille.

Sophia avait probablement prévu d'être absente du cottage quand la famille arriverait, pour cette raison précise. Durant le peu de temps où Olivia l'avait connue, elle s'était montrée attentionnée et sensible – même si la situation était certainement plus difficile pour elle que pour le reste d'entre eux. Elle était en train d'exprimer cette opinion quand sa demi-sœur passa la porte, les joues avivées par sa promenade.

— Bonjour, dit-elle d'une voix un peu essoufflée. J'espère que je ne dérange pas. Je reviendrai volontiers un peu plus tard, si vous voulez.

— Pas du tout.

Rose alla à sa rencontre et lui prit les mains.

— Olivia vient de tout nous dire à propos… eh bien, de tout, et je ne pourrais être plus ravie de vous rencontrer. De fait, je dirais que nous aurions dû nous rencontrer depuis longtemps. J'en suis désolée.

— Inutile de vous excuser, dit Sophia d'un ton aimable. Nous étions tous dans l'ignorance, semble-t-il. La dernière chose que je souhaite est de causer des problèmes pour votre famille.

Rose secoua la tête, ses boucles auburn s'agitant avec véhémence.

— Ce n'est pas le cas, et en outre c'est votre famille, aussi. Quoi qu'il advienne, nous ferons face ensemble.

Toute la pièce s'emplit d'une effusion d'embrassades, de larmes et d'approbations véhémentes. Owen – de façon prévisible – saisit l'occasion pour s'esquiver en disant qu'il allait coucher Lizzie pour une sieste.

Quand l'excitation initiale fut retombée, on leur servit le thé dans le confortable petit salon et les femmes s'installèrent, avides de tout savoir sur Sophia depuis son enfance jusqu'à sa bibliothèque de prêt et sa vie actuelle à Londres. Dans d'autres circonstances, Olivia aurait volontiers bavardé avec les autres durant tout le dîner et jusque tard dans la nuit. Mais là, elle n'était que trop consciente de l'heure qui passait sur la pendule de la cheminée. Bien qu'elle détestât l'idée de les quitter si vite après leurs retrouvailles, le temps était d'une importance capitale si son plan devait marcher. Et, dans l'intérêt de James, il le fallait.

Lorsque Daphne offrit de lui resservir du thé, elle secoua la tête.

— Serait-il terriblement grossier de ma part de m'excuser ? Je constate que je suis un peu jalouse de ma petite nièce qui dort en haut.

— Oh ! bien sûr que non, répondit Daphne. Vous avez besoin de vous reposer. Demain est une journée d'une extrême importance.

— Est-ce que tu te sens bien ? demanda Rose, son regard perspicace balayant Olivia.

— Oui, vraiment.

Elle s'efforça de garder un ton léger.

— C'est juste que je me suis couchée tard dernièrement, et je crains d'avoir du sommeil à rattraper.

— Cela se comprend, dit Sophia. Allez vous allonger. J'irai vous voir avant le dîner, mais si vous dormez profondément, je ne vous dérangerai pas. Nous pourrons faire monter un plateau plus tard.

Dieu la bénisse !

— Merci, ce sera parfait.

— Un instant, intervint Anabelle d'un ton qui n'admettait pas de répliques. Vous devez d'abord essayer votre robe de mariée afin que je puisse faire les retouches de dernière minute. Cela ne devrait pas prendre plus d'un quart d'heure.

Oh ! non ! Essayer la robe de mariée et donner davantage de travail à Anabelle était sûrement plus que ce qu'Olivia pouvait supporter. Mais il était impossible de refuser quoi que ce soit à sa belle-sœur – surtout quand elle se changeait en couturière décidée. Elle regarda Sophia d'un air impuissant, et celle-ci lui adressa un discret signe de tête pour l'encourager.

— Je suis impatiente de voir votre création, mentitelle.

Anabelle rayonna.

— Allons-y, donc. Nous ne laisserons pas les autres vous voir dedans avant que vous ne remontiez l'allée de l'église.

Quelques minutes plus tard, sa belle-sœur entra dans sa chambre, une toilette d'un bleu scintillant sur le bras. Tandis qu'elle l'aidait à la passer par-dessus sa tête, un sanglot échappa à Olivia – mais pas pour la raison qu'Anabelle suspecta.

Cette dernière releva ses lunettes et se tamponna les yeux.

— Entre James et vous, c'est un amour magnifique, et votre mariage mérite une robe magnifique.

Elle soupira, puis tourna autour d'Olivia, vérifiant la robe sous tous les angles.

Olivia était heureuse qu'il n'y ait pas de miroir en pied dans la chambre, car si elle avait pu se voir dans la robe, elle se serait probablement effondrée. Est-ce qu'elle agissait comme il fallait ? Elle souhaita désespérément qu'il y ait un autre moyen d'assurer que James parte pour son expédition, mais le temps filait. S'enfuir était son ultime solution, et il fallait qu'elle marche.

Par bonheur, sa belle-sœur était trop concentrée sur le plissé à l'arrière de la robe pour remarquer sa détresse. Anabelle murmura quelque chose pour elle-même, épingla la soie en quelques endroits et l'aida finalement à enlever la robe.

— Qu'est-ce que c'est ? demanda-t-elle soudain en prenant la main d'Olivia pour examiner sa bague.

— James et moi l'avons trouvée près de la rivière où il faisait des fouilles. Il pense qu'elle est très ancienne.

— Elle est magnifique – une splendide alliance.

Une boule se forma dans la gorge d'Olivia.

— Je l'aime beaucoup.

Puis, pour changer de sujet, elle dit :

— J'espère que les retouches ne vous prendront pas trop de temps.

— J'ai juste besoin de faire une pince par-ci, par-là.

Anabelle eut un sourire éclatant.

— Et c'est un travail d'amour. Je suis si heureuse pour vous. Je sais que ce n'était pas la façon dont vous pensiez vous fiancer, mais que cela n'altère pas votre joie. Visiblement, James et vous étiez faits pour être ensemble.

— Je n'en suis pas certaine. Je ne crois pas que James ait pensé que nous étions destinés l'un à l'autre jusqu'à ce qu'Owen lui mette un œil au beurre noir.

Anabelle fit une petite grimace.

— Quand il s'agit de vous protéger, Owen peut être… un peu trop zélé. Mais James aurait fini par vous demander en mariage, œil meurtri ou pas.

Olivia soupira. Elle ne saurait jamais ce que James aurait fait, s'il avait été libre de sa décision.

— Merci pour la robe. Je n'ai jamais rien porté de si joli. Et merci de ne pas m'en vouloir… d'avoir menti. Je suis désolée de vous avoir fait croire que j'allais chez tante Eustace.

— Vous aviez vos raisons. Et, moi la première, je sais que parfois nous nous conduisons mal pour une bonne cause.

Olivia haussa un sourcil.

— Oui, mais mes raisons étaient un peu plus égoïstes. Vous vouliez sauver votre mère. Moi, je poursuivais un homme.

Anabelle rit.

— Et cela a marché. Bravo.

Ses yeux gris pétillant, elle prit la robe et désigna le lit.

— Tout paraîtra mieux quand vous vous serez reposée. Faites de beaux rêves de soie bleue et de bel avoué.

Olivia se dirigea docilement vers le lit, même si elle n'avait pas l'intention de se coucher. Anabelle sortit de la chambre, mais passa encore la tête par la porte.

— J'ai failli oublier. Rose et Daphne organisent une collation de noces.

Oh ! ciel !

— Ce n'est pas nécessaire. De fait, je...

— Rien de grandiose, juste une petite réunion de famille. Owen a demandé que le menu comporte des petits pains briochés d'une boulangerie du village. Vous voyez ? Même votre méchant frère se met dans l'ambiance de fête. Maintenant, reposez-vous.

Olivia guetta près de la porte, et quand les pas d'Anabelle s'éloignèrent elle la ferma à clé. Le cœur battant, elle enfila sa robe la plus ordinaire et mit dans une petite valise une robe et une camisole de rechange, un châle chaud et une couverture. Elle glissa une petite bourse dans la poche de sa robe et en ajouta une plus grosse dans la valise, en laissant de la place pour les provisions qu'elle devrait acheter.

Après avoir relu encore une fois la lettre qu'elle avait écrite, elle la cacheta et la posa sur son oreiller. Tout ce qui restait à faire maintenant était de s'asseoir, et d'attendre le bon moment pour s'enfuir.

En pensant à toutes les façons spectaculaires dont son plan pourrait échouer.

Le bruit du bouton de porte que l'on tournait la fit bondir sur ses pieds.

— Qui est-ce ? chuchota-t-elle.

— Juste moi, Sophia.

Relâchant son souffle, soulagée, Olivia ouvrit et la fit entrer. Sophia referma vivement derrière elle.

— Avez-vous tout le nécessaire ?

— Je pense.

Sophia fronça les sourcils.

— Je n'aime pas l'idée de vous savoir seule sur la route à cette heure de la soirée.

— Je serai à Sutterside avant la tombée de la nuit et dans la diligence demain matin de bonne heure.

Autres mensonges.

— Très bien. Le dîner sera servi dans un quart d'heure. Je dirai à tout le monde que vous dormez profondément. Attendez un autre quart d'heure avant de descendre. Pendant que Mme Simpson sera occupée à servir dans la salle à manger, vous devriez pouvoir vous glisser dehors par la porte d'entrée.

— Bon. La conversation est toujours animée dans nos dîners de famille. Personne ne m'entendra.

Mais Olivia avait déjà décidé qu'elle jetterait la valise par la fenêtre de sa chambre, dans les massifs de fleurs au-dessous, par précaution. Si quelqu'un la surprenait quittant le cottage, elle pourrait dire qu'elle sortait pour un dernier rendez-vous d'avant-mariage avec James. Hélas, c'était tout le contraire en vérité.

— Je m'attarderai en bas aussi longtemps que je le pourrai après le dîner, dit Sophia, pour vous laisser autant d'avance que possible.

— Merci de votre aide.

Olivia lui pressa la main.

— Vous ne devez pas vous donner trop de mal pour me couvrir. Faites juste comme si vous étiez aussi surprise que les autres. La lettre devrait tout expliquer.

— Soyez prudente, Olivia. S'il y a une chose que j'ai déjà apprise sur cette famille, c'est qu'ils s'adorent les uns les autres – et vous en particulier. Je comprends pourquoi vous éprouvez le besoin d'agir ainsi, mais ne vous mettez pas en danger. Maintenant que je vous ai enfin rencontrée, je détesterais qu'il vous arrive quelque chose de fâcheux.

Olivia déglutit avec peine et adressa à sa demi-sœur un sourire tremblant.

— Dès que James sera en route pour l'Égypte, je sortirai de ma cachette et je vous promets de mener l'existence la plus rangée et la plus ennuyeuse de toutes les femmes d'Angleterre.

— Je vous souhaite bonne chance.

Sophia l'étreignit et l'embrassa sur la joue, puis s'éclipsa sans bruit.

Olivia referma la porte à clé juste pour le cas où Rose, Anabelle ou Daphne décideraient de venir lui faire une petite visite avant de descendre dîner. Elle s'assit sur le lit, retenant son souffle et priant que le Destin l'aide un peu cette nuit-là.

Elle allait en avoir besoin.

26

James frappa à la porte du cottage, déterminé à voir Olivia en dépit de toutes les superstitions ridicules qui l'interdisaient. Il voulait lui dire qu'il avait annulé son voyage et espérait que la nouvelle la rendrait heureuse. Son sourire lui avait manqué – comme le soleil vous manque après une semaine de pluie.

Une petite femme aux cheveux gris vint ouvrir, et lorsqu'il se présenta comme le futur marié elle fut plus qu'heureuse de l'introduire dans le salon bondé. Huntford était assis à côté de sa femme qui cousait, un monceau de soie bleue sur les genoux. La sœur de la duchesse, Daphne, roucoulait pour le bébé qu'elle tenait dans ses bras. Lady Rose et miss Rolfe contemplaient d'un air pensif les pièces du jeu d'échecs posé entre elles sur la table.

Seule Olivia manquait.

Dès qu'ils le virent, il y eut un chœur d'exclamations.

— Averill, dit le duc. Enfin quelqu'un pour prendre un verre de porto avec moi.

Les femmes l'accueillirent avec plus d'effusions, l'invitant à s'asseoir et le félicitant pour son prochain mariage.

— C'est merveilleux de vous voir tous, dit-il. Je ne voudrais pas troubler votre réunion de famille, mais j'aimerais parler brièvement à Olivia. Est-elle là ?

— Elle se repose, dit vivement miss Rolfe.

La peau de James se hérissa sur sa nuque. Olivia « se reposait » aussi quand il était venu dans la matinée. Il ne pouvait l'imaginer – elle qui était toujours en mouvement ! – faisant *deux* siestes dans la même journée. Quelque chose n'allait pas, c'était sûr.

— Est-ce qu'elle se sent bien ?

— Je pense, répondit Anabelle.

Elle ôta discrètement la soie bleue de ses genoux et la recouvrit d'un coussin sur le canapé.

— J'étais avec elle avant le dîner. Mais ces derniers jours ont été riches en événements pour elle, et elle veut être reposée pour demain.

— Je comprends.

James tritura le bord de son chapeau.

— C'est juste que je ne peux pas me défaire de l'impression que quelque chose... ne va pas.

— Ne va pas ?

Daphne leva ses yeux bleus, soucieuse.

— De quelle manière ?

— Je n'en suis pas certain, mais je ne l'ai pas vue depuis un moment, et la dernière fois elle paraissait troublée et distante.

Sapristi, il se sentait ridicule, debout devant la famille d'Olivia et parlant... de sentiments. Mais il fallait qu'il la voie.

— Le fait qu'elle soit mal à l'aise se comprend, dit miss Rolfe. Je crains que ma présence n'ait été une tension supplémentaire dans une période déjà bien bousculée.

— Vous ne devez pas penser cela, Sophia, dit Rose. Olivia voulait que vous veniez. En vérité, nous sommes tous contents d'avoir l'occasion de vous connaître et de passer du temps avec vous.

Elle fronça légèrement les sourcils en regardant l'échiquier.

— D'autant plus que vous êtes la meilleure adversaire que j'ai eue aux échecs depuis des années.

— Voulez-vous vous joindre à nous ? demanda Anabelle à James. Owen serait heureux de votre compagnie – et nous aussi.

— Merci. Peut-être qu'Olivia va se réveiller et descendre.

Trop agité pour s'asseoir, James se mit à arpenter le petit salon. À part monter à l'étage au pas de charge, il ne pouvait pas faire grand-chose. Si au moins il savait quelle était la chambre d'Olivia, il pourrait revenir dans la nuit, escalader un treillis ou autre chose et entrer par sa fenêtre. Mais, vu sa chance, il atterrirait sans doute dans la chambre de Huntford…

— Je vais vous dire, déclara aimablement Rose. Je vais monter jeter un coup d'œil à Olivia. Si elle bouge, je lui dirai que vous êtes ici.

Miss Rolfe se leva d'un bloc, heurtant l'échiquier.

— Si j'y allais, moi ?

Rose lui fit signe de se rasseoir.

— Cela me fera du bien de me dégourdir les jambes. En outre, une petite pause me donnera le temps de réfléchir à mon prochain coup.

Elle se tourna vers James.

— Je pourrai peut-être vous tranquilliser.

— Vous êtes très aimable.

Il relâcha son souffle et espéra envers et contre tout qu'Olivia descendrait bientôt. Mais la sensation de malaise qui lui rongeait les entrailles ne voulut pas disparaître.

Lady Rose sortit avec grâce de la pièce. James continua à faire les cent pas pendant que Huntford l'observait avec une expression amusée. Sapristi.

Un cri effrayé venu d'en haut les fit tous retenir une exclamation, et James se rua dans l'escalier, montant les marches quatre à quatre.

— Lady Rose ?

Elle le rencontra dans le couloir, et son visage était un masque de choc et de contusion.

— Qu'y a-t-il ? Où est Olivia ?

— Elle n'est pas ici.

L'estomac de James sombra.

— Je ne comprends pas.

— Il y avait ceci sur son oreiller.

Elle lui tendit une feuille de papier pliée, qui portait son nom.

Huntford monta à toute allure.

— Que se passe-t-il ? demanda-t-il.

— Tu ne dois pas te mettre en colère, l'avertit Rose.

Le duc gronda.

— Trop tard.

James s'intercala entre eux.

— Olivia n'était pas dans sa chambre. Elle a laissé ceci sur son lit.

Il montra le billet et, quand Huntford essaya de le lui arracher, il le mit prestement hors d'atteinte.

— Cette lettre m'est adressée.

Il entra dans la chambre d'Olivia et alla se tenir près de la fenêtre, où il y avait plus de lumière et au moins un peu d'intimité. Puis il glissa son doigt sous le cachet.

Cher James,

Je prie que vous me pardonniez un jour d'être partie de cette façon, et pour ce que je dois vous dire maintenant : je ne peux pas vous épouser.

Vous aviez raison dès le début. Quand vous m'avez dit au bal des Easton que ce que j'éprouvais pour vous était une toquade, c'était juste. Je disais vous aimer sans rien comprendre à ce sentiment. Lorsque vous êtes parti pour Haven Bridge, je vous ai suivi sans réfléchir, créant des problèmes pour nous deux – des problèmes que vous n'aviez pas demandés et que vous ne méritiez pas. À présent, je dois redresser les choses, pas simplement pour vous, mais pour moi aussi.

Quand Owen a décrété que nous devions nous marier, j'ai pensé qu'il n'y avait pas d'alternative. Et, je le reconnais, je n'ai pas beaucoup protesté. Je crains d'avoir été très éprise de votre belle apparence, de votre charme et de votre gentillesse – mais nous savons tous les deux que l'amour demande quelque chose de plus profond, de plus durable.

Bien sûr, je vous aime toujours beaucoup, et il en sera toujours ainsi. Je vous respecte aussi grandement, et c'est pourquoi je ne voudrais pas vous condamner à un mariage – non, à une vie – sans amour. Vous ne devriez pas être forcé à vous marier. Vous avez un rêve à poursuivre, et c'est ce que vous devez faire.

Je sais que mon frère ne sera pas content de moi, et je suis navrée de le décevoir de nouveau. Alors que je ne souhaite pas créer d'autres problèmes pour lui ou ma famille, je crains d'y être obligée. Même Owen – aussi puissant et déterminé qu'il puisse être – ne peut pas faire célébrer un mariage sans mariée. Et donc je m'enfuis.

De grâce, assurez à ma famille que l'endroit où je me rends est sans danger. Je serai convenablement logée et n'aurai besoin de rien pendant mon absence. Je voudrais les inciter à ne pas perdre leur temps à me chercher, mais je suspecte qu'ils le feront, de toute façon. Bien que j'apprécie vraiment leur sollicitude, ils doivent savoir que leurs efforts seront vains.

Je n'ai pas l'intention de vivre éternellement en exil (à moins que ma famille ne le juge nécessaire). Je regagnerai notre maison de Londres une fois que vous serez parti pour votre expédition en Égypte, car je suis certaine que même Owen ne pourra pas organiser un mariage pendant que vous serez sur un autre continent. Quoi qu'il en soit, quand vous serez parti, je reviendrai auprès de ma famille, leur demanderai pardon et affronterai de mon plein gré, si ce n'est avec joie, les conséquences de mes actions.

Je vous en prie, dites à ma famille que je regrette de leur avoir imposé ce long voyage pour rien. J'ai une chance énorme d'avoir leur affection et leur soutien, et j'espère réparer un jour les problèmes que j'ai causés. S'il vous plaît, dites à Anabelle que la robe qu'elle a faite pour moi est la chose la plus exquise que j'ai jamais vue, et que c'est elle qui devrait la porter, pas moi. Dites aussi à Sophia que je suis ravie de la connaître et que j'envisage avec plaisir beaucoup de visites et de bavardages entre sœurs quand nous serons de retour à Londres. Pour finir, dites à Owen que je l'aime et que j'ai emprunté l'un de ses chevaux. Je prendrai grand soin de ma monture.

J'espère que ces nouvelles ne vous causeront pas un trop grand choc. En vérité, je prie pour qu'une fois que vous aurez eu le temps de vous habituer à l'idée que nous ne nous marierons pas, vous constatiez que vous êtes soulagé. Profitez bien de votre séjour en Égypte, car explorer est ce que vous étiez destiné à faire.

Bien sincèrement,
Olivia

James secoua la tête, à peine capable de comprendre les mots sur la page. Huntford se mit les poings sur les hanches, impatient.

— Que dit-elle, Averill ?

James jeta la lettre sur le lit. Olivia l'avait peut-être écrite, mais il n'en croyait pas un mot.

— Lisez-la si vous voulez. Je pars à sa recherche.

Owen prit la lettre et la parcourut des yeux.

— Bon sang. Où a-t-elle pu aller ?

Rose se tordit les mains.

— Si elle était allée chez tante Eustace ? Elle sait que notre tante est ici pour le mariage… peut-être veut-elle se cacher chez elle ?

James se dirigeait déjà vers la porte.

— Anabelle a dit qu'elle avait vu Olivia juste avant le dîner. Cela fait quoi ? Trois heures au plus ? Elle n'a pas pu aller bien loin, même à cheval.

— C'est une excellente cavalière ! lança Rose tandis qu'il courait dans le couloir.

Owen utilisait une écurie à un mile environ sur la route, pas loin de l'auberge où Olivia et lui avaient séjourné. Le cheval de James était attaché à la barrière devant le cottage. Il dénoua prestement la bride avant de sauter en selle. Il partit au galop, ignorant les regards curieux des villageois sortis pour une promenade du soir. Lorsqu'il entra en trombe dans l'écurie, un garçon au visage couvert de taches de son et de terre émergea d'une stalle du fond et agita sa casquette.

— Bonsoir, monsieur.

— Avez-vous vu une dame ? demanda James, hors d'haleine. Une jolie jeune femme aux cheveux bruns ?

— P'pa a sellé un cheval pour elle juste avant de rentrer dîner.

James faisait déjà ressortir son cheval.

— Dans quelle direction est-elle partie ?

Le garçon fit un geste du pouce.

— Vers le sud, du côté de Sutterside. Elle a questionné p'pa sur la diligence.

— A-t-elle dit autre chose ?

— Non, monsieur. Mais elle nous a donné une pièce à chacun.

Il fit sauter la sienne en l'air.

— Une gentille dame.

— C'est vrai.

James chercha une pièce dans sa poche et la lança au garçon, qui l'attrapa d'une main.

— Son frère, le duc de Huntford, devrait arriver dans quelques minutes. Dites-lui que je suis parti vers le sud et que je vais retrouver lady Olivia.

Le garçon, hocha la tête.

— Oui, m'sieur.

James sauta sur son cheval et chargea dans la rue, soulevant un nuage de poussière à sa suite.

Le soleil s'enfonçait derrière les collines, et la lumière du soir diminuait vite. Au nom du ciel, à quoi pensait Olivia de voyager seule, de nuit ?

Visiblement, elle était au désespoir d'éviter de l'épouser, et cela faisait mal – plus que le crochet du droit de Huntford. Pourtant, les choses qu'elle avait écrites dans sa lettre ne correspondaient pas à ses souvenirs. Où était la femme qui avait fait l'amour avec lui au bord de la rivière et ri quand il lui chatouillait le ventre avec des fleurs des champs ? Comment cela pouvait-il ne pas être de l'amour ?

D'autres questions résonnaient dans sa tête, se répétant au rythme des sabots de son cheval. Mais les réponses n'allaient pas venir d'une lettre, et certainement pas sortir de son esprit. Il ne saurait la vérité que lorsqu'il regarderait Olivia dans les yeux.

Et il pria que cette vérité ne le dévaste pas.

Pour l'instant, sa mission était de la retrouver et de s'assurer qu'elle allait bien. Avec seulement trois heures d'avance, Olivia ne pouvait pas être allée loin, tenta-t-il de se rassurer. Dans la campagne endormie, elle n'aurait pas d'ennuis, n'est-ce pas ?

Hélas, les ennuis semblaient avoir le chic pour la trouver – ou vice versa.

Le temps que James atteigne Sutterside, la nuit était tombée. Il sauta de son cheval, tendit la bride à un garçon d'écurie et lui posa quelques questions, mais le jeune homme n'avait pas vu de femme chevauchant une jument grise. James entra à grands pas dans l'auberge – celle où Huntford l'avait découvert avec Olivia – et aperçut l'aubergiste derrière le comptoir de la salle commune.

L'homme corpulent fronça les sourcils quand James approcha. Peut-être que son déplaisir avait quelque chose à voir avec les deux portes enfoncées qui avaient coïncidé avec son séjour.

— Qu'est-ce qu'il vous faut, monsieur Averill ? demanda-t-il dans un soupir. Pas une chambre, j'espère.

— Juste un renseignement, mon bon monsieur. Avez-vous vu lady Olivia Sherbourne ?

— Non.

L'aubergiste s'affairait à gratter une tache invisible sur le comptoir.

— C'est bien dommage, dit James d'un ton sec, car je vous aurais récompensé généreusement pour toute information utile que vous auriez pu avoir.

L'homme leva les yeux et haussa un sourcil broussailleux, comme s'il était insulté.

— Alors, dommage que je n'en aie pas.

— Nous voulons juste nous assurer qu'elle va bien, déclara James d'un ton pensif.

— Nous ?

— Figurez-vous que le frère de lady Olivia, le duc de Huntford, va probablement passer cette porte d'ici un quart d'heure. Vous vous souvenez du duc – grand, ténébreux, au tempérament plutôt violent ? Mais si vous ne savez rien…

— Attendez. Ma femme a parlé avec elle.

Le pouls de James s emballa.

— Allez la chercher. Tout de suite.

L'aubergiste s'en alla et revint quelques minutes plus tard, poussant devant lui sa femme qui traînait les pieds.

— Dis-lui, Sally.

Elle regarda James d'un air soupçonneux, les lèvres pincées.

Manifestement, sa loyauté allait à Olivia – et au beau sexe en général. Il choisit une tactique plus douce.

— Il paraît que ma fiancée était ici. Il est important que je la retrouve. Il n'est pas sûr pour une jeune dame de voyager seule sur ces routes – surtout de nuit. Je vous en prie. Dites-moi ce que vous savez.

La femme haussa le menton.

— Lady Olivia ne m'a pas dévoilé ses plans, mais il était clair qu'elle ne voulait pas être trouvée. Je suis sûre qu'une aimable dame comme elle a ses raisons.

— Elle ne veut pas m'épouser, reconnut James.

Dire les mots à haute voix était comme arracher un pansement d'une blessure suintante.

— Et vous voulez l'y forcer ? éructa la femme de l'aubergiste.

— Nul ne peut obliger Olivia à faire quelque chose qu'elle ne veut pas. Mais j'espère la convaincre.

Il soupira.

— Rien de cela n'importe. Elle est à trois cents miles de chez elle et pourrait être en grand danger. Est-elle ici ?

La femme perdit de sa superbe, et ses épaules s'affaissèrent.

— Non. Elle est partie il y a environ deux heures.

James hocha la tête d'un air encourageant.

— Et qu'a-t-elle dit ? Savez-vous où elle allait ?

— Elle a demandé à quelle heure la diligence passerait à Mapleton. Je lui ai dit demain matin de bonne heure.

— Mapleton… Le village juste au sud d'ici ?

— Oui, elle s'est renseignée sur l'auberge, là-bas. Rien d'extraordinaire. Puis elle a posé des questions sur les villages plus au sud. Elle était pressée – comme si elle voulait aller aussi loin que possible avant la tombée de la nuit.

L'envie de remonter sur son cheval et de partir après elle démangeait déjà James.

— Y a-t-il autre chose que vous pouvez me dire ? Autre chose que je devrais savoir ?

La femme secoua la tête.

— Je lui ai donné un peu de nourriture à emporter.

— Merci. Vous m'avez été très utile.

Il prit quelques pièces dans sa poche et les fit claquer sur le comptoir.

La femme de l'aubergiste les regarda, puis les repoussa.

— Gardez votre argent.

Mais James se dirigeait déjà vers la porte, priant pour qu'Olivia ne soit pas assez sotte ou désespérée pour chevaucher de nuit. L'obscurité le ralentirait dans ses poursuites, mais avec un peu de chance il atteindrait Mapleton bien avant le matin et l'empêcherait de prendre la diligence.

Toutefois, ses instincts lui disaient que ce ne serait pas aussi simple.

Ça ne l'était jamais avec Olivia.

27

Oasis : *1) Un endroit fertile et vert dans le désert, offrant généralement un point d'eau. 2) Un refuge, comme dans la phrase : « Elle penserait toujours à l'endroit idyllique près de la rivière comme à leur oasis privée. »*

Olivia n'avait encore jamais sauté d'une charrette en marche, et son cœur s'emballa à cette pensée. Elle se glissa jusqu'à l'arrière et laissa pendre ses pieds par-dessus le rebord, mais le sol était plus loin qu'elle ne l'avait imaginé et semblait défiler à une vitesse alarmante. Ce qui aurait été intimidant même si elle ne s'était pas récemment foulé la cheville.

Elle prit une grande inspiration et rassembla son courage. Jusque-là, tout s'était déroulé selon son plan. Quand elle était arrivée à Sutterside deux heures plus tôt, elle était allée directement à la boulangerie où elle avait acheté trois miches de pain. De là, elle avait trouvé un étal de fruits où elle avait pu se procurer des pêches, des pommes et des baies mûres. À l'auberge, elle avait acheté de la viande séchée, du fromage et une bouteille de vin.

Surtout, elle avait parlé à la femme de l'aubergiste, certaine que James et Owen la convaincraient par le charme ou autrement de révéler ce qu'elle lui avait dit.

Bien sûr, elle n'avait aucune intention d'aller vers le sud ni de prendre la diligence. Ils pourraient la suivre trop facilement. Non, elle se rendait au dernier endroit où ils penseraient à la chercher – elle retournait à Haven Bridge.

Elle avait laissé la jument d'Owen à Sutterside, en espérant que James et Owen seraient trop affairés à la poursuivre pour se rendre compte qu'elle avait abandonné le cheval au profit d'autres moyens de locomotion. Il avait été facile de trouver un fermier qui allait vers le nord. Olivia avait maculé son visage, ses habits et sa valise de poussière et couvert sa tête d'un châle sombre. Elle avait accosté le fermier sur la place du village alors qu'il finissait de décharger du grain de sa charrette. Quand il avait dit qu'il allait dans la direction qui l'intéressait, elle lui avait demandé de l'emmener – et de montrer la plus grande discrétion au sujet de sa passagère, en échange de quelques pièces. Il avait haussé les épaules et accepté.

Il lui avait offert un siège sur le banc à côté de lui, mais elle avait refusé, disant qu'elle préférait se reposer à l'arrière.

En vérité, son plan consistait à sauter du véhicule bringuebalant un mile environ avant d'atteindre Haven Bridge. Elle ne pouvait risquer que quelqu'un la voie au village, et elle ne voulait pas répondre aux questions du fermier. Si par hasard il mentionnait son étrange passagère à quelqu'un, tout ce qu'il pourrait dire, c'était qu'elle avait disparu quelque part entre Sutterside et Haven Bridge.

La charrette roula sur une bosse, faisant s'entrechoquer les dents d'Olivia. La nuit tombait, et elle était à deux miles environ de sa destination. Elle se tordit le cou pour regarder des deux côtés de la route : il n'y avait personne en vue. Elle tira son gros sac à son côté et, sachant que ce serait le point de non-retour, le poussa par-dessus bord. Il rebondit d'une manière peu élégante dans un petit nuage de poussière. Le fermier ne le remarqua pas.

Maintenant, c'était son tour.

Un, deux, trois… on saute.

Elle tomba en avant, atterrit à quatre pattes et roula sur plusieurs mètres, ses jupes s'entortillant autour de ses jambes. Elle resta là quelques secondes, à reprendre son souffle et à s'assurer qu'elle n'avait rien de cassé avant de se libérer et de filer récupérer sa valise. Et si la bouteille de vin s'était brisée ? Ses vêtements de rechange et sa nourriture seraient perdus.

Lorsqu'elle aperçut le sac, elle se mit à marcher plus vite et, en attrapant finalement les souples poignées en cuir, elle dit une petite prière de remerciement. Le contenu de la valise était crucial pour la réussite de son plan, et un coup d'œil à l'intérieur lui indiqua que même si ses affaires avaient été secouées la bouteille avait résisté à la chute.

Il était tentant de rester sur la route au lieu de braver l'herbe haute – qui abritait une foule d'insectes ou autres bestioles, sans aucun doute – et le sol inégal. Mais elle ne pouvait risquer d'être vue par quelqu'un qui renseignerait James et Owen. En outre, une femme marchant seule de nuit ferait une cible facile pour des gens mal intentionnés. Alors elle opta pour les broussailles et le terrain rocailleux qui pouvaient aider à la garder cachée.

Heureuse de porter ses bottines les plus laides et les plus robustes, elle piétina dans l'herbe et traîna sa valise le long d'une légère pente. Au sommet, elle trouva un sentier étroit où la végétation avait été foulée par d'autres voyageurs. Elle espéra avec ferveur ne pas tomber sur l'un d'eux en retournant à Haven Bridge.

Elle s'avança avec prudence sur l'herbe tassée, certaine qu'un serpent allait passer sur ses orteils. Mais, comme le soleil s'était couché et que le ciel s'assombrissait rapidement, elle ne pouvait pas vraiment dire quelles créatures étaient tapies dans la nature – une bénédiction, supposa-t-elle.

À chaque pas qu'elle faisait, son sac pesait plus lourd. Quand les tendons d'un bras commençaient à lui faire mal, elle changeait de côté. Au bout d'une demi-heure, ses épaules la brûlaient et ses bras étaient engourdis, mais elle n'osait pas s'arrêter. Elle avait des miles à parcourir avant la fin de la nuit.

Elle dressa l'oreille en entendant un bruit de sabots dans le lointain, et elle s'accroupit, immobile. Le bruit devint plus fort, et peu après elle aperçut un mouvement sur la route autrement déserte. Un cheval qui galopait trop vite dans l'obscurité, son cavalier penché en avant comme s'il avait une mission à accomplir. Olivia retint son souffle et regarda passer l'homme.

Même si le clair de lune était faible, elle le reconnut. Elle l'aurait reconnu n'importe où. La largeur de ses épaules, ses hanches minces, sa grâce athlétique. *James*.

Il s'était lancé après elle, comme elle savait qu'il le ferait.

Oh ! elle avait espéré que la lettre l'en dissuaderait, mais au fond de son cœur elle était sûre qu'il ne renoncerait pas si facilement. La partie la plus poignante, en écrivant cette lettre, avait été de l'imaginer en train de la lire et de savoir combien il se sentirait blessé et trahi.

Elle eut envie de l'appeler, de lui dire qu'elle l'aimait et qu'elle ne pensait pas un mot de cette stupide, horrible lettre. Elle voulait lui dire qu'elle l'épouserait n'importe quand et n'importe où, à partir du moment où ils pourraient être ensemble.

Mais cela signifierait la fin de son rêve, alors elle resta silencieuse et immobile. Elle attendit que le bruit des sabots s'éteigne.

Puis elle appuya sa tête sur ses genoux et pleura.

— Qu'avons-nous là ?

La voix grave et sinistre la fit bondir sur ses pieds et reculer en chancelant. Un inconnu, grand et imposant, empoigna son bras déjà douloureux, si fort qu'elle cria.

— Du calme.

Il la secoua avec une force qui fit s'entrechoquer ses dents. Son cœur tambourinait dans sa poitrine tandis que le regard insolent de l'homme la balayait, prenait note de ses habits sombres et de sa valise pleine.

— Vous vous enfuyez ? Personne ne vous a mise en garde contre les méchants qui s'en prennent à des filles comme vous ?

Oh ! James l'avait mise en garde, oui – au moins vingt fois.

— Lâchez-moi !

Il rit, et ce son sourd fit passer des frissons sur la peau d'Olivia.

— Qu'y a-t-il dans le sac ?

— Des vêtements. Pas à votre taille.

— Nous allons voir.

Il souleva la valise, et ses yeux s'élargirent.

— Quelles robes lourdes vous avez !

— Des chaussures, aussi, dit Olivia, stupéfaite de pouvoir être à la fois désinvolte et pétrifiée.

Lui serrant toujours le bras d'une main, il se pencha, l'entraînant avec lui, et ouvrit le bagage. Il le renversa, vidant tout par terre, et se mit à fouiller dans son contenu. Lorsqu'il tomba sur la bouteille de vin, il haussa un sourcil et la mit de côté. C'était inévitable : il trouva aussi la bourse qu'il agita près de son oreille, souriant au tintement qu'elle produisit. Il la fourra dans sa poche et redressa Olivia d'un coup sec.

— Une dame avec des moyens. Eh bien, c'est mon jour de chance.

Il se pencha en avant, son haleine fétide montant dans les narines d'Olivia.

— Donnez-moi vos bijoux.

— Je n'en ai pas avec moi.

C'était la vérité. Elle n'avait pas besoin de bijoux là où elle allait.

— Aucun ? J'ai du mal à le croire.

Il lui prit le menton et tourna sa tête de côté, vérifiant ses oreilles. Puis il regarda plus bas, fronçant les sourcils devant son cou nu.

— Faites-moi voir vos mains, ordonna-t-il.

Elle tendit ses mains tremblantes, se rappelant trop tard la bague qu'elle portait. L'anneau en or que James lui avait donné.

— Donnez-moi ça, éructa le voleur.

— Non.

Elle se moquait du vin ou de l'argent, mais la bague était différente.

— C'est mon alliance, mentit-elle. Et elle ne vaut pas grand-chose.

Elle sortit de sa poche ses dernières pièces.

— Vous pouvez prendre cet argent à la place. Emportez-le et laissez-moi, s'il vous plaît.

Sa voix tremblait. La brute empocha la petite bourse et secoua Olivia de nouveau.

— Je veux la bague.

— Je ne sais pas si je peux l'enlever, dit-elle sincèrement. Si vous me lâchez le bras, j'essaierai.

Il plissa les paupières mais fit ce qu'elle demandait, l'observant comme s'il craignait qu'elle ne détale d'une seconde à l'autre.

Elle tourna la bague et tira dessus, mais elle ne voulut pas venir.

— Laissez-moi voir, dit-il avec impatience.

Il lui saisit la main et essaya de faire glisser l'anneau, tirant si fort qu'Olivia pensa qu'il allait soit lui écorcher la peau, soit lui casser le doigt.

Plus il tirait, plus son doigt gonflait, la lançant comme si elle l'avait coincé dans une porte.

— Je vous en prie ! s'écria-t-elle. Elle ne viendra pas à moins que mon doigt ne vienne avec !

Le rire sinistre de l'homme transperça l'air tandis qu'il tirait un couteau de sa botte et le brandissait ; le clair de lune se refléta sur la lame.

— Si c'est comme ça que vous voulez vous y prendre…

Il voulut s'emparer de nouveau de sa main, mais elle tournoya, se mettant hors d'atteinte.

— Attendez. Donnez-moi une minute. Je suis sûre que je peux la faire glisser.

Mais elle n'en était pas sûre du tout, bien au contraire. Et même si elle aurait aimé penser que le bandit bluffait en parlant de lui couper le doigt, elle n'avait pas envie de prendre le risque du contraire. Elle cracha dans sa main et travailla la bague avec sa salive. Elle bougea un peu.

— Je me lasse d'attendre, petite effrontée. J'aurai cette bague. Maintenant.

Il attrapa Olivia par-derrière, passa un bras autour de sa taille, puis pressa la lame froide et aiguisée sur sa joue.

Le sang tambourinait dans ses oreilles ; ses genoux flageolaient. Elle continuait à faire tourner l'anneau – il passait presque son articulation. Mais le malaise qu'elle éprouvait dans son ventre lui indiquait que, même si elle parvenait à l'ôter, l'homme n'allait pas la laisser partir. Il prenait bien trop de plaisir à la torturer.

Son haleine rance balaya son visage.

— Vous êtes une bagarreuse.

Alors la pointe du couteau érafla la peau d'Olivia, ce qui libéra sa rage.

Elle hurla et lança son coude dans l'estomac du bandit, lui faisant desserrer son étreinte juste assez pour pouvoir se tourner et planter son talon dans sa botte. Il glapit, et son couteau tomba par terre. Avant qu'il ne puisse le ramasser, elle plongea pour le prendre et le lui arracha. À ce moment-là, sa bague quitta son doigt et vola dans les airs.

Haletante et tremblant de peur, Olivia saisit le manche du couteau à deux mains et l'agita avec plus de bravoure qu'elle n'en ressentait.

Pas intimidé pour autant, le voleur marcha vers elle d'un pas lourd.

— Espèce de petite…

Un bruit de galop se rapprocha d'eux.

— À l'aide ! cria-t-elle.

— Chienne.

Son agresseur attrapa le vin et déguerpit dans l'herbe haute. Olivia put juste distinguer sa silhouette enfourchant un cheval à l'échine creuse et chargeant à travers champ, loin d'elle et du cavalier qui arrivait sur la route.

Ses genoux flanchèrent bel et bien, alors. Elle lâcha le couteau et s'effondra par terre, frissonnant malgré la douceur de la nuit. Le cavalier galopait toujours vers elle, à toute vitesse. Elle doutait qu'il l'ait entendue et maintenant que le voleur s'était enfui, elle était heureuse de ne pas avoir été découverte. Elle épia entre les roseaux tandis que l'homme passait devant elle, une flèche noire sur du gris. *Owen*. Il la dépassa, indifférent à tout ce qui n'était pas son but – la retrouver.

Sans même le vouloir, son frère l'avait sauvée. Si elle survivait à cette épreuve, elle ne se plaindrait plus jamais de sa tendance à être trop protecteur. De fait, elle l'adorait pour cela. Tandis qu'elle le regardait disparaître dans l'obscurité, son cœur se serra.

Et c'était plus qu'assez de sentimentalité pour un soir. Encore chancelante, et craignant que le voleur ne revienne, elle prit le couteau et l'enveloppa avec soin dans un châle avant de le ranger au fond de la valise. À quatre pattes, elle ramassa les autres affaires et les jeta dans le sac. Elle passa plus de temps qu'elle ne l'aurait dû à tâtonner dans l'herbe pour retrouver la bague, mais elle se rendit vite compte que c'était inutile. Laisser derrière elle ce petit morceau de James lui brisa le cœur, néanmoins elle ne pouvait perdre plus de temps. Alors, sans se soucier des pierres ou d'autres obstacles sur son chemin, elle se mit à courir.

Poussée par la peur, l'amour et la colère, elle ignora les branches qui égratignaient le dos de ses mains et le poids de sa valise qui tapait dans sa cuisse. Elle ignora son point de côté et le tremblement de ses muscles épuisés.

Lorsqu'elle vit enfin les lumières de l'auberge d'Haven Bridge, elle tomba à genoux, se pencha sur le côté du chemin et vomit.

Une fois que les spasmes cessèrent, elle s'accroupit et appuya la tête sur ses genoux. Son cœur reprit peu à peu un rythme normal. La brise nocturne rafraîchit son cou humide de sueur.

Il fallait qu'elle continue.

D'après ses calculs, qui étaient moins des calculs qu'une sorte d'intuition hautement faillible, la cabane abandonnée sur les terres d'oncle Humphrey devait être à quatre miles environ.

C'était l'endroit parfait où se terrer. Personne ne suspecterait qu'elle avait fait demi-tour et se cachait juste sous leur nez. Et Dieu savait que personne ne la croirait capable de tolérer des conditions de vie aussi primitives. Elle pouvait à peine le croire elle-même.

Mais elle était disposée à endurer une semaine environ d'inconfort si cela signifiait que James pourrait partir pour l'Égypte sans se sentir coupable – et sans être encombré d'une épouse qu'il n'avait pas demandée.

Elle se mit sur ses pieds et se brossa les mains. Elle aurait tout le temps de s'apitoyer sur elle-même lorsqu'elle serait à la cabane. De fait, elle n'aurait pas grand-chose à faire hormis dormir… et réfléchir.

Il lui traversa l'esprit que le dernier tronçon de son voyage aurait été bien plus agréable si elle avait eu un cheval. Ou une voiture avec de confortables sièges en velours. Mais elle n'était plus l'Olivia gâtée, choyée et délicate d'autrefois.

Alors elle hissa le sac sur son épaule et réprima un grognement. Elle pourrait marcher plus vite si elle était moins chargée, mais elle n'osait pas abandonner des provisions. Elle aurait besoin de toute cette nourriture. Au moins, elle n'avait plus à se soucier de la bouteille de vin.

Le village était encore plus paisible que d'habitude. Elle pouvait juste distinguer le lac qui brillait au loin sous la lune. Elle n'avait vu ni entendu personne sur la route depuis quelque temps, et bientôt elle la quitterait pour des sentiers qui étaient encore moins fréquentés. Elle gravirait le chemin où elle s'était tordu la cheville – au moins il ne pleuvait pas – et dépasserait l'endroit où James et elle avaient mangé des petits pains chauds sur les rochers.

Elle irait lentement, mais avec un peu de chance elle atteindrait la petite cabane délabrée – son refuge – d'ici l'aube.

28

Olivia se réveilla plus tard que d'habitude, la soif lui grattant la gorge et la faim lui rongeant le ventre. Sa tête la lançait, et le soleil qui entrait à flots par la seule fenêtre de la cabane augmentait la douleur. Elle rejeta le châle qui lui servait de courtepointe et roula hors de sa grossière couchette – une couverture pliée en deux.

L'une des lattes du plancher était cassée et certaines étaient voilées, mais le sol était relativement propre, grâce à quelques branches feuillues dont elle avait fait un balai de fortune. Elle aurait pu réaliser des miracles avec une brosse et un seau d'eau savonneuse, mais au moins il n'y avait plus de toiles d'araignée.

Elle s'abrita les yeux tandis qu'elle tâtonnait le long du rebord de la fenêtre, puis saisit son couteau – celui qu'elle avait pris au bandit de grand chemin. Avec soin, elle creusa une encoche dans le mur à côté d'elle.

Sept nuits.

Elle ferma les yeux et murmura une prière. James embarquerait aujourd'hui et entamerait son voyage vers l'Égypte. Même si sa poitrine était serrée de chagrin, elle poussa un soupir de satisfaction.

Son plan fonctionnait. Elle n'avait plus qu'à survivre à une dernière nuit.

Mais cela n'allait pas être facile. Elle attrapa sa valise – qui lui servait aussi d'oreiller – et regarda dedans. Ses provisions étaient terriblement maigres. Elle avait fini le pain et les fruits depuis deux jours. Tout ce qui lui restait était un morceau de viande séchée.

Elle se leva lentement, s'appuyant de la main au mur. Quand son étourdissement passa, elle alla en chancelant jusqu'à la porte et l'ouvrit, inondant la petite pièce de lumière.

Bien qu'elle n'ait vu personne depuis une semaine, elle craignait encore d'être aperçue par quelqu'un passant sur les terres d'oncle Humphrey, aussi scruta-t-elle l'horizon en quête d'un mouvement. Rien à part des oiseaux qui voletaient d'arbre en arbre et des feuilles qui tremblaient dans la brise chaude. Clignant des paupières sous l'éclat du soleil, elle sortit et inspira de l'air frais.

Le plus grand défi de la semaine n'avait été ni la faim ni la soif. Oh ! elle aurait volontiers troqué sa paire de boucles d'oreilles favorites pour du thé et un scone, mais ce qui la taraudait le plus était l'ennui. Dans la cabane, les heures se fondaient les unes dans les autres si bien qu'elle pouvait à peine différencier le matin de midi ou du soir.

Par chance, elle avait trouvé une sorte de passe-temps – faire des fouilles. Elle n'avait pas les bons outils, mais ce n'étaient pas les bâtons qui manquaient. Quand elle taillait en pointe le bout d'une branche, cela marchait presque aussi bien que la pioche que James portait dans son sac. Les derniers jours, elle avait passé des heures au bord de la rivière, déterrant avec peine d'intéressants petits objets. La plupart étaient des pierres rondes comme celles que James avait trouvées. Mais, entre les pierres, elle avait aussi découvert des morceaux de métal ternis par l'âge. Peut-être les dessinerait-elle dans son carnet avant de les donner à oncle Humphrey. Elle espérait qu'ils le feraient sourire.

Ce jour-là serait sa dernière journée d'isolement et, même si elle ne regretterait pas grand-chose de ce séjour dans la cabane, elle s'aperçut – avec une certaine surprise – qu'explorer et fouiller près de la rivière lui manquerait.

Elle prit sa pioche rudimentaire et son gobelet en fer-blanc, puis suivit le petit sentier qu'elle prenait toujours pour aller à la rivière. Lorsqu'elle entendit l'eau gargouiller sur les pierres, elle courut jusqu'au bord, se pencha et emplit son gobelet. Elle but avec avidité, vidant le gobelet avant de le replonger dans l'eau.

L'eau coulait dans sa gorge, fraîche et claire, apaisant sa soif et sa tête qui la lançait. Elle s'allongea dans l'herbe et se rappela les splendides après-midi qu'elle avait passés là avec James. C'était l'unique torture de cet endroit – les souvenirs de lui l'entouraient.

Avec un soupir, elle se leva puis marcha plus loin le long de la rivière, s'imprégnant de la beauté des collines couvertes de brume et des paisibles pâturages. Elle s'apprêtait à sauter sur le sable de la rive, pour fouiller, quand un étrange frisson la parcourut.

Elle se figea, et ses cheveux se dressèrent sur sa nuque – elle avait l'impression que quelqu'un l'observait.

Laissant tomber ses affaires, elle courut se mettre en sûreté dans les bois. Sans tenir compte des branches et des ronces qui l'égratignaient, elle fila vers la cabane et entra en trombe dedans. Ses mains tremblaient quand elle ferma le loquet.

Tandis que son cœur battait à tout rompre, elle tenta de se raisonner : sa nervosité était due au manque de nourriture et de compagnie, et rien d'autre. Elle se laissa choir sur sa couchette et ramena ses genoux contre elle. Pendant plusieurs minutes, elle respira à peine en guettant un bruit de pas dans les broussailles et en s'attendant à voir la porte branlante secouée dans son cadre.

Mais il s'avéra que personne ne l'avait suivie, et qu'elle s'était inquiétée pour rien.

Elle était totalement, complètement seule.

James était allé jusqu'à Londres pour chercher Olivia et revenu.

Mais elle avait disparu telle une fée dans la forêt. Évanouie.

Même si elle s'était arrêtée à l'auberge de Sutterside, elle n'y était pas restée. Et, bien qu'elle ait questionné deux ou trois personnes au sujet de la diligence, personne ne semblait l'avoir vue à bord. Il avait trouvé le cheval qu'elle avait pris quand elle avait quitté Haven Bridge. Et un fermier voisin avait dit avoir vendu des fruits à une jeune femme avec un grand sac.

Après cela, il avait perdu sa trace. Il s'était rendu dans la maison de sa tante Eustace et, sur les suggestions de Rose, chez leur cousine Amelia à Londres, mais personne ne l'avait vue. Tout le monde était désespérément inquiet pour elle. Lui en particulier.

Elle avait disparu depuis *sept* nuits, et, lorsqu'il songeait à tous les dangers qu'elle avait pu rencontrer, cela le rendait fou.

Mais, après avoir interrogé en vain trois serveuses différentes dans trois auberges le long de la route ce jour-là, il comprit qu'il devait adopter une nouvelle stratégie.

Et qu'il lui fallait d'autres éléments pour continuer.

Il retournait donc au début de la piste pour aller chercher le seul véritable indice qu'il avait – la lettre d'Olivia.

Il l'avait laissée au cottage où résidait sa famille, et il se disait qu'ils avaient peut-être de nouvelles informations de leur côté. Il rentra donc avec réticence à Haven Bridge – sans Olivia.

Il était à quelques miles du village, lorsqu'il remarqua une bagarre à quelque distance de la route, sur sa droite, sur la pente d'une petite colline. Poussant son cheval en avant, il gravit le versant pour voir ce qui se passait.

Un homme âgé qui tenait un panier de légumes essayait de se protéger tandis qu'un individu plus grand, vêtu d'une veste sale et déchirée, tournait autour de lui en agitant un couteau.

Ils pivotèrent tous les deux, surpris, quand James s'approcha et démonta. Il regarda l'homme au couteau.

— Ce n'est guère un combat égal. Vous avez une lame, alors que votre adversaire est armé de quelques carottes et pommes de terre.

— Ce n'est pas un combat ! croassa le vieil homme, comme si James ne pouvait pas deviner ce qui se passait. Il a essayé de me voler mes légumes !

Le voleur ricana à l'intention de James, ses dents jaunes ressortant dans son visage sale.

— Épargnez-moi vos sermons. Vous savez ce qu'on dit à propos des voleurs et de l'honneur. Je me moque bien que ce combat soit juste ou pas. Je veux juste prendre l'avantage.

Son regard alla aux mains vides de James.

— Et pour le moment on dirait que je l'ai.

Il fit trois pas vers James. Ce dernier ne bougea pas. Le fermier qui tremblait derrière le voleur, les yeux épouvantés, prit une pomme de terre et plia le bras comme pour la lancer à son assaillant. James secoua la tête et lui fit signe de la poser.

— Je vais prendre les choses en main.

Le vieil homme s'empressa de descendre la colline vers la route, semant quelques carottes en chemin.

— Vos objets de valeur, demanda le voleur en agitant un doigt. Donnez-les-moi.

James serra les poings par réflexe ; puis il détendit ses doigts et sourit.

— Vous avez terrorisé assez de monde pour aujourd'hui. Prenez vos affaires et partez, loin. Ne revenez pas. Jamais.

— Je vais peut-être faire une bonne chevauchée – sur votre cheval, là. Mais d'abord je veux votre argent et vos objets précieux.

— Je ne vous donnerai même pas un demi-penny.

— Courageux discours pour un homme qui est face à ma lame.

Il en admira la pointe.

— Il n'y a pas de dames à impressionner dans le coin, vous savez, ajouta-t-il.

— Vous en prenez-vous aussi à des femmes sans défense ?

— Eh bien… Je pourrais vous dire que non, mais ce serait mentir.

L'homme ricana à son propre trait d'esprit.

James éprouva un étrange picotement entre les omoplates.

— Avez-vous vu une jeune femme voyageant seule par ici, cette semaine ?

— Peut-être. Qu'est-ce que ça vaut, pour vous ?

La patience de James céda. Il fit un pas en avant, attrapa la main qui tenait le couteau et la tordit dans le dos du voleur.

— Que lui avez-vous fait ?

Un mélange meurtrier de rage et de terreur pulsait dans ses veines, et son contrôle sur lui-même était à deux doigts de lui échapper.

— Réfléchissez bien avant de répondre, parce que je sauterai sur la première excuse pour vous rompre le cou.

Le voleur se débattit pour se libérer, mais James resserra son emprise jusqu'à ce que les doigts de l'homme deviennent bleus et que le couteau tombe à terre.

— Où est la dame ?

S'il avait fait du mal à Olivia, il était mort. Froid comme la pierre.

— Ça fait une semaine que je l'ai vue. Tout ce que je lui ai pris, c'est une bouteille de vin.

— Maudit menteur.

James fit faire volte-face au voleur et lui envoya son poing dans le menton. L'homme partit à la renverse, tomba sur son postérieur et se mit aussitôt à ramper en marche arrière, comme un crabe.

— Que lui avez-vous fait ?

— Rien !

Le bandit lutta pour se mettre debout, du sang coulant au coin de sa bouche. Du pied, James poussa sur sa poitrine, le renvoyant facilement par terre.

— Je veux savoir exactement ce qui s'est passé. Où est-elle, maintenant ?

— Comment diable je le saurais ? J'ai regardé dans son sac – il n'y avait rien qui vaille la peine d'être pris. Juste des vêtements et de la nourriture.

— De la nourriture ?

Cela semblait une chose curieuse à emporter, à moins que…

— Quoi d'autre ? gronda James entre ses dents.

— Une petite bourse. Presque rien.

— Et vous l'avez prise.

— Je lui ai laissé les provisions.

Le voleur se glissa sur le côté jusqu'à ce que James l'attrape par le devant de sa veste et le hisse sur ses pieds.

— Si je découvre que vous avez posé la main sur elle, lui avez fait le moindre mal…

— Non, je le jure ! Elle a retourné mon couteau contre moi. J'ai dû m'enfuir pour me sauver.

— Vous auriez dû fuir plus loin, alors.

Avant que l'homme ne puisse répondre, James lui assena un bon coup sur le nez. Ses yeux roulèrent en arrière, et il s'affala comme si on l'avait abattu avec une hache.

Il n'était pas mort, mais il s'en fallait de peu.

Assez curieusement, cette rencontre rendit de l'espoir à James. Si Olivia avait vraiment réussi à échapper au voleur – et si une femme le pouvait, c'était bien elle –, alors peut-être n'avait-il pas perdu sa trace pour de bon.

Mais pourquoi avait-elle emporté de la nourriture ? Il se pouvait qu'elle ait voulu voyager sans s'arrêter pour les repas, ou bien… peut-être projetait-elle de se cacher un certain temps. Mais où ?

Il fouilla les poches du voleur et trouva une montre en or et quelques pièces, mais rien qui menait à Olivia.

Au moins, il savait qu'elle avait emprunté ce chemin, probablement à pied, sept jours plus tôt. Il allait le suivre pour rentrer à Haven Bridge, en cherchant des indices.

Il prit son cheval par la bride et le guida sur la piste étroite et herbeuse, sans très bien savoir ce qu'il espérait trouver. Peut-être un bout de tissu arraché à l'ourlet de sa robe, une épingle à cheveux ou autre babiole. Il souhaitait désespérément tomber sur n'importe quelle petite chose qui lui confirmerait qu'elle avait été là et n'avait pas disparu de la surface de la Terre.

À ce moment-là, quelque chose brilla parmi les herbes et les broussailles sur le bord du sentier. James cligna des yeux et la chose disparut. Il fit quelques pas en avant et se mit à genoux, écartant les herbes hautes pour chercher l'objet en or qu'il avait aperçu.

Et il était là.

L'anneau qu'ils avaient trouvé ensemble près de la rivière. Il reconnut le métal lisse et ancien, le bord biseauté, la petite taille. *La bague d'Olivia.*

Son esprit se mit à fonctionner à toute allure. Pourquoi sa bague aurait-elle été jetée sans soin dans les broussailles ?

Il ne pouvait imaginer Olivia s'en débarrassant – quoi qu'elle ait écrit dans sa lettre, il savait avec certitude que les après-midi qu'ils avaient passés près de la rivière représentaient quelque chose pour elle. Et ces souvenirs étaient attachés à cette bague. Non, elle ne l'aurait pas jetée de son plein gré.

Mais si elle avait dû se débattre ? Le voleur aurait pu exiger qu'elle ôte l'anneau ou essayer de le lui arracher. Et si elle avait résisté – le genre de chose stupidement courageuse qu'Olivia ferait – la bague avait pu être projetée dans l'herbe, perdue jusqu'à ce qu'il tombe dessus…

La terreur lui glaça les entrailles. Il pria qu'Olivia ait fui le bandit en prenant ses jambes à son cou et que, d'une manière quelconque, elle soit en sûreté quelque part. Mais sa découverte de la bague l'ébranlait dans sa confiance. Tel un direct à la tempe qui venait de nulle part, elle le laissait sonné.

Sapristi, ce qu'il l'aimait.

Il l'aimait avec une intensité qui l'effrayait. Il aurait dû s'en rendre compte plus tôt, mais il avait été distrait. Son expédition, la lettre du père d'Olivia, la rixe avec Huntford et la pensée de son frère Ralph l'avaient empêché de voir ce qu'il aurait dû voir tout ce temps.

Elle était le centre de son univers, la seule chose qui comptait réellement.

La possibilité qu'il lui soit arrivé quelque chose de terrible l'ébranlait jusqu'au fin fond de lui-même. Sa vie n'était rien sans elle. Il renoncerait au trésor d'un pharaon pour l'avoir à son côté. Et il pria d'avoir l'occasion de le lui dire.

Il porta la bague à ses lèvres avant de la mettre au fond de sa poche.

Il pensa au voleur qui gisait, inconscient, à quelques mètres derrière lui. Il s'était certainement passé davantage de choses que ce que l'homme avait dit. Une part de James avait envie de le ranimer en lui lançant de l'eau à la figure et d'exiger le reste des faits ; une autre part de lui voulait le ranimer juste pour pouvoir l'assommer de nouveau.

La seule chose dont il était sûr, c'était que les pièces du puzzle ne s'emboîtaient pas correctement. Il fallait qu'il analyse de nouveau la lettre d'Olivia, qu'il sache ce que Huntford avait appris entre-temps – s'il avait appris quelque chose – et qu'il conçoive un nouveau plan.

Il devait tout simplement retrouver Olivia. Et il avait l'horrible sensation que le temps jouait contre lui.

Ce qu'il voyait et entendait autour de lui devint très net – l'herbe qui s'agitait dans la brise, l'ombre d'un faucon qui planait au-dessus de lui, les battements frénétiques de son cœur dans sa poitrine. Il attira son cheval à lui, sauta en selle et partit, espérant trouver quelques réponses à Haven Bridge.

29

Strates : *1) Couches de terre qui correspondent à différentes périodes historiques. 2) Niveaux de hiérarchie sociale ou classes, comme dans la phrase : « La fille d'un duc et un simple avoué peuvent appartenir à des strates sociales complètement différentes – mais être parfaitement assortis. »*

Par la fenêtre de la cabane, Olivia regardait le ciel devenir rose. Il ferait bientôt nuit, et la semaine de réclusion qu'elle s'était imposée toucherait à sa fin.

Elle passerait encore une nuit ici, et au matin elle rassemblerait le peu de forces qui lui restait pour marcher jusqu'au cottage d'oncle Humphrey. L'aimable vieil homme la reconnaîtrait-il seulement ?

Ses boucles d'ordinaire pleines de ressort étaient molles et fatiguées. Sa robe, couverte de terre et de poussière, pendait sur elle comme un sac. Elle pouvait à peine imaginer combien son visage devait être pâle et tiré.

Alors, en partie parce qu elle ne voulait pas donner une attaque à l'oncle de James, et en partie parce qu'elle aspirait désespérément à être propre, elle décida que ce soir-là, le dernier, elle se risquerait à une rapide baignade dans la rivière.

Elle trouva le petit morceau de savon à la lavande qu'elle avait emporté, le déballa et huma son doux parfum. Elle prit aussi le gobelet en fer-blanc et un châle qui lui servirait à se sécher. Quand le ciel devint d'un violet grisé, elle s'aventura hors de la cabane.

Le petit plaisir de se baigner dans la rivière n'allait pas diminuer la douleur d'avoir perdu James – elle doutait que quoi que ce soit le puisse –, mais au moins elle se sentirait peut-être de nouveau humaine.

Elle suivit le sentier jusqu'au cours d'eau, laissa tomber ses affaires sur la rive herbeuse et but plusieurs verres d'eau. Il n'y avait autour d'elle que des pâturages, des collines et un ciel splendide, et cependant elle hésita. Se mettre nue dehors demandait de l'audace – même pour elle. C'était différent quand James était avec elle. Alors, elle était trop distraite par la chaleur intense de ses yeux verts et le contact de ses mains sur elle pour éprouver de la gêne ou de la honte.

Tant de choses avaient changé depuis lors.

Néanmoins, après une semaine de larmes, d'ennui et de faim, elle était déterminée à profiter de cette petite récompense. Elle inspira à fond et tira sa robe et sa camisole par-dessus sa tête d'un seul mouvement, soulagée d'être libérée de ses vêtements souillés. Sa peau tressaillit dans l'air humide du soir, et lorsqu'elle défit sa natte les longues mèches de ses cheveux lui chatouillèrent le creux des reins.

Elle sauta sur la rive et s'assit sur un rocher lisse au bord de l'eau. Le rocher, encore gorgé de soleil, lui chauffa les fesses tandis qu'elle plongeait ses orteils dans la rivière qui gargouillait. Ses tétons se durcirent de plaisir anticipé lorsqu'elle se coula lentement dans l'eau fraîche.

Sans James pour la porter, elle ne pouvait pas faire la délicate et éviter de laisser ses pieds s'enfoncer dans le fond moelleux de la rivière. Elle prit le savon, plongea la tête sous l'eau et ressortit en haletant, des gouttelettes froides glissant sur son cou. Après avoir fait mousser le savon entre ses mains, elle se lava les cheveux, puis se renversa en arrière et laissa le courant les rincer. Ensuite, elle frotta chaque pouce de son corps, du bout de son nez jusqu'aux espaces entre ses orteils.

Lorsqu'elle eut enfin fini, elle sortit de la rivière, la peau rose et luisante au clair de lune, et se sécha avec son châle.

La nuit était tombée vite, mais elle n'avait pas envie de regagner la cabane – et encore moins de renfiler ses habits sales.

Mais après tout elle n'était pas obligée.

Elle ramassa sa robe et sa camisole et, en les tenant à bout de bras, elle retourna à la rivière. Il ne faudrait que quelques minutes pour les laver, et, si elle les étendait pendant la nuit, elles seraient presque sèches au matin. Elle pourrait se présenter à l'oncle Humphrey et à sa famille avec des vêtements propres.

Elle avait laissé son autre robe, également sale, à la cabane, aussi n'avait-elle rien à mettre pendant qu'elle lavait ses habits. Mais ce n'était pas comme si elle avait de la compagnie, hormis un renard ou un daim passant par là, et ce n'était pas non plus comme s'ils portaient des culottes et une redingote.

Alors, sifflotant une ballade mélancolique, elle se laissa tomber à genoux sur le rocher plat et chaud et se mit à laver sa robe – sa première tentative de jouer les blanchisseuses.

Assez curieusement, elle trouva que le travail mécanique de plonger l'étoffe dans l'eau, de la savonner, de la rincer et de l'essorer était plutôt apaisant. Il détourna même son esprit de James – un petit peu.

James entra en trombe dans le cottage de son oncle et pénétra à grands pas dans le cabinet de travail où Humphrey, ce qui n'était pas étonnant, ronflait dans son fauteuil. Ralph le suivit en boitant, un sourire en biais éclairant son visage juvénile.

— B… bon retour parmi nous.

— Tu es toujours là !

James l'étreignit, le tenant un peu plus longtemps que d'habitude.

— Je pensais que maman et toi auriez peut-être décidé de rentrer à la maison. Je suis content que vous soyez restés.

— Ma… Maman s'est couchée tôt, ce soir. Tu veux que je la réveille ?

— Non, laisse-la se reposer.

— Elle s'… s'inquiétait pour toi. Je… je lui ai dit que tu irais bien.

— Bien sûr. C'est Olivia qui est en danger.

— Où… où est-elle ?

— Je n'en ai pas la moindre idée.

James se passa une main dans les cheveux.

— Deux ou trois fois, j'ai cru que j'étais sur le point de la trouver, mais non. Le seul indice que j'ai, c'est ceci.

Il plongea la main dans sa poche, en sortit la bague et la montra à Ralph.

— Elle est à elle. Je l'ai trouvée sur un sentier qui court le long de la route, juste à l'extérieur du village.

Ralph regarda l'anneau avec sérieux, comme s'il comprenait qu'il représentait tous les espoirs de James – et ses pires craintes.

— P… peut-être qu'elle était trop grande et qu'elle est tombée pendant qu'elle marchait, suggéra-t-il avec espoir.

— Peut-être, répondit James.

Mais il savait que la bague allait juste à Olivia. Il se laissa choir sur une banquette dans le couloir encombré et tapota la place à côté de lui ; Ralph le rejoignit.

Ils restèrent assis en silence pendant une minute, chacun perdu dans ses pensées tandis que James tournait et retournait la bague entre ses doigts.

— Nous l'avons trouvée il y a quinze jours alors que je faisais des fouilles au nord-ouest de la propriété d'Humphrey, près d'une rivière. C'est Olivia qui l'a aperçue dans la terre. Je ne pourrais pas te dire pourquoi, mais j'ai *su* qu'elle était destinée à l'avoir.

Ralph secoua la tête comme s'il n'avait pas bien entendu.

— P… près de la rivière ? Je me suis promené par là-bas, aujourd'hui.

— Aussi loin ? Tu deviens vraiment plus fort, dit James avec fierté.

En temps normal, le compliment aurait fait rougir Ralph, mais il fronça les sourcils comme si James n'avait rien dit.

— C'est bizarre que tu m… mentionnes cet endroit. J'ai cru voir quelqu'un marcher à la lisière des arbres, ce matin. Mais la personne a d… disparu dans les bois avant que je puisse en être certain.

James se figea. *Bonté divine.* La cabane n'était pas loin de là. Et si elle avait…

James saisit Ralph par les épaules.

— Cela aurait-il pu être Olivia ?

— La p… personne était loin. J… j'ai supposé que c'était un garçon en train de braconner.

Il ferma les yeux comme s'il revoyait la scène.

— M… mais oui, dit-il avec assurance. Cela aurait pu être elle.

Soudain, tous les indices s'éclairèrent. Elle avait emporté des vêtements, des provisions et du vin. Elle n'avait jamais pris la diligence.

Et si, durant tout ce temps, Olivia s'était cachée sur la propriété d'Humphrey, presque sous leur nez ? Si elle avait passé une semaine à essayer de survivre seule, dans une cabane des bois rudimentaire ?

— Cela aurait pu être elle, oui, répéta James. Je vais le vérifier.

Ralph fronça les sourcils.

— Il n'y a r… rien, par là-bas. Que ferait-elle pour se n… nourrir ?

— Si elle se cache dans les bois, j'imagine qu'elle se contente de peu. Olivia peut être très obstinée.

— Ce… cela ressemble assez à quelqu'un que je connais.

Ralph sourit et planta un doigt sur le torse de James :

— V… va voir si ta fiancée veut être sauvée.

James était déjà à mi-chemin de la porte.

— Elle ne le veut probablement pas. Mais j'y vais quand même.

— Attends. Em… emporte un peu de gâteau, on ne sait jamais.

Ralph indiqua la cuisine.

— Elle pourrait être a… affamée, et un peu de nourriture pourrait augmenter tes chances de la convaincre.

Pour un frère cadet, Ralph était plein de sagesse. James fouilla dans la petite cuisine encombrée et trouva des gâteaux, des pommes et du pain. Il emplit sa gourde de vin et mit les provisions dans un sac.

Comme il se préparait à partir, Ralph étouffa un bâillement.

— Va dormir, lui ordonna James. Je te verrai demain matin.

— J'es… j'espère que tu auras de bonnes nouvelles.

James saisit l'épaule de son frère.

— Moi aussi.

Quelques minutes plus tard, il galopait à fond de train dans l'obscurité. C'était dangereux, mais il s'en moquait. Couché sur son cheval il le poussait en avant, se fiant à lui pour se rappeler le chemin. Bientôt, un ruban d'eau brilla au clair de lune. Il s'approcha, tira sur sa bride et démonta.

Il suivit les méandres familiers de la rivière, s'arrêtant à certains endroits pour chercher des empreintes de pas sur la berge. Rien. Il dépassa le site où il avait déterré les pierres pendant qu'Olivia était assise à côté de lui, à dessiner. Les pierres étaient alignées comme des soldats, telles qu'il les avait laissées, mais elles étaient plus nombreuses. Quelqu'un avait fouillé le long de la rivière.

La vieille cabane n'était pas loin de là. Il devait seulement chercher le sentier qui s'enfonçait dans les bois.

S'il se souvenait bien, il était à cinquante mètres environ au sud-est de…

Sapristi.

Il s'arrêta net et posa une main sur l'encolure de son cheval, pour le calmer.

Plus loin devant lui, il pouvait distinguer à grand-peine la silhouette d'une femme perchée sur un rocher telle une naïade. Ses cheveux mouillés voilaient son visage, et elle sifflotait doucement en essorant du linge au-dessus de la rivière.

Faites que ce soit Olivia, pria-t-il en silence. *Ou plutôt non : faites que ce ne soit pas elle.* Il avait besoin de savoir qu'elle était saine et sauve et allait bien. Mais il détestait penser qu'elle avait passé une semaine toute seule, privée du nécessaire, sans parler de son confort habituel.

Et, la vérité, c'était que savoir qu'elle subirait de son propre chef ce genre d'épreuve pour éviter un avenir avec lui lui faisait un mal du diable.

Il n'osa pas appeler de crainte que la femme ne s'enfuie dans la forêt. À la place, il marcha sans bruit le long de la rivière. À chaque pas, son cœur battait plus fort, comme s'il reconnaissait lui aussi ses mouvements vifs et sûrs et la façon dont elle tenait sa tête.

Alors qu'il s'approchait, un nuage qui cachait la lune s'écarta, illuminant Olivia juste assez pour qu'il voie qu'elle était, Dieu merci, entière et indemne.

Elle était aussi complètement nue.

Le désir puisa dans ses veines, et son sexe se durcit – même si son cerveau savait qu'il fallait s'occuper de questions plus urgentes.

Alors son cheval hennit, et la tête d'Olivia pivota vivement. En un clin d'œil, elle partit en courant. Elle laissa tomber le vêtement qu'elle lavait et détala vers les bois, en direction de la cabane.

James la poursuivit, mais, le temps qu'il atteigne la cabane, elle avait déjà claqué la porte. Il faisait si sombre sous les feuilles qu'il ne voyait pas à plus d'un pied devant lui.

— Olivia ! appela-t-il. Je vous en prie, laissez-moi entrer. C'est moi, James.

Un petit cri s'éleva derrière la porte branlante.

— James ? C'est vraiment vous ?

Il déglutit avec peine et appuya légèrement le front sur le bois usé.

— Qui d'autre saurait qu'une fois vous avez traversé un champ à vaches à cloche-pied, sous la pluie, que vous êtes une meilleure artiste que vous le laissez entendre, et que vous avez peur de poser les pieds au fond de la rivière ?

La porte s'entrebâilla légèrement.

— Je n'en ai plus peur. Toutefois, si je vois encore une araignée là-dedans, je peux très bien perdre la tête.

Ah, c'était toujours son Olivia. Le soulagement le submergea.

— Je suis désolé de vous avoir effrayée, à l'instant. Je suis désolé pour tout. Pouvons-nous parler ?

Elle hésita, puis hocha la tête.

— Donnez-moi un instant pour poser mon arme et me rendre présentable.

Bonté divine.

— Une arme ?

— Un couteau, lança-t-elle de l'intérieur plongé dans l'obscurité. Un petit souvenir de mes vagabondages.

Lorsqu'elle revint à la porte, elle le fit entrer dans la pièce sans lumière. Elle avait enroulé une couverture autour d'elle et l'avait coincée sous ses bras – des bras qui paraissaient trop minces.

Il avait envie de l'attirer à lui et de sentir son cœur battre contre sa poitrine. Il avait envie de goûter à la douceur de sa peau et de respirer l'odeur enivrante de ses cheveux. Mais, pour le moment, il se contenta de passer le revers de ses doigts sur sa joue.

— Allez-vous bien ?

Elle soupira.

— Oui.

— Pourquoi ? demanda-t-il seulement.

Elle comprit ce qu'il voulait dire.

— Je voulais que vous partiez.

Sa voix était rauque.

— Pour votre expédition. Vous *auriez dû* partir. Pourquoi ne l'avez-vous pas fait ?

— Je ne peux pas croire que vous me posiez cette question. Pensiez-vous sincèrement que je m'embarquerais pour un autre continent sans savoir où vous étiez ? Sans savoir si vous étiez saine et sauve ?

— Oui, dit-elle d'un ton âpre. Je vous ai dit dans ma lettre que je ne risquerais rien, et vous pouvez voir que c'est vrai. Pourquoi ne m'avez-vous pas prise au mot ?

— Pourquoi ? Peut-être parce que je ne voulais pas croire votre maudite lettre. Pas la partie où vous laissiez entendre que le temps que nous avions passé ensemble ne signifiait rien. Pas la partie où vous me disiez que je devais vous quitter. Et encore moins la partie où vous juriez que vous ne m'aimiez pas, finalement.

Le silence s'étira entre eux, et James souhaita avec ferveur pouvoir voir le visage d'Olivia en pleine lumière, ou mieux encore, lire dans son cœur.

— Je voulais que vous soyez heureux, murmura-t-elle enfin. J'ai mesuré combien j'avais agi égoïstement en vous poursuivant

— Je comptais que vous renonciez à votre rêve pour rester ici, avec moi, et réaliser le mien. Puis Owen nous a surpris, et nous n'avons plus eu le choix.

— Je reconnais que c'est ce que j'ai ressenti au début. Mais plus j'ai passé de temps avec vous, plus j'ai pris conscience que nous étions faits l'un pour l'autre.

Il prit ses mains entre les siennes, priant pour qu'elle comprenne.

— Chaque mésaventure, chaque conversation, chaque baiser m'ont rapproché de vous. Je vous aime, Olivia.

— Oh ! James.

Elle leva les yeux vers le plafond comme pour retenir ses larmes.

— Je vous aime aussi. Mais je voulais vraiment que vous partiez, pour réaliser votre rêve.

— Venez ici, dit-il en ouvrant les bras.

Elle fit deux pas hésitants vers lui, puis enfouit son visage dans son torse et sanglota dans sa chemise.

Il passa les mains dans son dos et serra les poings sur ses cheveux humides, s'assurant qu'elle était réellement là, avec lui, et savourant le bonheur de la tenir de nouveau.

— Olivia, dit-il d'une voix douce. Cela signifie énormément pour moi que vous soyez allée aussi loin pour me convaincre de partir – vous êtes la personne la plus généreuse que je connaisse. Mais j'avais annulé ma place dans l'expédition avant votre fuite.

Elle tressauta.

— Je regrette que vous l'ayez fait.

— Je pensais que vous seriez heureuse que nous commencions notre mariage ensemble.

— Mais je pense toujours à ce pauvre oncle Humphrey…

— Qu'est-ce que mon oncle a à voir avec nous ?

— Il n'a jamais participé à une expédition, n'a jamais pu explorer le monde en dehors des pages de ses livres. Et, lorsqu'il parle des occasions qu'il a manquées… eh bien, ses yeux sont tristes et tourmentés.

— C'est parce qu'il boit trop et passe beaucoup trop de temps avec ses chats.

— Je crois plutôt que c'est parce qu'il n'a jamais réalisé son rêve. Et si, dans des années, je voyais la même expression dans vos yeux, je ne pourrais pas le supporter. Je veux que vous soyez heureux – *vraiment* heureux.

Il lui releva le menton et passa son pouce sur sa mâchoire.

— Eh bien, la première chose qui me rendrait heureux, c'est que nous sortions de cette misérable cabane.

Il la souleva dans ses bras, poussa la porte du pied et fit passer Olivia par l'ouverture. Elle nicha la tête au creux de son épaule et, pour la première fois depuis une semaine, James respira librement.

Il laissa s'évacuer de lui tout le souci, la peur et l'incertitude qu'il avait éprouvés – et sentit l'espace ainsi libéré s'emplir d'amour, d'espoir et de bonté.

Il la porta jusqu'à leur endroit près de la rivière et la posa sur ses pieds avant d'ôter sa redingote et de l'étaler par terre.

— C'est une piètre couverture, mais cela grattera moins que de s'asseoir dans l'herbe.

Elle rit en s'asseyant, et ramena ses jambes sous elle.

— L'herbe ne m'ennuie pas. De fait, après cette semaine, peu de choses m'ennuient.

— Sauf les araignées.

— Bien sûr.

Se rappelant les pierres au bord de la rivière, James demanda :

— Est-ce que par hasard vous auriez fait des fouilles durant votre séjour ici ?

— J'ai peut-être fait quelques explorations à moi, oui…

Elle eut un grand sourire.

— J'ai trouvé un bout de métal qui pourrait avoir été une croix, et d'autres pierres.

Il haussa un sourcil.

— On croirait entendre un amateur d'antiquités.

Elle haussa ses minces épaules.

— Il me fallait quelque chose pour remplir mes journées. Je dois reconnaître que c'était… plaisant.

— Et peut-être un peu excitant ?

— Oui.

Elle lui taquina le cou, et le pouls de James s'emballa.

Il appela son cheval d'un claquement de langue et détacha le sac de sa selle.

— J'ai apporté quelques provisions.

Olivia releva aussitôt la tête.

— Vous avez de la nourriture ?

— Oui.

Il lui tendit le pain et rit lorsqu'elle le dévora jusqu'à la dernière miette. Il lui donna tout ce qu'il avait apporté, y compris la gourde de vin.

Pendant qu'elle mangeait, il ramassa la robe et la camisole qu'elle avait lavées. Il les essora encore une fois avant de les mettre à sécher sur un rocher.

Tandis qu'elle léchait une goutte de jus de pomme sur le revers de sa main, elle s'allongea sur le dos et regarda le ciel avec bonheur.

— C'est le meilleur repas que j'aie jamais fait, surtout le gâteau, dit-elle dans un soupir.

James s'étendit à côté d'elle.

— En vérité, c'était l'idée de Ralph. Il marchait par ici ce matin et a cru voir quelqu'un. Alors je me suis demandé si cela pouvait être vous. Je l'espérais.

— Ah. J'ai en effet eu la sensation de ne pas être seule, ce matin. Je suis contente de savoir que c'était votre frère, et non le voleur que je… Enfin, peu importe.

— Vous n'avez plus besoin de vous inquiéter à son sujet.

Elle releva la tête.

— Comment va votre frère ? Et votre mère ?

— Ils vont bien. Mais tout de suite je veux parler de nous.

Olivia battit des cils et se tourna vers lui.

— J'ai tout gâché, n'est-ce pas ?

— Non. Je ne pense pas que ceci – *il pressa sa paume contre la sienne* – puisse s'appeler du gâchis.

— Alors comment l'appelleriez-vous ?

— Je dirais de l'amour. Vous avez bravé une semaine dans la nature dans l'espoir que j'irais en Égypte. Moi, j'ai parcouru la moitié de l'Angleterre à votre recherche, parce que je ne peux pas imaginer un avenir sans vous.

L'espoir se lova dans le ventre d'Olivia, doux et chaud.

— Dans ce cas, je suppose que c'est une très bonne chose que vous m'ayez trouvée.

— Je vous aime, Olivia. Plus qu'un musée plein d'objets anciens et qu'un désert plein de reliques enfouies.

Elle haussa un sourcil amusé.

— Un grand compliment, vraiment.

Plus sérieusement, elle ajouta :

— Et je vous aime aussi. Plus qu'une garde-robe pleine de toilettes exquises et qu'une boulangerie pleine de petits pains chauds. Et je ne dis pas cela juste à cause de votre torse – *elle passa la main sur l'étoffe de sa chemise* – même s'il pourrait avoir quelque chose à y voir.

James se pencha et posa son front sur le sien.

— J'étais si inquiet pour vous.

L'angoisse qui perçait dans sa voix émut presque Olivia aux larmes.

— Je pensais…

— Chut.

Elle posa un doigt sur sa lèvre inférieure, si pleine.

— Je suis là. Je vais bien. Et je vais vous le prouver.

Sur ces mots, elle le poussa pour qu'il s'allonge sur le dos, se pencha au-dessus de lui et posa ses lèvres sur les siennes. Pendant un bref instant, ils restèrent figés ainsi. Il n'y avait qu'eux deux qui existaient, leur souffle se mêlant dans l'air chaud de l'été.

Voilà ce qu'elle avait toujours voulu. Le genre d'amour qui pouvait survivre aux secrets et aux erreurs monumentales. Le genre d'amour qui s'emparait d'une situation sans espoir et la rendait… parfaite.

Le désir s'embrasa et le baiser s'approfondit. James grogna tandis qu'il tirait sur le châle qu'elle avait drapé autour d'elle. Il tomba, la dévoilant complètement à ses yeux. Avec avidité, il lui caressa les seins, les hanches et les fesses, ce qui l'enflamma.

Elle tira aussi sur ses vêtements, et bientôt les à-plats durs et chauds de son torse frottèrent sur ses tétons, en durcissant la pointe.

James glissa une main entre ses jambes et toucha sa féminité. Elle était déjà moite et tremblait de besoin.

— James, dit-elle dans un souffle, j'ai menti, dans ma lettre. Je n'ai jamais cessé de vous aimer. Cela a toujours été vous. Ce sera toujours vous.

Il roula sur elle, passa les mains sous son postérieur et la regarda avec une tendresse qui lui coupa le souffle.

— Vous avez donné du sens à ma vie, Olivia. Je cherchais partout, essayant de trouver quelque chose... quelque chose qui comptait vraiment. Et vous étiez là, tout ce temps.

Elle noua les jambes autour de ses hanches, l'attirant plus près. Il la regarda, dans les yeux tandis qu'il la pénétrait lentement, leurs corps se joignant à la perfection.

Ils se mirent à bouger ensemble, se balançant l'un contre l'autre jusqu'à ce qu'ils soient hors d'haleine, brûlants et aspirant désespérément à la jouissance.

— Ne me quittez plus jamais, Olivia, implora-t-il en prenant la tête de celle-ci dans sa main.

Le cœur d'Olivia se serra, et la pulsation entre ses jambes s'accrut, montant en flèche.

— Je ne le ferai pas. Je le pro...

Le mot mourut sur ses lèvres tandis qu'une vague de plaisir irrépressible montait en elle. Elle arqua le dos, entraînant James avec elle.

Il dit son nom en atteignant l'extase ; il le dit comme une prière.

Et, quand les spasmes suaves s'éteignirent enfin, il roula sur le flanc et lui décocha un sourire qui la fit fondre comme du chocolat. Une nouvelle fois.

Il prit une longue boucle qui reposait sur son épaule et l'enroula autour de son doigt.

— Demain, nous nous occuperons de nos familles, de leurs questions et plans de mariage. Ce soir, c'est juste vous et moi. Et je ne peux rien imaginer de plus parfait.

Olivia eut un soupir heureux, même si pour elle ce n'était pas tout à fait parfait.

Par chance, elle avait une idée pour atteindre la perfection.

30

James espéra qu'il répétait correctement les mots.

Chaque fois qu'il regardait Olivia – radieuse et magnifique dans une robe de soie bleu pâle –, il oubliait où il était, à savoir dans la minuscule église d'Haven Bridge, pour son propre mariage.

Il détacha les yeux de sa délicieuse fiancée pour les porter sur Huntford, qui se tenait debout au premier rang, très grand, et qui, chose curieuse, tentait de s'essuyer les paupières en toute discrétion. Le duc avait été si soulagé quand Olivia avait été retrouvée qu'il avait acquiescé à sa demande de reporter le mariage de deux semaines.

Anabelle avait peut-être eu quelque chose à y voir. Elle avait dit qu'Olivia devait reprendre un peu de poids avant de porter la robe qu'elle avait créée pour elle. Et elle avait catégoriquement refusé de la retoucher.

Ces quinze jours supplémentaires permirent aussi à certains de ceux qui avaient quitté Haven Bridge après le mariage manqué de revenir. Foxburn accompagnait Daphne, cette fois, et le comte paraissait plus détendu que James ne l'avait jamais vu. Il arborait toujours un sourire ironique – avec l'air de se moquer de James, qu'il prenait de toute évidence pour un benêt énamouré. Ce qu'il était sans aucun doute. Bien sûr, Foxburn était également entiché de sa propre délicieuse épouse, ce que James lui rappellerait à la première occasion.

La sœur d'Olivia, Rose, et leur demi-sœur Sophia étaient assises côte à côte. Elles paraissaient heureuses… et soulagées. Peut-être savaient-elles mieux que personne combien leur sœur pouvait être obstinée.

La mère de James et son frère étaient assis sur le premier banc derrière lui. Ralph portait une jaquette et une écharpe élégantes et souriait fièrement. Sa mère se tamponnait les yeux – elle avait tout de même trouvé le moyen d'aborder le sujet des petits-enfants pas moins de trois fois durant les deux dernières semaines.

Oncle Humphrey était pris en sandwich entre deux grands-tantes d'Olivia. Il avait diminué le cognac ces derniers jours et juré qu'il serait assez en forme pour s'extirper de son fauteuil et assister au mariage. Effectivement, il l'avait fait, et certaines des vieilles dames avaient même déclaré qu'il était tout à fait charmant.

— Monsieur Averill ?

James ramena vivement les yeux sur le visage du pasteur et lui adressa un sourire d'excuse.

— Je prends cette femme pour épouse…

Une heure plus tard, les invités au mariage et lui se retrouvèrent sur la pelouse derrière l'un des cottages que Huntford avait loués, pour profiter de la petite collation élégante que les sœurs d'Olivia avaient organisée.

Olivia et Daphne étaient assises à côté de Ralph, et tous trois étaient en grande conversation au sujet de leurs projets de sorties pour les enfants de l'orphelinat. Olivia avait suggéré de faire appel à Ralph pour les aider, et il était ravi d'être impliqué dans leurs plans.

— L'automne sera la saison parfaite pour un pique-nique à la campagne, dit Daphne. Nous pouvons demander aux filles d'apporter un carnet et de prendre des notes sur les plantes et les animaux qu'elles observeront. Il faut que je revoie les noms latins afin qu'elles aient la bonne nomenclature.

Olivia leva les yeux au ciel en feignant l'exaspération.

— Le but de l'excursion est de leur sortir le nez de leurs livres pendant quelques heures. Il faudra que ce soit un après-midi sans latin !

— Mais nous devons profiter au maximum de cette occasion d'apprendre.

Daphne se tourna vers Ralph, cherchant un soutien.

— P... peut-être que les fillettes pourraient ramasser quelques sp... spécimens et chercher leur nom quand elles seront de retour à l'orphelinat. Une activité pour un j... jour de pluie.

Olivia se leva et embrassa Ralph sur la joue.

— Vous êtes à la fois diplomate et brillant – comme votre frère.

Elle lança à James des œillades coquines tandis qu'elle se déplaçait parmi les invités, les remerciant d'être venus et acceptant gracieusement leurs vœux. Ses joues n'étaient plus creuses, et sa magnifique robe révélait qu'elle avait retrouvé ses belles courbes. Avec ses cheveux relevés au sommet de sa tête et sa toilette fluide, elle évoquait une beauté de la Grèce classique.

Et, surtout, elle avait dans les yeux un adorable pétillement qui pouvait signifier soit qu'elle était très heureuse, soit qu'elle préparait quelque chose.

James suspectait que c'était les deux à la fois.

Elle alla jusqu'à une table, prit une fourchette en argent et la fit tinter contre sa flûte de champagne.

— Mesdames et messieurs, puis-je avoir votre attention, je vous prie.

Elle décocha dans sa direction un sourire à lui arrêter le cœur.

— En particulier la vôtre, monsieur Averill.

La petite assemblée rit, et James inclina poliment la tête – mais que diable sa belle épouse lui réservait-elle ?

— Je me rends bien compte qu'il n'est pas habituel que la mariée fasse un discours, néanmoins tout le monde sait que je ne suis pas une personne habituelle. Je souhaite tout d'abord présenter mes excuses à ceux d'entre vous qui ont fait le déplacement pour assister à notre mariage pas une fois, mais deux. Je suis sincèrement désolée pour les efforts inutiles et le souci que je vous ai causés.

Elle marqua une pause.

— La raison pour laquelle je me suis enfuie n'était pas que mes sentiments pour James avaient diminué. Au contraire, je savais que je l'aimais au-delà de tout, et je pensais que si je le persuadais que je ne voulais pas l'épouser, il serait libre de réaliser son rêve de participer à une expédition archéologique.

James secoua la tête – pourquoi donc revenait-elle là-dessus ? C'était elle, son rêve, par-dessus tout le reste. Il ouvrit la bouche pour le lui dire, mais elle leva une main et continua.

— James voulait renoncer à cette aventure pour que nous puissions être ensemble. Seulement, il m'est venu à l'esprit qu'il n'était peut-être pas obligé de choisir.

Il vint se placer à son côté, se pencha et lui murmura à l'oreille :

— Je pensais que nous avions réglé cette histoire, Olivia. Pouvons-nous en discuter plus tard, je vous prie ?

Elle l'ignora et poursuivit :

— Alors, avec un peu d'aide de la part d'oncle Humphrey, j'ai fait en sorte que notre voyage de noces se déroule… en Égypte.

James cligna des yeux.

— Quoi ?

— Nous rejoindrons l'équipe au Caire. Ce ne sera pas aussi long que l'expédition que vous aviez prévue, précisa-t-elle d'un ton excité. Juste six mois. J'ai pensé que cela suffirait peut-être pour que nous fassions pas mal de fouilles et de croquis.

— Mais… je ne…

— Nous partons demain.

Elle lui pressa la main et le regarda, les yeux brillants.

— N'est-ce pas merveilleux ?

Leur famille et leurs amis applaudirent et lancèrent des vivats.

James avait l'impression d'être sur la scène d'une pièce de théâtre étrangement réaliste.

— C'est très gentil, Olivia, dit-il d'une voix douce, mais je ne peux imaginer que votre frère accepte…

— Je lui en ai déjà parlé. Je pensais que nous devrions partir pour un an, mais il m'a convaincue de revenir dans six mois.

Elle se pencha vers James et chuchota :

— Je ne sais pas lequel d'entre nous – vous ou moi – lui manquera le plus. Il vous a pardonné, vous savez, même s'il ne l'admettra pas.

James secoua la tête.

— Ainsi, nous partons pour l'Égypte ?

— Demain, répéta-t-elle. Oncle Humphrey a écrit à l'un de ses collègues, et ensemble ils se sont occupés de tout. D'après Humphrey, nos conditions de vie ne seront pas aussi luxueuses que ma chambre dans St. James Square, mais, d'un autre côté, elles seront sûrement plus confortables qu'une cabane abandonnée.

L'Égypte. Il s'était persuadé qu'il ne voulait pas y aller. Et en vérité, à partir du moment où Olivia était à son côté, il se moquait bien de l'endroit où il se trouvait. Mais il ne pouvait nier l'excitation qu'il éprouvait à la perspective d'une telle aventure – avec elle.

Il la souleva dans ses bras et la fit tournoyer, sans tenir compte des mines pincées de deux ou trois grands-tantes.

— Vous n'auriez pas pu me faire un plus beau cadeau de mariage, dit-il en la reposant par terre. Merci.

— C'est avec plaisir, mon cher époux.

Époux. Il aimait le son de ce mot.

— J'ai une annonce à faire aussi.

Humphrey toussa et s'essuya le front avec un mouchoir. Il se leva en vacillant, et James se précipita à son côté pour le soutenir.

— Qu'est-ce que c'est, mon oncle ? Vous ne devriez pas faire d'efforts.

— Sottise. Il est grand temps que j'en fasse.

S'adressant à toute l'assemblée, il déclara :

— James est comme le fils que je n'ai jamais eu. Et maintenant il a une magnifique jeune épouse qui me semble déjà être une fille pour moi. Ils m'ont rappelé ce que c'était que d'être jeune et amoureux. En vérité, je ne crois pas avoir jamais vu un couple plus épris.

— Merci, mon oncle.

Humphrey hocha la tête.

— J'ai un cadeau pour vous deux. Il ne s'agit pas de richesses ni de bijoux, mais il est spécial, toutefois. Je veux que vous ayez les terres au bord de la rivière. Elles sont à vous pour les explorer et en profiter autant que vous voudrez.

Olivia réprima une exclamation.

— Oncle Humphrey, nous ne pouvons pas accepter !

— Bien sûr que si. Et, si vous tenez à le savoir, j'ai un autre mobile pour vous faire ce présent. J'espère que vous – et un jour vos enfants – viendrez me voir ici, à Haven Bridge.

James lui serra la main et l'étreignit en même temps.

— Nous viendrions vous voir de toute façon, vous savez.

— De cette manière, j'en serai sûr.

— Vous avez été un père pour moi. C'est le plus beau des cadeaux.

Humphrey hocha la tête et s'essuya le visage.

— J'ai un maudit insecte dans l'œil.

Avec un petit rire, James l'aida à se rasseoir. Puis il alla rejoindre Olivia et prit sa main dans la sienne.

— Même si ce n'est pas aussi grandiose, j'ai quelque chose pour vous, moi aussi.

— Vraiment ?

— Oui.

Il déglutit, puis se mit sur un genou, espérant qu'il n'allait pas gâcher ce moment. Olivia avait toujours eu envie d'une demande en mariage romantique et, par le ciel, elle la méritait.

Même si c'était un peu tard.

— Olivia, je ne suis pas à l'aise avec les mots, sauf s'ils appartiennent à des contrats ou choses de ce genre. Les questions juridiques ne me posent pas de problème – *Seigneur, cela commençait mal* –, mais les sentiments sont une autre histoire.

Il déglutit de nouveau, et elle hocha la tête, lui donnant le courage de continuer.

— Vous avez fait irruption dans ma vie tel un colibri, voltigeant de-ci de-là, exigeant davantage de moi. Défiant tout ce que je pensais savoir sur moi-même, et me faisant comprendre que les plus grands trésors ne viennent pas du passé, mais du présent. Des amis et de la famille qui ont partagé notre vie et l'ont rendue plus riche. Avec vous, la vie sera toujours une aventure, et chaque chapitre sera plus délicieux que le précédent. Je suis l'homme le plus chanceux du monde de vous avoir pour épouse.

Olivia battit des cils comme si elle retenait ses larmes, et plusieurs femmes soupirèrent. Huntford grogna.

— Oh ! j'ai failli oublier.

James mit la main dans sa poche, en tira la bague et la lui tendit.

Olivia joignit les mains sur sa poitrine.

— Mais c'est ma… Comment l'avez-vous retrouvée ?

Il haussa les épaules.

— Je suppose que le Destin a une façon de s'occuper de ces choses-là.

Il lui prit la main et commença à glisser l'anneau à son doigt.

— Juste une minute ! s'écria oncle Humphrey. Avant de mettre cette bague, laissez-moi la voir.

Il vint les rejoindre d'un pas traînant, prit la bague des doigts de James sans cérémonie et l'observa en plissant les yeux.

— Eustace, permettez-moi d'emprunter votre lorgnette.

Tante Eustace la lui tendit, et tout le monde regarda pendant qu'Humphrey examinait l'anneau en or à travers la lentille. Ses yeux se concentrèrent dessus, puis s'élargirent.

— Qu'y a-t-il ? demanda Olivia.

— Il y a une inscription à l'intérieur, répondit le vieil homme. Regardez.

Olivia approcha la bague de son visage.

— *Amor vincit omnia.* Mon latin n'est pas excellent, mais je pense que cela veut dire…

— *L'amour triomphe de tout*, déclara James en se levant.

Il passa l'anneau à son doigt et baisa le dos de sa main.

— Oui, dit-elle dans un souffle. Il l'a certainement fait.

Tandis que tout le monde applaudissait et les acclamait, il se pencha vers son oreille.

— Avez-vous encore le costume de Cléopâtre ?

Elle haussa un sourcil.

— Cela se pourrait.

— Assurez-vous de l'emporter.

— Comme vous voudrez.

Les yeux d'Olivia étaient pleins de promesses – et d'amour.

— Tout bien réfléchi – *James lui mordilla légèrement le lobe de l'oreille* –, je pense que vous devriez le porter dès ce soir.

Elle lui décocha un sourire aguicheur.

— Je ne peux pas attendre.

Seigneur. Il comptait déjà les minutes.

Composition et mise en pages réalisées
par ÉTIANNE COMPOSITION
à Montrouge.

Achevé d'imprimer par N.I.I.A.G.
en janvier 2016
pour le compte de France Loisirs, Paris

Numéro d'éditeur : 84102
Dépôt légal : janvier 2016

Imprimé en Italie